L' ART NOUVEAU

KLAUS-JÜRGEN SEMBACH

L' ART NOUVEAU
L'UTOPIE DE LA RÉCONCILIATION

BENEDIKT TASCHEN

Illustration 1ère page de couverture:
Victor Horta: hall d'entrée de la Maison Tassel à Bruxelles (détail), 1893

Illustration 4ème page de couverture:
Emile Gallé: vase à décor de colchiques, Nancy, 1899, collection particulière, Munich

Frontispice:
Henry van de Velde: poignées de porte du Nietzsche-Archiv de Weimar, 1903

Remerciements
Pour les recherches des faits historiques et des documents iconographiques correspondants, Wilfried Burkard, Berlin, m'a été d'une aide tout aussi avisée qu'amusée. Sans son actif soutien, les premières pages de bien des chapitres n'auraient pu être écrites. Je dois également des remerciements à M. Paul Tauchner, Munich, qui a mis à ma disposition sa remarquable collection pour l'illustration du présent livre. Je garde en outre un excellent souvenir de la collaboration de tous les collègues auxquels je me suis adressé:
Mme Ingeborg Becker, Bröhan-Museum, Berlin
Mme Renate Ulmer, Museum Mathildenhöhe, Darmstadt
M. Georg Himmelheber et Mme Nina Gockerell, Bayerisches Nationalmuseum, Munich
M. Winfried Nerdinger, Collection d'Architecture de la Technische Universität, Munich
M. Hans Ottomeyer, M. Andreas Ley, M. Norbert Götz, Stadtmuseum, Munich
M. Claus Pese, Germanisches Nationalmuseum, Nuremberg
Mme Heidrun Teumer et Mme Erna Mißbach, Bibliothek der Landesgewerbeanstalt, Nuremberg

© 1991 Benedikt Taschen Verlag GmbH & Co. KG
Hohenzollernring 53, D-5000 Köln 1
© des reproductions dans la messure où il n'a pas tient pas à l'artiste, 1990 VG Bild-Kunst, Bonn pour la reproduction des œuvres de Behrens, Heine, Loos, Riemerschmid
Rédaction et production: Beatrix Schomberg, Cologne
Couverture: Peter Feierabend, Berlin
Choix iconographique et mise en page: Klaus-Jürgen Sembach
Traduit de l'allemand par: Wolf Fruhtrunk
Printed in Germany
ISBN 3-8228-0518-1
F

TABLE DES MATIERES

   6   MOUVEMENT
         Les premiers pas de la modernité

 32   AGITATION
        Le soulèvement des provinces

 40   Bruxelles
 64   Nancy
 72   Barcelone
 80   Munich
120   Weimar
140   Darmstadt
170   Glasgow
186   Helsinki
194   Chicago

204   EQUILIBRE
        Vienne: l'initiation à la modernité

238   Bibliographie

239   Index des noms cités

240   Iconographie

MOUVEMENT
LES PREMIERS PAS DE LA MODERNITE

La fin du 19ème siècle a apporté deux nouveautés au monde: le cinéma et l'Art nouveau. Ces deux phénomènes peuvent être mis en rapport dans la mesure où ils sont apparus dans des conditions et avec des buts semblables. Leurs aspirations respectives elles aussi étaient proches. D'une façon ou d'une autre, l'image et le style mouvants sont des conséquences de l'âge industriel, soit directement en tant qu'invention, soit en réaction, sous la forme d'une tendance à l'ennoblissement. Tous deux disposaient d'un besoin de communication muet, mais riche en poses et en attitudes: le cinéma à ses débuts sous des formes triviales, le style à travers un esthétisme confinant à la naïveté, voire à la vulgarité. Mais tous deux avaient en commun une aspiration à la popularité, le cinéma connaissant un succès plus important, tandis que le succès de l'Art nouveau devait se confirmer par sa durée.

Si l'on ne peut attester des rapports directs, il est vrai que les exigences artistiques du cinéma ne se firent jour qu'à une époque où l'Art nouveau avait pour ainsi dire disparu. Nous ne pouvons donc savoir si Henry van de Velde se sentait soutenu par la puissance suggestive d'images mobiles pour ce qui a trait au dynamisme de son style; et la date de conception d'une salle de cinéma en 1905 par Frank Lloyd Wright demeure sujette à caution. Les histoires fantastiques que Georges Méliès portait déjà à l'écran à cette époque vivaient du monde de Jules Verne et constituaient un monde d'images tout à fait personnel, sans pour autant dénoter les influences de l'Art nouveau parisien. Mais le fait que ces deux phénomènes aient pratiquement vu le jour en même temps – 1895 pour le cinéma, et quelques années plus tôt pour l'Art nouveau – indique cependant qu'ils étaient au moins très semblables sur le plan de l'actualité.

Il est vrai que les points de contact ne sauraient se situer sur le plan de l'anecdote. Si l'origine des deux phénomènes remonte à un fait commun, ce sera en premier lieu la fascination d'un mouvement qui avait déjà conquis presque tous les domaines de la vie. L'accélération croissante du trafic, de l'efficacité mécanique et des possibilités de l'action humaine ne pouvait plus laisser personne indifférent. Refléter cet élément dynamique constituait l'un des premiers propos du cinéma, tandis que sa sublimation esthétique représentait la spécificité de l'Art nouveau. Il se peut certes que d'autres raisons

Page 6: l'entrée principale de l'Exposition Universelle de Paris, éclairage nocturne, aquarelle de M.F. Bellenger, in: Le Livre d'or de l'Exposition de 1900, Paris 1900

Henri de Toulouse-Lautrec, Loïe Fuller, Paris Détail d'une lithographie, 1893

Thomas Theodor Heine, Loïe Fuller, Munich, vers 1900

aient eu une incidence, mais la force motrice fondamentale n'en demeure pas moins le fait que les arts plastiques cherchaient depuis longtemps à rattraper à leur manière et avec leurs moyens propres les processus techniques qui ne cessaient de transformer le monde. L'Impressionnisme avait représenté une première tentative de donner une forme esthétique satisfaisante au caractère fugace de ce qui ne pouvait plus être arrêté dans un cadre figé. L'imprécision des contours constitue l'aveu que les impressions ne devaient plus désormais être saisies d'une façon nécessairement statique, et qu'elles pouvaient aussi bien se mettre à glisser.

Si on accepte de laisser de côté l'impuissance esthétique de l'Historisme, les points de contacts entre l'art et la technique avaient jusqu'alors été très éphémères, ils étaient déterminés par une réaction de défense plutôt que par une volonté de symbiose. Ainsi est-on bien obligé de concéder à l'Art nouveau qu'il aura été la première tentative évidente de modifier cet état de fait. On peut considérer cet art comme une tentative de concilier les aspirations artistiques héritées du passé et les nouveaux phénomènes de l'ère technique. Peut-être sentait-on déjà confusément ce que cette tentative pouvait avoir de contradictoire, mais c'est grâce à l'Art nouveau que cette intuition se transformera en certitude. C'est pourquoi sa constante popularité ne peut être interprétée que comme le souhait irrationnel de repousser sans cesse le moment de cette prise de conscience. Ainsi l'Art nouveau, qui ne connut qu'une courte existence, peut-il miser sur une espérance de vie éternelle en tant que métaphore d'un espoir utopique.

La parenté entre le cinéma et l'Art nouveau était déjà clairement ressentie dès 1900, ce que l'on peut reconnaître dans le fait que les deux phénomènes se rencontrèrent à l'Exposition Universelle de Paris. Depuis leur apparition, ces manifestations étaient en quelque sorte les bourses de la nouveauté de l'époque, où rien ou presque n'était laissé de côté, tout comme c'est encore aujourd'hui le cas. Pas plus l'apport du cinéma que celui de l'Art nouveau ne pouvaient être considérés comme marginaux dans la mesure où l'on retrouvera l'Art nouveau dans un grand nombre de pavillons et qu'il comptait par conséquent comme un style établi. La circonstance que l'immense salle des fêtes ait précisément été érigée à grands frais – quoique dans un style bon

M.E. Vavaseur, illustration d'époque montrant le montage d'une production cinématographique dans la Grande Salle des Fêtes de l'Exposition Universelle de Paris, in: Le Livre d'or de l'Exposition de 1900, Paris 1900

August Endell, foyer du «Bunte Theater» à Berlin, 1901. Au sol, une faune étrange semble se presser vers la sortie, in: Berliner Architekturwelt, 1902

Architecte inconnu, rampe d'escalier à Moscou, vers 1900

Hermann Obrist, projet de sculpture, Munich, vers 1895, plâtre, hauteur: 88 cm
Zurich, Kunstgewerbemuseum

marché –, à l'intérieur de l'ancienne «Galerie des Machines» de 1889 pour en faire une salle de projection, eut un impact certain. Il va de soi que c'était dans l'intérêt de la France que de présenter l'invention de l'image cinématographique comme sa propre invention – en Allemagne, on n'avait visiblement pas su rendre hommage au fait que le pionnier du cinéma Max Skladanowski s'était manifesté indépendamment peu après les frères Auguste et Louis Lumière –, mais le coût de l'opération avait dû être très élevé. La projection cinématographique avait été en mesure de remplacer de façon convaincante toute autre tentative de récit cinématographique. Dans le pavillon russe, on pouvait assister à la mise en scène d'un voyage en Sibérie sous la forme suivante: derrière les fenêtres de wagons montés sur cales, on faisait passer des panoramas peints – il s'agissait là sans conteste d'une mise en scène mécanique apparentée au théâtre, et qui avait pour but de suggérer le mouvement. Une des attractions majeures de l'Exposition parisienne avait également été un trottoir roulant parcourant l'ensemble de la manifestation, ce qui avait un impact bien différent des véhicules et scènes mobiles que l'on avait pu réaliser par le passé dans la mesure où la permanence du mouvement permettait une toute autre vision que l'aller-retour habituel d'un endroit à un autre.

1900 vit de nouveau paraître à Paris la danseuse Loïe Fuller. L'influence considérable sur l'Art nouveau de ses danses serpentines baignées de lumières colorées se reflète dans l'interminable série d'illustrations et de sculptures qui la représentent. Celles-ci représentent la tentative de fixer malgré tout quelque chose de fondamentalement insaisissable sur la surface ou dans l'espace. Elles manifestent d'ailleurs une impuissance certaine à l'égard du phénomène plutôt

qu'une approche réelle du mouvement. Comment cela eût-il en effet été possible dans la mesure où le seul propos de ses danses était précisément le mouvement, un mouvement libéré de toute pose ou ambiance significatives, que l'on aurait pu encore comprendre? C'est pour cette raison que les meilleures représentations sont celles qui se limitent à rendre l'ivresse du mouvement des voiles, y fondant la tête et les membres. Il était en effet plus juste de faire disparaître tout aspect personnel au profit de la pure dynamique.

Loïe Fuller était un phénomène sous plusieurs aspects: elle était une sculpture abstraite qui faisait du mouvement quelque chose d'absolu, d'une manière comparable peut-être à la beauté d'une hélice de bateau dans l'eau. Mais tandis que celle-ci générait un déplacement, Loïe Fuller se générait elle-même. Son immobilité devait être décevante; des photographies sur lesquelles on la voit danser dans une prairie montrent combien l'appareil de bâtons avec lequel elle avait coutume d'opérer était primitif. Son domaine était la distanciation de l'espace artistique de la scène, qui gomme les moyens et produit exclusivement de l'effet pur. C'est d'ailleurs dans ces conditions que la séduction qui émanait d'elle pouvait être fatale.

D'autres artistes étaient en revanche immunisés contre le risque de se perdre dans l'artifice et le narcissisme: tous ceux qui, comme Hermann Obrist et August Endell à Munich, parvinrent à donner forme à l'amplitude de la grande pose, ou ceux qui, comme Victor Horta et Henry van de Velde à Bruxelles, Hector Guimard à Paris et Richard Riemerschmid à Munich, surent penser d'une façon convaincante en termes constructifs. Ce furent eux qui donnèrent les points de repère et justifièrent que l'on put désigner des tentatives divergentes du terme

Raoul François Larche, la danseuse Loïe Fuller, Paris, env.1900, bronze doré, hauteur: 46 cm Munich, Bayerisches Nationalmuseum

August Endell, bas-relief, 1898, hauteur: 425 cm, se trouvait à l'origine sur le mur d'un sanatorium sur l'Ile de Föhr Kiel, Kunsthalle

Hermann Obrist, tenture murale brodée «Le Coup de fouet», Munich, vers 1895, laine et soie, 120 x 185 cm
Munich, Münchner Stadtmuseum

de style nouveau. Un unique trait commun rassemble ces artistes, c'est le fait que l'effet produit par leurs œuvres n'est jamais statique, mais mouvant – qu'il s'agisse de formes glissantes, jaillissantes, vibrantes, nouées pour mieux exploser, ou bien de la caractérisation des courants de forces internes des meubles, des ustensiles ou des maisons. Une abstraction poussée caractérise au même titre tous leurs objets en les distanciant des productions des artistes qui se perdaient dans les mèches de cheveux stylisées, dans le glissement aquatique des cygnes et autres ondulantes ondines.

On comprendra mieux pourquoi le lecteur ne trouvera pas dans ce livre d'exemples tirés de la peinture. Le rapport entre la peinture et l'Art nouveau a toujours posé un problème. Rassembler sous ce nom partie ou totalité des œuvres d'un Henri de Toulouse-Lautrec, d'un Jan Toorop, d'un Edvard Munch, d'un Gustav Klimt ou d'autres artistes représente toujours une limitation de valeurs dont la complexité est trop évidente pour être ramenée à la simple formule d'une parenté de facture. C'est ainsi que des caractéristiques symbolistes permirent souvent d'introduire une composante de sens qui devait ensuite s'exprimer d'une façon plutôt aléatoire sur un mode apparenté à l'Art nouveau. Ce n'est pourtant pas la conduite d'une ligne qui peut être déterminante, mais ce qui la motive. Celle-ci sera automatiquement d'une nature différente en tant qu'élément d'un ornement, d'une chaise ou d'un bâtiment, ou encore lorsqu'on la rencontre au sein d'une composition picturale. Nous espérons que ce qui va suivre permettra de comprendre que l'Art nouveau aura exclusivement été une manifestation des arts appliqués, manifestation qui ne peut donc entrer en ligne de compte que comme une caractérisation stylistique d'objets, de meubles et de bâtiments. Dans la mesure où ce fut un des principaux propos de l'Art nouveau que de conférer aux objets une forme adéquate – en réalité élévatrice –, il est impossible de ne pas porter un jugement à l'intérieur même du cadre des critères et des maximes qu'il s'est lui-même imposés. Les efforts au demeurant louables de l'«art» pour soutenir la validité de ce mouvement ne peuvent qu'en troubler l'image; ils transgressent les revendications de ses représentants, qui entendaient certes avoir une démarche artistique, mais ne s'étaient jamais proposé de faire de l'art – démarche que l'on avait précédemment abjurée.

Après toutes les publications qui ont précédé la présente, il serait en outre dénué de sens que de vouloir donner une fois de plus une compilation globale et indifférenciée des moments importants et des cas isolés, des manifestations sublimes et des aberrations. Le recul par rapport au moment de leur apparition est aujourd'hui suffisant pour que cette matière – qui a été entre-temps amplement documentée par d'innombrables catalogues – ne soit plus seule déterminante. C'est la position par rapport à ce style, c'est la vision qu'il est à même de nous communiquer, et c'est ce que nous pouvons en tirer qui importe. L'hommage critique, même s'il doit ici et là blesser quelque opinion, est plus approprié au sujet que ne le serait l'affection sentimentale, qui aime sans distinguer et tombe en fin de compte dans l'injustice précisément de par son indifférence.

La seule contre-argumentation qui pourrait être développée serait que l'Art nouveau avait lui-même un penchant à la contradiction, à l'indifférenciation et à l'ambiguïté. Si ses revendications étaient élevées, le résultat était loin de cette élévation – c'est là un reproche qui date de l'époque même de l'Art nouveau. Pourquoi donc vouloir le fixer alors qu'il s'y refuse par nature? Il aime en effet mystifier, et l'énigme de ses velléités ne peut souvent être décryptée qu'à grand-peine. Il n'en demeure pas moins qu'il est indispensable d'en interroger le sérieux qu'il mérite – et dont font preuve ses meilleures prestations.

«De l'esprit onctueux des deux dernières décennies du dix-neuvième siècle a surgi tout à coup une fièvre qui se répandit rapidement à travers toute l'Europe. Personne ne savait exactement ce qui se passait, personne ne pouvait dire s'il s'agissait d'un nouvel art, d'un nouvel être humain, d'une nouvelle morale ou peut-être d'un bouleversement dans la société.»
Robert Musil, L'Homme sans qualités, 1930

August Endell, l'atelier «Elvira», von-der-Tann-Straße, Munich, 1896/97

Louis Comfort Tiffany, vase en verre irisé, New York, vers 1900, hauteur: 45 cm
Munich, Bayerisches Nationalmuseum

Louis Comfort Tiffany, verre ornemental en forme de tulipe, New York, vers 1900, verre dépoli, hauteur: 34 cm
Munich, Bayerisches Nationalmuseum

L'ambivalence de l'Art nouveau, la multiplicité de ses visages et le caractère changeant de ses manifestations n'étaient nullement l'effet d'un simple caprice, mais résultaient de la situation qui l'avait généré. Pour simplifier, cette ambivalence était une conséquence des dissonances entre l'art et la technique, lesquelles s'étaient dessinées de plus en plus clairement au cours du 19ème siècle et qui exigeaient d'être résolues au plus vite. Vers 1900, le moment était venu pour cela. La tension se déchargea avec une intensité quasi explosive. C'est ce qui permet d'expliquer que tant de choses aient vu le jour en si peu d'années aux endroits les plus divers du globe. Mais ce fait indique également qu'une telle situation n'était pas propice à une maturation. C'était souvent la fébrilité qui commandait l'événement, et une bonne part des artifices de mise en scène qui avaient caractérisé son apogée à l'Exposition Universelle de Paris en 1900 était en fait inhérente à l'ensemble de l'Art nouveau. Dès le départ, il avait connu une position exposée – cela l'avait servi tout en le rendant en même temps dépendant dans une large mesure du suffrage public.

Le double aspect auquel l'Art nouveau a dû son existence dans un premier temps – si tant est qu'on peut prétendre le déterminer avec autant de clarté –, était apparu du fait de la montée de la technique en tant que phénomène nouveau, entre-temps largement autonome, et qui avait obtenu la reconnaissance publique par des acquis confortables et formidablement efficaces, mais qui se voyait refuser la sanction esthétique. Les manifestations visibles d'une technique qui inquiétait et alimentait les peurs sur bien des points, devaient de ce fait être autant que possible cachées derrière l'art –

ou du moins derrière ce que recouvrait alors ce terme. On connaît les tentatives de l'Historisme consistant à habiller d'éléments architecturaux inutiles des ouvrages comme les ponts, les gares, les salles d'exposition et les châteaux d'eau afin de les accommoder à des images familières. C'étaient en particulier les zones transitoires entre l'espace familier de la ville et les domaines de l'expansion technique que constituent par exemple les canaux, les voies ferrées et les installations industrielles – qui nécessitaient ce type de camouflage. Ce qui se situait au-delà de cette limite jouissait d'une grande liberté, ne pouvait d'ailleurs plus être corrigé et devait gagner rapidement et sûrement une forme propre. C'est ainsi que les locomotives, les chaudières à gaz, les échafaudages, les pilons à vapeur, les rotatives et autres font partie des créations les plus convaincantes de la fin du 19ème siècle sur le plan esthétique – sans parler des grandes constructions architectoniques en acier, dans la mesure où il leur était permis de paraître exceptionnellement sans masque. La construction fonctionnelle toute naturelle avait fait apparaître des formes d'une sobre beauté et d'une élégance hardie. A Paris, de telles productions avaient été présentes à toutes les expositions universelles de 1867, 1878, 1889 et 1900. Mais c'est précisément en raison de l'autonomie qui régnait dans ce domaine et parce qu'il était trop tard pour l'endiguer que le contre-domaine devait être défendu avec une vigueur toute proportionnelle. Les enjolivures artistiques avaient ainsi libre cours d'une façon assez immodérée, étant en outre, fait grotesque, devenues moins chères en raison des nouvelles méthodes de production industrielle.

Emile Gallé, lampe à décor de prunellier, Nancy, vers 1900, pâte de verre avec monture en bronze, hauteur: 76 cm
Zurich, Galerie Katharina Büttiker

Antonin Daum, Vase à décor d'arums, Nancy, vers 1895, pâte de verre, hauteur: 51 cm
Zurich, Galerie Katharina Büttiker

*Christian Valdemar Engelhardt, trois vases en porcelaine et une boîte, Copenhague, 1895–1910, hauteur : entre 14 et 24 cm
Munich, collection particulière*

Les projets de correction de l'esthétique qui devaient être à même de s'opposer efficacement à la technique consistaient cependant seulement à en changer le visage. On ne peut interpréter autrement le fait qu'au cours de la seconde moitié du 19ème siècle, les produits manufacturés aient été le seul argument à s'opposer à la production industrielle. Le mot clé était l'art appliqué – désignant le genre infortuné dont le destin devait être d'errer entre les deux fronts. Dans la mesure où il n'y avait en fait aucun espoir de pouvoir maintenir longtemps les méthodes de production artisanale contre celles de l'industrie – bien que l'Anglais John Ruskin s'y efforçât alors d'une façon grandguignolesque –, l'opposition devait nécessairement revenir au seul domaine étroit des articles de luxe de haut prix. Cette confrontation devait être aberrante tant qu'elle était conçue comme un combat plutôt que comme une complémentarité réciproque. Défendu comme le dernier bastion de la facture individuelle au sein du monde hostile et sans âme de la technique, le domaine des arts appliqués fut stylisé en refuge sentimental et allait ainsi prendre de plus en plus l'expression correspondant à cette fonction. Ce phénomène devait être à nouveau d'actualité en 1900.

Cette évolution ne pouvait qu'étonner, car en réalité, la querelle du pour et du contre avait déjà été vidée au 19ème siècle. En William Morris, les arts appliqués avaient trouvé leur plus ardent défenseur, mais aussi celui qui allait le premier reconnaître la vanité de vouloir en faire un instrument de réforme. Sous l'influence de Ruskin, Morris, – initialement écrivain d'origine irlandaise – s'était tourné vers l'architecture, puis vers la conception, la production et la distribution de produits artisanaux. Sa patrie artistique était le cercle des préraphaélites, dont il se séparera progressivement au cours de son évolution, le monde de son mentor Ruskin demeurant cependant déterminant pour sa démarche. Au cours de la seconde moitié du 19ème siècle, Ruskin avait entrepris une croisade passionnée contre la prolifération de la technique, réclamant par d'émouvants discours le retour à l'artisanat afin de faire front à la mise sous tutelle de l'homme par la machine. Il souhaitait rendre son indépendance au travailleur industriel afin de le libérer du joug capitaliste. Et de fait, les conditions opprimantes régnant alors en Angleterre pouvaient jouer en faveur de ces idées utopiques. Outre la solution des problèmes sociaux, Ruskin avait également dans l'idée la sauvegarde des traditions formelles. William Morris s'efforça donc de concrétiser dans les faits ces projets, qui tendaient essentiellement vers la conjuration d'un Moyen-Age idéalisé – et il le réalisa lui-même dans sa propre vie avec une intensité remarquable. Il fonda divers ateliers et acquit une formation complète dans les différents secteurs de l'artisanat. Le résultat fut que sous ses mains, des objets extrêmement précieux virent le jour qui, en raison de leur haute qualité de facture et de la difficulté de leur réalisation, ne purent être achetés que par un petit nombre de riches clients. Attendu que pour Morris, il allait de soi que ses réalisations devaient être caractérisées par un haut niveau formel – ne serait-ce qu'afin de les démarquer du mauvais goût de l'époque –, leur valeur allait bien au-delà du simple artisanat et elles ne pouvaient se passer d'un prédicat spécifique. Elles étaient précisément «art» appliqué à l'artisanat et constituaient par conséquent des produits marginaux d'un impact relativement limité. L'ensemble de sa démarche avait lieu dans l'isolement, et la composante sociale finit par se perdre. Les ouvriers qu'il employait pouvaient s'estimer heureux, mais en tant que modèle d'une libération de la classe ouvrière, les efforts de Morris n'eurent guère de valeur effective.

Vilmos Zsolnay et Lajos Mack, vase en grès à décor lustré, Hongrie, vers 1900, hauteur: 31 cm
Munich, collection particulière

Juriaan Kok, trois vases en porcelaine coquille d'œuf, Pays-Bas 1901–1903, Manufacture de Rozenburg, La Haye, hauteur: entre 21 et 28,5 cm
Munich, collection particulière

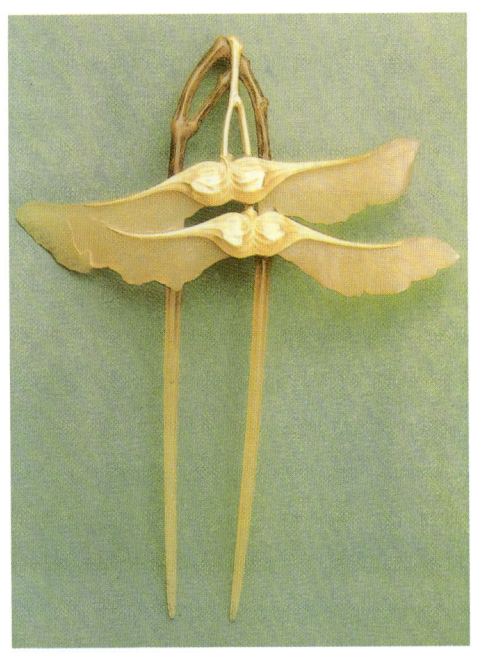

Morris reconnut bientôt la contradiction inhérente au fait que l'artisanat ne pouvait plus être concurrentiel et survivre qu'avec une exigence artistique prononcée, et qu'il ne pouvait représenter une base commerciale que pour une minorité, alors que l'intention originelle avait en fait visé à une réforme globale du contexte social. Dans ces conditions, il accomplit donc le seul pas sensé en se tournant vers politique, abandonnant définitivement toute velléité esthétique. En 1883, il devint membre de la socialiste «Democratic Federation», pour devenir deux ans plus tard co-fondateur de la «Socialist League». Il rechercha dès lors la solution de ces problèmes sur le seul plan où on pouvait les rencontrer. Mais la cohérence de sa démarche ne fut guère comprise. Bien que par la mise en pratique concrète des idées de Ruskin, Morris les eût menées ad absurdum, elles demeurèrent cependant vivantes sans être le moins du monde entamées, et faisaient ainsi partie du patrimoine commun précisément aux alentours de 1900.

Par la suite, Morris devint un concepteur exemplaire ses réalisations furent grandement prisées et négociées à haut prix. Il devint peu à peu une des figures directrices de l'Art nouveau, qui vit le jour à peu près à l'époque de

Lucien Gaillard, épingle à cheveux, Paris 1906, or et corne
Cologne, Museum für Angewandte Kunst

Eugène Gaillard, chaise d'une salle à manger présentée en 1900 à l'Exposition Universelle de Paris, noyer poli et cuir
Francfort-sur-le-Main, Museum für Kunsthandwerk

Charles Plumet et Tony Selmersheim, coiffeuse exposée en 1900 à l'Exposition Universelle de Paris
Hambourg, Museum für Kunst und Gewerbe

sa mort (1896). En 1894, il avait certes encore annoncé à l'un de ses adeptes les plus fervents, le Belge Henry van de Velde: «Ce qui ne profite qu'à l'individu est en définitive pour ainsi dire inutile; dans la société à venir, on ne prendra en compte que ce qui est utile pour tous»*, mais la réalisation de cette belle maxime ne fut pas plus menée à bien par la génération des artistes de l'Art nouveau que par celle de Morris. Tout comme lui-même, ces artistes restaient tributaires des goûts du public, qui reposaient sur l'individualité et non sur la communauté. Ceci vaudra en particulier pour les collaborateurs des «Wiener Werkstätte», les *Ateliers Viennois*.

L'hypothèque du 19ème siècle pesait donc très lourd dans la balance et ne pouvait sans doute être maîtrisée que d'une façon plus ou moins extrémiste. L'individualité exacerbée, mais aussi l'expression du mouvement inhérente à l'Art nouveau s'éclairent ainsi en tant que réponse à la longue période de stérilité artistique qu'avait représenté l'Historisme. Mais elles exprimaient en outre la nécessité de réaliser à tout prix une réforme. Le trouble jeté par l'Historisme dans le cours de l'évolution et des transformations artistiques avait été trop important pour qu'on pût y apporter alors une solution adéquate. La révolte naquit d'une protestation purement artistique, mais elle avait encore d'autres raisons. S'il est possible de regarder l'Historisme comme une conséquence des incertitudes qui se firent jour lorsque, en raison du caractère contradictoire de la technique, nombre de choses commencèrent à se soustraire aux normes esthétiques admises, on peut alors considérer l'Art nouveau comme le corollaire de cette irritation, comme une

* *Henry van de Velde: le nettoyage de l'art, conférence tenue en 1894 à Bruxelles, in: «Kunstgewerbliche Laienpredigten» (Sermons Profanes sur les Arts Appliqués), Leipzig 1902*

Hector Guimard, projet pour un habillage de cheminée, Paris, vers 1900
Paris, Musée des Arts Décoratifs

Hector Guimard, buffet, Paris 1899/1900, bois fruitier sculpté, hauteur: 217 cm
Berlin, Bröhan-Museum

réaction au fait que le fourvoiement de la forme technique gagnait peu à peu en importance en s'avançant depuis longtemps dans des domaines ordinairement artistiques, comme par exemple celui de l'architecture. Ou encore: si par l'invocation massive du passé, l'Historisme avait en quelque sorte actualisé un phénomène de rejet à l'encontre d'un phénomène technique encore assez impalpable, l'Art nouveau devait dès lors s'efforcer de regagner un terrain perdu. Si c'était là un effort courageux, il convient de dire que cet effort procédait également d'une certaine énergie du désespoir.

Il importe cependant d'ajouter dans un premier temps que l'Art nouveau et l'Historisme avaient des traits communs sur certains points et qu'en dépit d'une apparente opposition, il ne s'agissait que d'une querelle de ménage. L'Art nouveau se disait lui aussi le défenseur des intérêts artistiques; et s'il s'avançait sur le terrain des réformes sociales, il aimait à le faire d'en haut, sans une réelle reconnaissance des valeurs qui étaient en jeu. Il est vrai que nombre d'artistes revendiquaient ouvertement leur «descente» dans les domaines «inférieurs» de la réalisation de meubles, de couverts, et de bâtiments bon marché dans la mesure du possible, mais cela ne signifiait cependant nullement qu'ils renonçassent à revendiquer leur identité d'artistes. C'est

Hector Guimard, détail de la station de métro Porte Dauphine, Paris, vers 1900

ainsi qu'ils pratiquaient l'ennoblissement d'objets pour lesquels il aurait suffi de dégager l'essentiel de la forme. Sporadiquement, ce type de tentative fut d'ailleurs une réussite, mais dans le cadre global de l'Art nouveau, cela donnait alors l'impression d'avoir eu lieu comme par mégarde.

L'effet heureux d'un ornement nouveau pouvait être interprété plutôt comme une forme de diversion, et l'apprivoisement des formes par des moyens esthétiques, que l'Art nouveau aimait à pratiquer lorsqu'il s'adonnait à des réalisations d'intérêt général et non individuel, produisait en général des formulations dont le caractère se teintait de kitsch ou de folklore. La fausseté des postulats dévoilait alors la fausseté du ton, et bien que les emprunts au folklore manifestassent une bonne volonté, on pouvait y lire une certaine impuissance. Ces remarques s'appliquent en particulier à l'Art nouveau allemand, le «Jugendstil», qui avait d'emblée visé plus haut que les mouvements parallèles d'autres pays européens. Le nom («Jugendstil»: littéralement «style de la jeunesse» N.d.T.) du mouvement lui-même était déjà tout un programme. Le terme «Jugendstil» ne renvoyait pas seulement à des idées artistiques bien précises, mais manifestait clairement une volonté de réforme sous-jacente, d'idéalisme juvénile et de naturalisme sentimental. Lorsqu'on s'attache à préciser ce terme, on relève deux aspirations caractéristiques de l'époque: Jugend = jeunesse = rénovation teintée d'exubérance et d'euphorie, et style = adéquation artistique avec des règles rigoureuses. Les deux choses étaient en fait contradictoires, car il est inhérent à la jeunesse de chercher à se dérober aux règles figées. Il faut donc en conclure que soit c'était le caractère juvénile qui n'était pas authentique, soit le style

Hector Guimard, *bouche de métro de la station Porte Dauphine, Paris, vers 1900*

qui manquait de vigueur. Quoi qu'il en soit, le fait qu'on ait voulu concilier des extrêmes – la révolution et l'élégance de son déroulement – indique combien la situation était disparate, complexe et peut-être même insoluble. Et de fait, ce ne pouvait être qu'une entreprise grotesque que de juxtaposer à des formes techniques abouties – telles que le 19ème siècle les avait produites sous forme de ponts, de chemins de fer et autres machines – un monde artistique aussi artificiel et surchargé de préjugés que l'était l'Art nouveau. Quelle valeur pouvait donc avoir le caractère bouffon des bouches de métro parisiennes au regard de l'ensemble du réseau et de l'excellente réalisation de ce nouveau mode de transport? Une bien piètre valeur, mais en même temps une valeur significative, car ce sont elles qui établissaient de façon exemplaire le lien entre l'ancien et le nouveau siècle, entre la technique et l'art, entre le caché et ce que l'on entendait montrer. Il ne fait aucun doute que cette entreprise était d'une hardiesse inhabituelle du fait que les espaces transitoires n'étaient plus réalisés dans un style historisant – sous la forme d'un petit temple classique par exemple –, mais dans celui de l'Art nouveau naissant. Mais vers 1900, ce qui aurait été à portée de main, c'est-à-dire de les concevoir avec la même sobriété technique et pratique que le

Georges Chedanne, immeuble du journal «Le Parisien», Paris 1903–1905

réseau souterrain lui-même, n'était visiblement pas encore pensable et devait contredire les attentes du public. La transition entre l'efficience du monde souterrain et l'éclat que devaient manifester les rues de l'illustre métropole demandaient à subir l'adoucissement d'une sublimation artistique – quand bien même le résultat fût grossièrement artificiel. Il n'y avait en effet aucun argument réel justifiant le fait qu'on vienne dresser à ces emplacements des ornements géants de cette nature, qui plus est sous la forme d'une stylisation du monde floral. En revanche, ces réalisations se prêtaient fort bien à faire d'un moyen aussi prosaïque un événement tel qu'il devînt supportable. C'était fêter la banalité, et le résultat était assez cynique; mais après tout, ce fait même pouvait être ressenti comme distrayant.

Peut-être est-ce dans le caractère assurément séducteur du nouveau style que l'on peut reconnaître le trait décisif. Les dissimulations de l'Historisme avaient eu pour conséquence que l'essentiel de la technique et donc nombre de relations fonctionnelles et constructives conditionnées par les matériaux demeuraient celées, ce qui empêchait donc qu'elles pussent être assimilées. Des modes d'emploi sensitifs et pédagogiques étaient dès lors nécessaires pour permettre une compréhension, mais aussi pour éveiller des sentiments

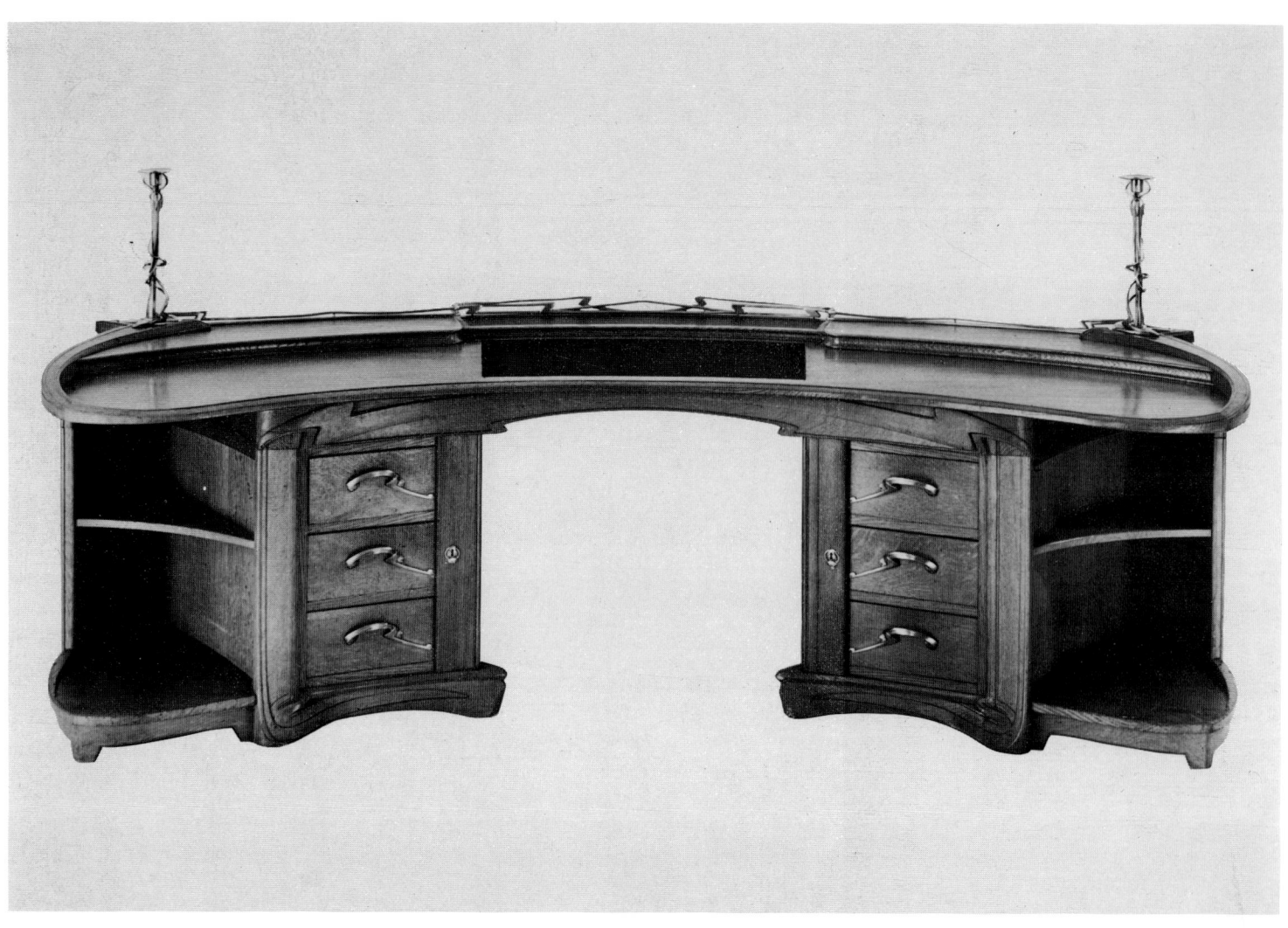

*Henry van de Velde, bureau, Bruxelles 1899,
chêne et garnitures en laiton
Nuremberg, Germanisches Nationalmuseum*

qui pourraient contrecarrer les angoisses. Les interprétations que donnait l'Art nouveau pouvaient ainsi être d'une aide précieuse sur ce point, et c'est sans doute ce qui explique leur popularité. Considéré de cette façon, l'engouement pour l'ornement prend une toute autre signification. L'ornement représentait en effet quelque chose de plus qu'une simple décoration et sortait désormais de son rôle de phénomène secondaire pour venir résumer l'ensemble – tout du moins pour les exemples dont la conception dénotait une certaine élévation.

Dans ce domaine, le Belge Henry van de Velde devait assumer une position-clé, lui dont les lignes dynamiques dénotaient des traits particulièrement démonstratifs. La plupart de ses œuvres de jeunesse sont caractérisées par une dynamique intérieure qui ne résultait pas d'emprunts naturalistes, mais se voulait l'expression d'une fonctionnalité sublimée. Elles constituaient ainsi la quintessence de l'Art nouveau, représentant la tentative outrée de communiquer une nécessité économique de façon esthétique. Pour formuler ceci d'une façon un peu plus crue, la finalité devait se faire plaisir!

Un exemple: l'un des meubles les plus célèbres de van de Velde est le grand bureau en forme de courge dont la conception remonte à 1899, et qui fut bientôt considéré comme l'étiquette de l'artiste. En dépit du caractère massif du bois, tout ce meuble se résume en un faisceau de lignes et il est d'un effet résolument «enlevé». Des mouvement énergiques et fluides l'encadrent, lui donnent sa forme d'abeille, conférant leur dynamisme à des surfaces apparemment mortes. D'une certaine façon, la vigueur de l'ensemble lui assure une beauté certaine, mais on sent partout quelque chose de plus qu'une

Henry van de Velde, théâtre construit pour l'exposition du Werkbund, Cologne 1914

Henry van de Velde, chaise, Bruxelles 1898, noyer et velours côtelé
Darmstadt, Hessisches Landesmuseum

Peter Behrens, assiette en grès, pièce d'un service, Munich 1898, Villeroy & Boch, Mettlach, diamètre: 26 cm
Munich, collection particulière

Concepteur inconnu, vignette, vers 1900

simple solution esthétique, chaque détail se justifiant en effet du point de vue fonctionnel. La courbure globale du meuble fait répons à l'envergure des bras de l'utilisateur, la finition plastique du bord arrière sert tout autant à renforcer l'ensemble qu'à y déposer les ustensiles d'écriture, deux surélévations du rebord le transformant en un socle où viennent se visser des chandeliers. Cette grande ligne directrice est discrètement soulignée par une double bande de laiton coulée d'un chandelier à l'autre en formant une bordure qui limite l'ensemble. Grâce à cette bande, les chandeliers, qui pourraient sembler fichés là arbitrairement, se voient intégrés à l'organisme général du meuble.

Ce qui se passe au niveau du plateau a lieu d'une façon similaire sur le devant du bureau. Les deux parties à tiroirs et l'ouverture ménagée pour l'utilisateur sont saisies par le dessin d'une ligne unique. La combinaison de la construction devient ainsi extrêmement plastique, mais aussi le centre de cet ensemble onéreux. Ce relief nettement modelé affirme une valeur propre, tout en servant la fonction dans sa globalité. Les formes concaves ménagées aux extrémités peuvent elles aussi être comprises de deux façons: en tant qu'ouverture pratique pour ranger des livres et comme contraste par rapport au caractère massif des parties avoisinantes.

Dans ce meuble, le formel et le fonctionnel entrent ainsi en symbiose. On ne saurait y reconnaître la subordination de l'un par rapport à l'autre, mais plutôt une intensification réciproque de leurs dynamiques. Tout y est à la fois ornement et élément constitutif répondant à sa finalité. L'ensemble exprime une conception assez forcée et personnelle du sens d'un meuble, qui n'induit pas la passivité mais plutôt un caractère activement démonstratif. La rhétorique y tient une place importante, et le message en est le suivant: les objets ne doivent pas seulement être utiles, mais donner à reconnaître nettement vers l'extérieur leur aptitude à être utiles. C'est pourquoi le bureau devra être totalement bureau dans chacune de ses parties. Chaque détail sert ce but au sens d'une fonctionnalité sublimée qui représentait l'idéal de van de Velde. Par la forme courbe et le jeu mouvant des lignes, l'artiste entend fasciner l'utilisateur et l'attirer sous son charme. Le meuble affiche sa qualité, mais aussi combien il doit être agréable d'y travailler.

Si cette description détaillée a porté ici sur un meuble unique, on pourrait la répéter d'une façon très similaire à propos d'œuvres d'autres artistes. Victor Horta, le compatriote de van de Velde, enchevêtrait avec presque plus de virtuosité la construction et l'ornement pour en faire une unité – il s'y prit d'ailleurs très tôt, en 1893 à Bruxelles (illustrations p. 30, 31) –, et les caractéristiques fondamentales de l'œuvre du designer français Eugène Gaillard (illustration p. 18) et – de façon moins contrôlée – de celle d'Hector

Gotfred Rode, vase en porcelaine avec peinture sous couverte, Copenhague 1898, hauteur: 43 cm
Munich, collection particulière

Guimard (illustrations p. 20–22) sont elles aussi apparentées à ce type de fonctionnement. La même chose vaut évidemment pour Antoni Gaudí à Barcelone et, dans une mesure encore plus large, pour l'Ecossais Charles Rennie Mackintosh. Cette conception est également pertinente de manière plus simple et plus directe pour Bruno Paul et Richard Riemerschmid à Munich. Considérée d'une façon aussi concentrée et sélective, ce qu'il y a de commun à l'œuvre de ces artistes se dégage dès lors aisément. Par leur position analytique et constructive, ils apportent une réponse directe au défi lancé par les monuments de la technique, tandis que la forme «accélérée» de leur esthétique individuelle y apportait une réponse indirecte. Ils transposaient en quelque sorte le rythme de la machine dans leur œuvre. Ainsi prenaient-ils le risque d'être rapidement à court de souffle, mais ils surent en tout cas le garder pour un laps de temps passionnant.

Van de Velde fut l'un des rares, peut-être même le seul qui parvint à maintenir la profession de foi de ses débuts sur une assez longue période de temps sans faire ni compromis ni adaptations. Par sa conception tout à la fois fonctionnelle et plastique, le théâtre qu'il put ériger en 1914 pour une exposition à Cologne (illustration p. 25) s'apparente directement au bureau de 1899, de quinze ans son aîné. Ce théâtre dénote une fluidité de mouvement similaire dans la fusion des parties, dont les diverses finalités demeurent cependant clairement articulées. La transition de l'analyse à la synthèse, qui mena à cette architecture soumise à aucune forme fondamentale figée, reste déchiffrable et en constitue le véritable événement esthétique. A l'origine, le projet avait été commandé d'une façon un peu moins exigeante: van de Velde devait «seulement» construire une salle de projection sur un espace assez restreint, mais il soumit alors l'un des projets les plus spirituels de toute son œuvre. A l'intérieur d'un plan au sol lui-même encore étonnamment ornemental pour l'époque, le foyer venait entourer la salle en un

Franz Metzner, projet pour un relief mural de la Maison Rheingold à Berlin, vers 1905, plâtre, aujourd'hui disparu

Bruno Schmitz, le Völkerschlachtdenkmal de Leipzig, commencé en 1898, inauguré en 1913, avec des œuvres plastiques de Christian Behrens et – après la mort de ce dernier en 1905 – de Franz Metzner

mouvement continuel – la salle de projection ne nécessitant pas de scène –, qui induisait une générosité spatiale d'une nature très spéciale. Malheureusement, la symbiose tardive entre l'Art nouveau et l'esthétique des salles de cinéma ne devait pas se réaliser.

Cette présentation de l'Art nouveau a été brossée en quelques traits généraux afin d'en permettre une vision globale. Les aspects culturels généraux y ont pris le pas sur les considérations artistiques, et l'accent porté sur son élément moteur ressort le mieux de sa propension à réagir aux stimulus extérieurs. Vu sous cet angle, l'Art nouveau fut essentiellement une réaction à l'impulsion de la technique et aux phénomènes qui l'accompagnaient. Mais ceci n'est pas valable pour toutes les innovations des années 1900 et en particulier pour l'évolution viennoise et pour l'œuvre de Frank Lloyd Wright à Chicago. Le mouvement y fut moins agité, moins abrupt et inattendu, et ne connut pas non plus une fin aussi rapide. Les réalisations qui en résultèrent sont aujourd'hui encore moins désuettes, et l'on est donc en droit de se demander s'il convient réellement de les ranger dans l'Art nouveau. Si ces manifestations se recouvrent dans le temps, les positions respectives n'en divergent pas moins. Si l'on aime à voir essentiellement dans l'Art nouveau le mouvement qui sut surmonter le 19ème siècle et un feu d'artifice artistique qui devait s'éteindre peu après avoir rempli son rôle, si l'on penche à y voir davantage ses conséquences que ses débuts, on devra cependant opposer que par leur intensité et leur silence, les deux lieux nommés plus haut ont fait davantage que tout autre pour l'avenir. On sut en effet s'y passer de la violence du mouvement extérieur, la claire définition y important davantage que la mouvante virtuosité.

Franz Metzner, vase «Le Sphinx de la vie», présenté à l'Exposition Universelle de Paris 1900, Manufacture Royale de Porcelaine de Berlin, 1898, hauteur: 36 cm
Berlin, Bröhan-Museum

Franz Metzner, «Destin», projet en plâtre pour une tombe, peu après 1900, aujourd'hui disparu

Victor Horta, cage d'escalier et miroir sur l'un des murs de l'entrée de la Maison Tassel à Bruxelles, 1893

On peut en dire autant des exemples de la réforme artistique qui s'accomplit un peu partout aux alentours de 1900. L'éventail pourrait aller des capricieuses fragilités d'un Juriaan Kok (illustration p. 17) aux vases et aux boîtes d'un Christian Valdemar Engelhardt (illustration p. 16), lesquels dénotent d'une manière fort réjouissante beaucoup de «jeunesse» et peu de «style». La question de savoir si de telles différences justifient un terme commun ne saurait avoir qu'une valeur rhétorique et peut être considérée comme depuis longtemps résolue. Tout est finalement ressenti comme appartenant à un même mouvement, et il faut bien que les éphèbes douloureusement pathétiques (illustrations p. 28, 29) de Franz Metzner – dont la jeunesse est tout de même passablement marquée par la résignation – s'intègrent à cette unité disparate. Et l'on devra admettre que rien ne saurait davantage être transition que précisément ce premier stade de la vie, aux qualités duquel on a toujours compté le fait qu'il pouvait se prévaloir de son ignorance et de son immaturité.

AGITATION
LE SOULEVEMENT DES PROVINCES

Une analyse de l'Art nouveau ne serait pas complète si l'on voulait se contenter d'y voir le simple phénomène d'une réforme artistique. Pour n'être qu'une réforme artistique, il aurait duré trop peu. On peut en conclure que l'explication de ce caractère éphémère doit se situer dans la complexité. Si on accepte de laisser de côté la trace par trop étroite des déductions et du classement donnés par l'histoire de l'art en procédant de façon topographique, on s'aperçoit que ce furent moins les grandes métropoles qui produisirent cette nouveauté que des lieux qui avaient alors une valeur périphérique. Ainsi en est-il de Glasgow, de Darmstadt et de Weimar, sans oublier Nancy, Barcelone et Helsinki. Bien entendu, Paris a également apporté sa contribution au mouvement, et l'on ne saurait nier celle de Berlin, mais que dire de Londres ou de Madrid, qui ne connurent pour ainsi dire pas ce mouvement. Munich pouvait certes se prévaloir d'être une ville d'art, mais c'était plutôt dans le sens de la bonne volonté et de la moquerie, et bien qu'elle puisse être considérée comme une métropole, Bruxelles vivait dans l'ombre de Paris et avait en outre la réputation de cultiver l'extravagance. Et dans la lointaine Amérique, on s'étonne que Chicago ait bougé bien davantage que New York, qui aurait pourtant pu sembler prédisposée. On constate donc une prédominance non seulement relative, mais quasi totale des provinces.

Leur bon droit avait toujours été de surmonter leurs propres limites et de tirer une force particulière de leur condition. Mais cela ne devait pas lasser d'étonner en présence d'une forme artistique aussi métropolitaine que l'Art nouveau. Celui-ci avait à juste titre la réputation d'être cher, et en dépit de ses revendications sociales, on pouvait le considérer comme un produit de la bourgeoisie aisée. On aurait en outre pu croire qu'un dialogue avec les phénomènes de l'époque qui n'étaient pas seulement de nature esthétique eût dû avoir lieu exclusivement dans les centres économiques, et non pas à l'écart de ces centres. Un nouveau «Weimar» semblait à peine concevable. C'est pourtant précisément ce qui eut lieu, et cela sur plusieurs plans et dans divers pays, bien que la signification en fût évidemment différente.

Si donc on s'efforce pour une fois – contrairement à ce qui se produit habituellement –, non pas de dégager les caractères spécifiques des divers lieux, mais

Page 32: le pavillon d'exposition de la Mathildenhöhe à Darmstadt, construit entre 1905 et 1908 par Joseph Maria Olbrich

leurs traits communs, c'est-à-dire le positionnement provincial, le dénominateur commun qui en résulte est un phénomène qui n'est plus exclusivement transposable sur le plan de l'histoire de l'art. On se prend à soupçonner qu'avec ce type de point de vue, la réalité du phénomène a dû céder la place aux aspects secondaires. L'amoncellement des prémisses d'une réforme artistique en des lieux disparates n'aurait pas conduit à une image stylistique aussi hétérogène si d'autres forces n'étaient entrées en jeu. Des formes de journalisme déjà fort développées assuraient certes une connaissance réciproque, mais cela n'explique qu'insuffisamment le résultat global d'un Art nouveau aussi peu défini. Si l'on avance un pas plus avant dans ce type de regard, on constate en règle générale que les divers centres en question n'avaient nullement pour but d'affirmer leur fierté provinciale, mais qu'ils ressentaient leur évolution comme un défi. Si en Allemagne, des villes comme Munich, Darmstadt, Weimar, Hagen ou Dresde se montraient nettement plus hardies que Berlin, ce ne pouvait être en raison d'une soumission fidèle, mais plutôt sous la forme d'une confrontation consciente avec la politique artistique officielle du Kaiser, et donc dans un esprit de soulèvement. Si Bruxelles devait poursuivre une évolution entamée à Paris quelques décennies plus tôt, mais qui s'était désormais affaiblie et n'engageait plus à rien, c'est que la métropole belge y voyait une chance de sortir enfin de l'ombre de sa grande voisine. Mais ce qui revêtait encore davantage de signification, c'est que par ce biais, la capitale d'un pays était en mesure de jouer un rôle centralisateur, bien qu'il fût de plus en plus manifeste que ces efforts étaient parfaitement artificiels. Nancy devait certainement considérer sa situation d'une façon semblable, situation rendue d'autant plus dramatique que non seulement cette ville était une province dépendante, mais qu'elle représentait de surcroît une province déchirée entre la France et le Reich allemand. Dans le cas présent, on assiste pour la première fois au caractère moteur d'une injustice politique, et l'on peut reconnaître la même situation dans la lutte pour la liberté des Finnois contre une vague d'oppression tardive de la part des Russes. En revanche, la contribution de Glasgow à l'Art nouveau ne suffit pas à l'interpréter comme une prise de distance consciente des intérêts écossais par rapport à Londres. Glasgow

Page précédente:
Hermann Billing, la Kunsthalle de Mannheim, 1907

Peter Behrens, le crématorium de Hagen en Westphalie, 1906/07

Henry van de Velde, le hall d'entrée et la grande salle du Folkwang-Museum de Hagen en Westphalie, 1901

connaissait elle aussi des mouvements séparatistes, mais leurs intérêts et ceux des courants artistiques s'ignoraient davantage qu'ils ne se recouvraient.

Le cas le plus éclatant sera cependant la coïncidence de la révolte politique et artistique à Barcelone, où l'une et l'autre purent se donner libre cours en la personne et l'œuvre d'Antoni Gaudí. La revendication individuelle de la Catalogne, qui entendait se séparer du reste de l'Espagne, reposait alors sur une tradition séculaire, mais elle devait se manifester de façon encore accrue vers 1900. C'est donc en partant de Barcelone qu'on peut le mieux présenter la thèse selon laquelle à la fin du 19ème siècle, la révolte des minorités n'était pas seulement celle des artistes de l'avant-garde, mais que cette révolte s'identifiait de façon étonnante avec le sentiment d'une oppression politique et artistique des provinces. Ces deux intérêts s'unirent ouvertement ou de façon plus latente, mais le phénomène ne pouvait passer inaperçu au regard du spectateur dont le propos craintif n'était pas de séparer la beauté du trait et le poing levé. Cet aspect politique est à même d'éclairer d'un autre jour le caractère douteux qui colle à l'Art nouveau en tant que mouvement artistique. Il y a quelque héroïsme dans le fait que dans les foyers d'agitation de la Fin de Siècle, le nouvel art fût à même d'assumer sinon le rôle d'une arme, tout au moins celui d'un moyen de s'affirmer.

L'Art nouveau n'était-il pas de toute façon déjà un art utilitaire de par sa propre définition, qui se proposait de servir d'habillage convenable à l'utile? Il s'avéra d'ailleurs également utile sur le plan commercial dans la mesure où il éveillait la curiosité, et que celle-ci stimulait l'envie d'acheter, ce qui n'était pas sans importance à une époque soumise aux fluctuations économiques. Le nouvel art n'était donc pas seulement le bienvenu en raison de son aptitude au camouflage, il disposait également d'un potentiel qui se laissait fort bien intégrer dans la stratégie économique. Plus précisément: grâce à lui, des entreprises défaites et des branches de l'artisanat sur le déclin pouvaient connaître un renouveau. Cela eut d'ailleurs lieu très fréquemment et aux yeux de tous. Les efforts de Darmstadt et de Weimar pour devenir des centres du «Jugendstil» au sein de l'Allemagne reposaient en partie, voire presque exclusivement sur la volonté d'aider les artisanats

Henry van de Velde, escalier, détail du limon et poignées de porte du Folkwang-Museum de Hagen en Westphalie, 1901

locaux à s'éveiller à l'esthétique et par conséquent à acquérir une clientèle par l'achat d'artistes célèbres.

Ces données pourraient être considérées comme montées de toutes pièces si l'on se contentait de les juger en s'attachant exclusivement aux personnes. On choisissait de préférence des artistes de l'extérieur: l'architecte viennois Joseph Maria Olbrich fut ainsi appelé à Darmstadt et le belge Henry van de Velde à Weimar. C'est là une preuve de plus que ce ne sont pas les relations avec un lieu, c'est-à-dire quelque chose de spécifiquement artistique, mais les possibilités d'éveil qui étaient inhérentes à l'Art nouveau. C'est cette aptitude qui lui permettait visiblement de se transplanter aisément d'un pays à l'autre.

L'évocation des aspects économiques risque peut-être de troubler l'image d'un art exclusivement voué à la beauté, mais on ne saurait la contourner. Il est de notoriété publique que l'Art nouveau a eu une action tout à fait stimulante sur la création de nouveaux ateliers à Munich, à Dresde et ailleurs. Ce qui est moins réjouissant, c'est le fait qu'une industrie peu scrupuleuse en ait fait le modèle d'une production massive d'objets kitsch. Mais ce fait peut lui aussi être considéré sous un autre angle: l'Art nouveau pouvait se prêter même à cela. Cependant, cette facette commerciale devrait être intégrée à l'aspect global de l'émancipation qui fut pratiquée à l'aide du style nouveau.

La façon dont les intérêts et volontés diverses s'unissaient s'éclaire le mieux avec l'exemple de Darmstadt. Lorsque l'Archiduc conçut le projet d'y faire naître une colonie d'artistes, il avait certes à l'esprit en premier lieu le nouvel idéal de vie et le projet architectonique, mais son idée était en même temps d'encourager l'économie locale, sur le mode «que daigne fleurir ma Hesse». La réunion habile du directorat et du mécénat en la personne de Ernst Ludwig avait en première ligne pour but de développer un contre-projet artistique à l'image officielle d'un Reich placé sous la domination de la Prusse. En cela, l'Archiduc fit preuve d'une hardiesse étonnante, dans la mesure où, étant membre de la famille impériale, cet affront prenait en outre une signification toute particulière.

Franz Metzner, sculptures à l'intérieur du Völkerschlachtdenkmal de Leipzig, après 1905

Le prestige de cette manifestation est resté vivant jusqu'à nos jours, bien que la tendance sélective de l'Histoire ait su l'extraire du contexte extrêmement contradictoire de l'époque. Lorsqu'on concentre son regard sur tout ce qui s'est produit aux alentours de 1900 sous le signe de l'Art nouveau, on a tendance à laisser de côté les manifestations artistiques parallèles qui n'eurent la chance de participer ni d'un soutien ni d'une opposition. Il n'y avait alors pas seulement l'Art nouveau, et il est par trop facile de ramener l'antithèse de l'Art nouveau à une anticomanie. Dans la haute conscience qu'il avait de lui-même, conscience certes marquée par l'incertitude, mais donc proportionnellement démonstrative, le Reich impérial sut être assez inventif pour créer des formes d'expression spécifiques. Celles-ci contenaient certes de nombreux plagiats, mais aussi des prémisses de grandeur et d'originalité. Il ne suffit donc pas de résumer les éléments de l'esthétique wilhelminienne aux figures outrées de la Siegesallee et au néorococo bon marché caractérisant l'aménagement des appartements impériaux, qui avaient principalement pour but d'être une démonstration de pouvoir; il faut également prendre en considération la tranchante fonctionnalité des bateaux de guerre et la puissance massive de bon nombre de monuments. Ce sont précisément eux qui, à côté d'un caractère impressionnant, font montre d'une puissance formelle qu'il convient au moins de remarquer et d'avoir présente à l'esprit. Il faut citer dans ce contexte les innombrables «Bismarcktürme» (Tours de Bismarck) qui s'érigeaient alors un peu partout en Allemagne; et pour illustrer cette position, nous montrons ici le monument le plus nationaliste de l'époque, projeté et commencé bien avant 1900, le Völkerschlachtdenkmal (Monument à la bataille des peuples) de Leipzig (illustration p. 28). Il conviendrait de ne pas juger ce monument sur la base d'une compréhensible aversion, mais sur celle d'une reconnaissance hésitante d'une adéquation convaincante par rapport à l'intention.

L'effet inquiétant de ces monuments réside dans le fait qu'ils ont été conçus de façon essentiellement architectonique et moins, sinon pas du tout, sculpturale, et qu'ils se rapprochent en cela d'une certaine abstraction. On peut donc se demander à juste titre s'il n'y a pas ici le premier pas d'un chemin menant aux usines AEG construites par Peter Behrens ou à d'autres bâtiments similaires, quand bien même nous préférons voir leurs racines plonger directement dans l'Art nouveau. Bien que ces colosses historiques n'ait aucune parenté spirituelle avec l'Art nouveau, leur apparence doit cependant quelque chose au fait que certains de leurs créateurs et ceux du nouvel art étaient en fait une seule et même personne. C'est ainsi que le sculpteur-décorateur Franz Metzner est l'auteur des sculptures couronnant le sommet et emplissant l'intérieur du Völkerschlachtdenkmal, et que l'architecte Wilhelm Kreis était particulièrement versé dans l'art de concevoir des tours en hommage à Bismarck. D'ailleurs, après quelques temps, les cloisonnements se firent plus flous – par exemple lorsqu'un an après son entrée en fonctions à Darmstadt en tant qu'architecte, l'avant-gardiste Behrens fut élevé au rang d'artiste national en raison d'un hall d'exposition qui justifiait d'ailleurs assez bien cette promotion (illustration p. 158).

Cet artiste savait parfaitement adopter les positions les plus diverses. Au cours des années qui suivirent, il obtint plusieurs commandes à Hagen par l'entreprise du millionnaire et mécène Karl Ernst Osthaus – à commencer par l'aménagement d'un appartement (1904) dont l'intelligente conception fut hardiment prolongée vers l'extérieur, puis, en passant par quelques villas, jusqu'à la construction d'un crématorium (illustration p. 35) au caractère programmatique, car Osthaus s'était tout particulièrement engagé pour cette forme d'inhumation. Ce n'est pas seulement parce que cela pouvait être exigé par la solennité du projet, mais parce que cela correspondait à son penchant, que l'architecte y parvint à l'apogée de son style monumental géométrique, qui devait devenir caractéristique pour lui peu après 1900. Il est vrai que seule la générosité des ornements limités au schéma «cercle et carré» pouvait évoquer l'Art nouveau.

Behrens n'était pas le seul architecte que Osthaus cherchait à attirer. A côté de lui, Riemerschmid et plus tard le très obstiné Hollandais J.L.M Lauwericks devaient eux aussi construire à Hagen, mais c'est surtout van de Velde qui devait marquer par deux fois cette ville de son empreinte décisive: en 1901 avec les travaux d'achèvement du Folkwang-Museum (illustrations p. 36, 37), commencé dans un style légèrement historisant, et pour finir, outre quelques villas, avec le Hohenhof, la maison particulière du généreux mécène, dont l'obsession semble avoir été de croire que n'importe quelle forme artistique pouvait donner vie à sa ville, dont le caractère lourdaud était indéniable. Si la nature de la transformation d'une ville de province en centre artistique pouvait sembler quelque peu artificielle, elle n'en aura pas moins une force et une cohérence certaines, mais surtout de la pérennité. Osthaus fut infatigable, tout en se réservant une étonnante liberté de jugement – comme le démontre le choix de ses divers architectes. Bien que la plus grande part de ses initiatives soient postérieures à 1900 – il est impossible d'en donner ici une liste exhaustive – sur le plan temporel autant que stylistique, c'est cependant cette époque qui vit leurs débuts.

La première œuvre que Osthaus avait rendu possible grâce à son intervention faisait déjà figure de jalon. L'achèvement du Folkwang-Museum par Henry van de Velde avait été une réussite exemplaire, mais signifiait également que le style nouveau se voyait sanctionné d'une façon toute particulière. Ce qui semblait encore inconcevable en d'autres lieux sera démontré à cet endroit: que l'Art nouveau était digne de l'architecture de musée. Osthaus avait choisi van de Velde sur la base d'une première publication globale de son œuvre en tant qu'architecte d'intérieur, et celui-ci se montra tellement engagé qu'il sut convaincre le financier de vouer le nouveau bâtiment non pas à une collection de minéraux, mais à l'art moderne. Immédiatement, Osthaus fit un grand nombre d'acquisitions, créant ainsi un musée dont le contenu et la conception étaient largement en avance sur d'autres grandes maisons – tout cela dans une ville de province particulièrement pauvre sur le plan historique.

Franz Metzner, sculptures de la crypte du Völkerschlachtdenkmal de Leipzig, après 1905

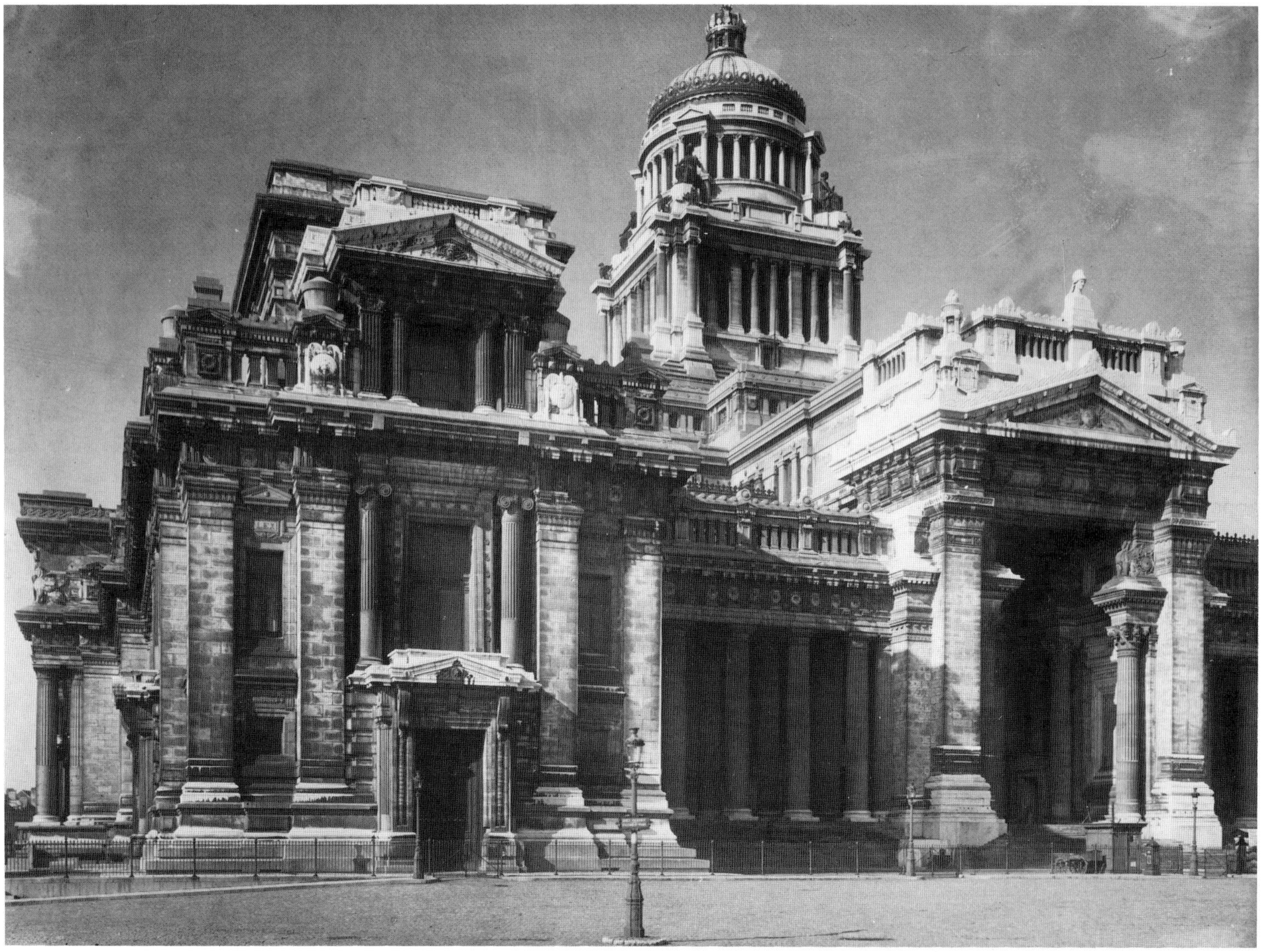

Bruxelles

Même si l'instauration de la monarchie belge en 1831 avait été un acte cohérent, on était en droit de se demander si l'unification des deux provinces qu'étaient la Wallonie et les Flandres étaient bien raisonnable et si elle avait une chance à long terme. De toute évidence, l'une des deux provinces était tournée vers la France, alors que l'autre était plus proche des Pays-Bas. Mais à cette époque, c'est le sentiment historique d'appartenir à une même entité qui avait prévalu, surtout après que les courants de l'Histoire eurent amené les deux provinces à appartenir tantôt à un côté, tantôt à l'autre. La seule solution devait apparemment prendre la forme d'un état indépendant.
Jusqu'en 1792, les deux territoires faisaient partie de l'empire des Habsbourg; ils avaient ensuite été placés sous la domination française jusqu'en 1815, subissant les influences correspondantes. Les quinze années qui suivirent les virent appartenir au nouveau royaume des Pays-Bas, et la ville de Bruxelles, riche en traditions, avait joué le rôle de capitale en alternance avec La Haye – solution artificielle rappelant sans cesse la précarité d'un équilibre dont la réalisation avait été pénible. Avec une envolée économique qui remontait à la fin de la période napoléonienne, les appels de plus en plus pressants à l'autonomie ne pouvaient plus être réprimés. Ils connurent leur explosion en 1830: au cours d'une exécution de l'Opéra révolutionnaire «La Muette de Portici» le 25 août 1830, on en arriva à l'insurrection ouverte. La lutte pour la liberté était dès lors commencée.
Le résultat en sera la création d'un royaume belge autonome dont le premier régent attentionné sera Léopold de Saxe-Cobourg. Le nouveau pays reçut une constitution assez progressiste pour l'époque, avec l'égalité des citoyens face à la loi, la liberté d'association et de pensée et la séparation de l'Eglise et de l'Etat. Le monarque avait pour sa part une fonction largement représentative. Survolant tous les changements, Bruxelles, devenue la capitale, sut préserver son rôle traditionnel en tant que centre des industries de luxe, son ambiance vivante la rendant de plus en plus attrayante pour les immigrants fortunés. Vers 1900, le nombre de ces immigrants, répartis dans divers quartiers, s'élevait à environ 10.000 Allemands, plus de 5.000 Français et quelque 4.000 Hollandais. A cette date, le nombre d'habitants était passé de 125.000 en 1850 à 195.000. Au moment du changement de siècle, Bruxelles était considérée comme une ville «fashionable» qui pouvait se prévaloir de boulevards larges et modernes, d'élégantes boutiques et de grands parcs.
Mais la richesse extérieure ne pouvait cacher la scission sous-jacente du pays, scission qui se manifestait à Bruxelles avec autant de vivacité que les aspects lumineux de la ville. A la rupture du tissu social venait s'ajouter le problème

Page précédente:
le palais de justice de Bruxelles, 1866–1883,
construit par Joseph Poelaert

Bruno Paul (?), caricature de la liaison du roi Léopold II avec la danseuse Cléo de Mérode, vers 1900

Photographe inconnu, le roi Léopold II de Belgique, vers 1900

Photographe inconnu, la danseuse Cléo de Mérode, vers 1900

linguistique, qui ne simplifiait guère les choses. Le domaine des cercles aisés et des milieux dirigeants était francophone, tandis que les marchands, les artisans et les travailleurs qui peuplaient le centre autour de la «Grande-Place» parlaient presque exclusivement flamand. Comme les secteurs industriels les plus importants étaient en outre implantés en Wallonie, cette région l'emportait sur l'autre. Il convient d'ajouter à cela le fait qu'au 19ème siècle, l'influence culturelle de la France était prédominante, ce qui augmentait encore l'importance de la Wallonie. Les deux phénomènes sociaux majeurs étaient donc la démarcation sociale et une supériorité culturelle en partie importée.

Pour la Belgique, cette situation, qui n'était pas exempte de certains traits schizophréniques, conduisit à des extravagances qui n'auraient pu se produire ailleurs sous cette forme. Dans la mesure où il était impossible de déterminer clairement ce qui dans ce pays était authentique et ce qui ne l'était pas, l'artifice y avait beau jeu. C'est ainsi que l'un des bâtiments les plus monstrueux de l'époque fut construit dans les années 1880: le Palais de Justice construit par Joseph Poelaert en bordure de la ville. Ce labyrinthe architectural d'une géniale complexité était si impressionnant qu'aucun édifice européen ne le surpassait sur ce point. Moins extravagantes, mais cependant d'un caractère tout aussi fantasque et luxueux, les serres que le nouveau roi Léopold II (1835–1909) fera construire à peu près à la même époque dans les parcs de Laeken, près de Bruxelles. Plus que tout autre, ce roi devait marquer le pays de son empreinte. Ces serres portaient à ce point sa marque qu'il désirait y mourir – désir qu'il pourra d'ailleurs voir exaucé plus tard.

Auparavant, son penchant à l'exotisme avait déjà conduit ce monarque à acquérir pour lui-même les vastes territoires du Congo d'Afrique. Cela avait été un acte passablement inhabituel, mais qui correspondait assez à la hardiesse et à la volonté d'étonner caractéristique des nouveaux riches de l'époque, par laquelle la Belgique devait se faire remarquer dans le monde entier. Seul propriétaire de son immense domaine, Léopold régnait sévèrement sur son empire colonial, mais par la suite, lorsqu'il les eut cédés à l'Etat, ces territoires s'avérèrent extrêmement rentables. L'on devait donc

Victor Horta, la Maison du Peuple à Bruxelles, 1897

Jules van Riesbroek, affiche pour l'inauguration de la Maison du Peuple à Bruxelles, 1897

avoir le sentiment confus que l'air des serres serait peut-être lui aussi à même de produire on ne savait quels effets bénéfiques, lorsqu'à la fin du 19ème siècle, les nouvelles de la liaison du roi avec la danseuse Cléo de Mérode remplirent la une de tous les journaux d'Europe. C'est à Paris, en 1896, que cet homme vieillissant et tendant déjà à la rigidité, ainsi qu'on peut le voir sur les photos de l'époque, avait fait la connaissance de cette femme d'une grande beauté, caractérisée par une simple coiffure séparée par une raie médiane. Elle aussi était belge, mais une différence d'âge de quarante ans la séparait du roi. Cette liaison devait avoir quelque chose de touchant, car si elle déclencha les plaisanteries, elle resta à l'abri de la méchanceté: le roi, rebaptisé «Cléopold» apparut soudain au monde comme quelqu'un d'aimable et humain.

La conception personnelle que le monarque avait de l'Art nouveau pouvait être considérée par le public comme le couronnement du renouveau prometteur que l'on sentait poindre partout, et il devait sembler évident pour tout le monde que l'on avait affaire à la collusion du pouvoir et de la beauté qui définissait les buts secrets de l'Art nouveau. L'un des représentants les plus impressionnants de l'impérialisme du 19ème siècle avait rencontré une femme qui incarnait les nouvelles aspirations artistiques. Cléo de Mérode préfigura ainsi sous bien des aspects ce que Isadora Duncan devait élever au rang de postulat quelques années plus tard. Au milieu de toutes les aventures que des hommes passablement célèbres avaient avec des femmes de grande beauté, la liaison du roi tenait la première place de par sa consécration et son caractère presque innocent. Et lorsqu'un demi-siècle plus tard, Cléo de Mérode tenta de nier son rôle d'hétaïre devant la justice en donnant de sa liaison une image platonique et pour ainsi dire diplomatique, cela ne changea plus rien au jugement public, et ne fit au contraire que renforcer le caractère symbolique de l'événement.

Au roman sentimental du roi venait s'opposer une réalité marquée par des soucis d'une toute autre nature: en 1895, après moult péripéties, on était parvenu à fonder le «Parti Ouvrier Belge». Un an plus tard, des émeutes secouaient déjà le pays, qui furent durement réprimées par l'armée. Cette

Paul Hankar, la maison du peintre Ciamberlani à Bruxelles, 1897

Gustave Serrurier-Bovy, mobilier exposé à Liège en 1899

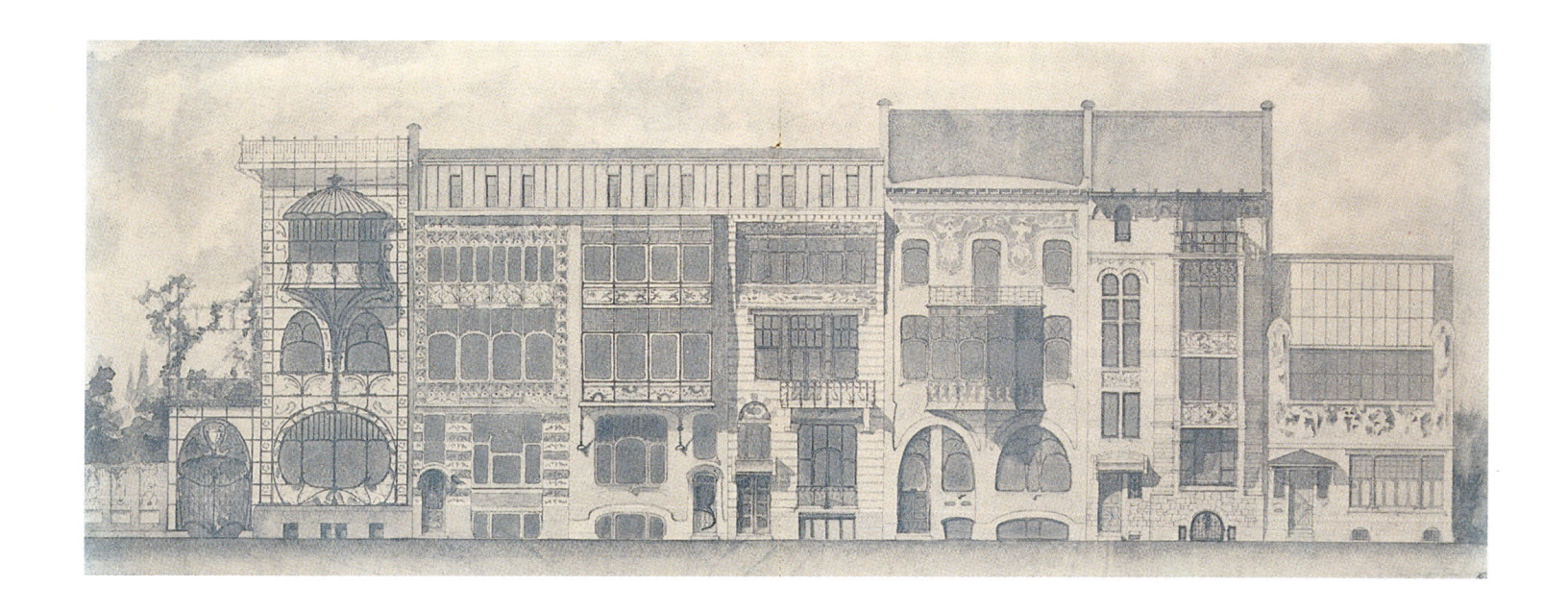

réaction amena au Parti le soutien des intellectuels et des cercles de la bourgeoisie, par exemple par le biais de jeunes avocats ou d'écrivains qui marquèrent son image de leur empreinte. Ce sont eux qui firent pression pour qu'en 1897, un architecte encore peu connu, Victor Horta, pût construire la «Maison du Peuple» (illustrations p. 48, 49). Cet édifice devait être un jalon, car la clarté de la construction répondait parfaitement à son propos et à sa fonction spécifiques. Mais le second représentant du nouveau mouvement artistique en Belgique, van de Velde, avait lui aussi reçu très tôt de la part du parti des commandes pour des projets graphiques.

Le Parti Ouvrier Belge n'eut pas seulement une fonction stimulante et directrice, il était également ouvert aux influences provenant des cercles les plus divers. Des associations d'artistes d'avant-garde en étaient aussi proches que les figures les plus importantes de la littérature. On pouvait assister à une symbiose de toutes les forces progressistes, et une ouverture d'esprit telle qu'on n'en avait jamais vue auparavant allait caractériser l'atmosphère de Bruxelles au cours des dernières années précédant le changement de siècle. Il n'est donc pas étonnant que parmi les promoteurs de l'avant-garde se trouvassent aussi de jeunes ingénieurs et même des entrepreneurs qui avaient acquis une certaine indépendance sur les voies les plus diverses, par exemple après un long service dans les colonies. C'est de ces cercles que Victor Horta reçut les commandes d'immeubles qui lui permirent de réaliser sans entrave ses idées architecturales.

La justesse historique nous oblige à introduire ici les noms de Paul Hankar et de Gustave Serrurier-Bovy avant de nous pencher plus avant sur Victor Horta et Henry van de Velde. Tous deux peuvent être considérés comme les inventeurs du style «à membrures» qui caractérise les premiers temps de l'Art nouveau, et que suivit un certain temps le jeune van de Velde. Des traits typiques avaient déjà été développés dans ce domaine, les deux architectes montrant une prédilection particulière pour les formes arquées. L'étrange mélange de raideur et de hardiesse dans les meubles de Serrurier-Bovy s'appuyait sur des modèles anglais, auxquels il se sentait redevable. C'est ainsi qu'il jouera pendant un certain temps un rôle transitoire important. Il en va de même pour l'architecte Hankar, qui mourut en 1901 âgé de quarante ans, et ne put donc mener à bien qu'un petit nombre d'ouvrages.

En dépit de toutes les couches ornementales qui l'habillent, c'est l'œuvre de Victor Horta qui opéra la transposition formelle – du bois vers l'acier – des

Paul Hankar, projet pour l'urbanisation d'une perspective, Bruxelles, vers 1900

Paul Hankar, entrée du magasin New-England, Bruxelles, vers 1900

signes avant-coureurs qui se dessinaient déjà chez Hankar et Serrurier-Bovy. Plus fondamentalement, cette transposition signifiait un passage de l'artisanat à la technique, de la tradition au modernisme. C'est chez Victor Horta que la nouvelle conception devient réellement manifeste et tangible. Le premier témoignage en est sans aucun doute le hall d'entrée de la maison de l'ingénieur Tassel à Bruxelles (illustrations p. 30, 31). Dès son premier coup d'essai, on voit apparaître une œuvre présentant avec une verve indéniable tout à la fois les possibilités et les dangers du style nouveau. Si nous attribuons donc à cette œuvre une place capitale, ce n'est pas seulement dans une perspective chronologique, mais surtout en raison de sa complexité.

Au premier coup d'œil, on s'aperçoit que la disposition spatiale a été conçue à la façon d'un ingénieur. La transparence et l'emploi d'éléments en acier en sont la preuve. En même temps, on a l'impression de se trouver en présence d'une ambiance sensuelle et décorative qui fait moins songer à de l'architecture qu'à une jungle sauvage. L'intérêt réside dans le fait que les éléments rationnels et artistiques sont parvenus à une symbiose où ne prédomine aucun des deux

Philippe Wolfers, pendentif, Bruxelles 1898
Collection particulière

Frans Hoosemans, chandelier, Bruxelles, vers 1900, ivoire et argent, hauteur: 37 cm
Hambourg, Museum für Kunst und Gewerbe

Victor Horta, l'entrée de la Maison Tassel à Bruxelles, 1893

Victor Horta, 1861–1947
Etudie à l'Académie des Beaux-Arts de Bruxelles à partir de 1881 pour entrer ensuite dans le bureau d'études de l'architecte néoclassique Alphonse Balat. Avec la villa qu'il construit pour l'industriel Tassel, il crée en 1893 un bâtiment qui peut être considéré comme le premier immeuble de l'Art nouveau en Europe. Après 1897, il enseigne à l'Université de Bruxelles, puis, de 1912 à 1931, à l'Académie des Beaux-Arts.
Œuvres principales: les villas «Solvay», 1894, et «van Eetvelde», 1897–1900; la «Maison du Peuple», quartier général du parti socialiste belge, qui lui fut commandée en 1895. Toutes ses œuvres se trouvent à Bruxelles.

éléments, bien que l'équilibre en apparaisse précaire. Il serait évidemment facile de parler ici d'une décoration qui vient se superposer à la structure et ne sert que son propre propos, de même qu'il est clair que la construction aurait pu être réalisée d'une façon plus simple et moins végétale. Ce n'est ni la fatuité, ni une limitation raisonnable qui constituaient ici le propos architectural, mais la complémentarité. La flamboyance de la composition égale la combinaison raffinée de la fluidité et de la rigidité dans le chandelier de l'artiste belge Frans Hooseman.

Il est vrai que le fait de se servir d'éléments d'acier visibles pour réaliser des espaces intérieurs n'avait rien de nouveau, le 19ème siècle en ayant fourni de nombreux modèles. Ce qui était inhabituel, c'était de le faire dans une maison privée relativement modeste, c'est-à-dire à un endroit où il eût été facile de s'en passer. Les dimensions du hall d'entrée auraient parfaitement pu être maîtrisées par des moyens plus traditionnels, mais il est vrai que cela

Victor Horta, la Maison du Peuple à Bruxelles, 1897

n'aurait été possible qu'au détriment de la transparence. Or, c'est précisément la transparence qui a dû constituer le propos fondamental de l'artiste, car Victor Horta s'efforcera de retrouver la même transparence pendant toute sa carrière, déployant dans ce but une virtuosité toujours plus grande. Mais il y avait aussi à cela une raison extérieure, car à Bruxelles, l'étroitesse caractéristique des parcelles constructibles obligeait à agrandir l'intérieur des bâtiments par des moyens artificiels. Pour répondre à ce propos, de grandes verrières diffusaient la lumière d'en haut à travers les étages, ouvrant ainsi le bâtiment à la verticale, ou bien encore des miroirs se faisaient face, élargissant l'espace à l'infini. C'est à partir de cette simple nécessité que Victor Horta a su développer un principe artistique nouveau, amenant d'ailleurs souvent les solutions à dépasser largement les contraintes du problème. Il est vrai que dans la maison Tassel, cette résolution spatiale n'a connu que des prémisses de réalisation.

Si les colonnes d'acier suivaient les motifs végétaux classiques, elles n'en sont pas moins originales du point de vue du matériau. C'est surtout le traitement du pilier de soutien de l'escalier qui est inhabituel. Il se subdivise en effet en plusieurs parties. Ce fait pourrait certes se justifier sur le plan statique, mais on est cependant obligé de supposer qu'il y avait à cela des raisons purement esthétiques dans la mesure où la partie supérieure participe pleinement de la composition globale. Par son éclatement, la transition courbe relie ce pilier au suivant, ce qui indique par ailleurs que la colonne décharge son poids en le passant au suivant. On remarquera également la réalisation soigneuse du support de colonne, point sensible où s'articulent et s'interpénètrent la pierre et l'acier.

Si nous avons considéré jusqu'à présent les éléments architecturaux de la construction, on verra maintenant la façon dont viennent se greffer sur eux les éléments ornementaux. On s'aperçoit immédiatement que dans la mesure où ils suivent les éléments principaux, ils n'affirment aucune autonomie. On peut dire qu'ils ont pour fonction de les soutenir et de les prolonger. Une telle lecture ressort le mieux d'une analyse des ornements de surface. Les courbes du plancher et des murs ont de toute évidence pour sens d'accompagner de leur vivacité la spirale de l'escalier, voire de lui imprimer son mouvement. La rampe, initialement statique, vient se joindre au mouvement général. Dans la mesure où il n'avait rien d'arbitraire, un traitement aussi personnel des éléments secondaires devait tout d'abord surprendre. Contrairement aux copies plus ou moins réussies qui ont suivi, chaque détail était intégré stylistiquement et justifié sur le plan logique. L'unité de l'ensemble n'était pas seulement garantie, elle était accrue sans que la valeur architecturale en souffrît. L'on n'en assistait pas moins à un renversement des valeurs fort risqué.

Comparée à la complexité de l'intérieur, la réalisation de la façade de la maison Tassel est plutôt réservée. La transparence intérieure ne peut se lire que dans l'ouverture de la zone médiane. Au milieu d'un cadre de pierres, quelques éléments en acier ont trouvé leur place. Le rapport sera bien différent dans l'œuvre majeure de Horta, la Maison du Peuple. Le propos architectural y était ramené au squelette, les murs semblant totalement éliminés, et la maçonnerie réduite à sa plus laconique expression. Ce qui dominait, c'étaient de grandes baies vitrées et de fines poutrelles d'acier. Cet édifice atteste que Victor Horta avait parfaitement réussi la transposition de sa conception architecturale de l'intérieur vers l'extérieur. Du fait que la parcelle se trouvait au bord d'une place circulaire, il lui fut en outre

Victor Horta, détail de la façade et salle de réunion au dernier étage de la Maison du Peuple à Bruxelles, 1897

GRAND BAZAR ANSPACH
57
ARIETIES
ANTI PELADE BECKER
PLUS DE CHAUVE
VUE
COIFFEUR
GRAND BAZAR ANSPACH
GRAND BAZAR ANSPACH
COIFFEUR DAMES

Victor Horta, le grand magasin «Grand Bazar Anspach» à Bruxelles, 1903

Victor Horta, poignées de porte dans la Maison Wissinger à Bruxelles, 1895/96

possible de faire la démonstration de sa position fondamentalement constructive en s'appuyant sur un plan au sol courbe. De ce fait, la façade ressemble à un paravent dont les éléments mobiles auraient tout aussi bien pu suivre d'autres lignes (la suggestion de la mobilité devait être fatale à l'édifice, car dans les années 1960, on n'eut pas le moindre scrupule à le raser). Une fois encore, ce n'était pas l'emploi de l'acier, mais l'absence totale de classicisme dans la façon de le traiter qui était inhabituelle. Contrairement à l'utilisation plutôt décorative qui en était faite dans la maison Tassel, il avait été introduit ici sans la moindre prétention, d'une manière presque bon marché. La structure de l'édifice apparaissait au grand jour sans le moindre habillage, et seule la courbure légère des piliers centraux palliait un peu la sévérité de l'ensemble. Le résultat global n'était en aucune façon une «belle» architecture, mais une architecture dont la sincérité sans réserve ne reniait pas le côté «fabrique» de son aspect extérieur.

La Maison du Peuple constitue un manifeste tout à fait spécifique, d'une part en tant que construction, d'autre part en raison de sa fonction de maison populaire socialiste. Elle restera unique dans l'œuvre de Horta, ses commanditaires ultérieurs demandant visiblement à ses réalisations de manifester davantage de richesse. Cela est notoire dans les deux grands magasins que Horta construira à Bruxelles peu après 1900. Tandis que la façade d'acier de «A l'Innovation» s'élargit encore en une gigantesque fenêtre, le «Grand Bazar Anspach» (illustration p. 50) consistait essentiellement en un mélange hybride de pierre et d'acier. Ce dernier présente en revanche d'autant plus d'intérêt par sa virtuosité plastique, par le jeu vivant de forces poussant vers le haut dans la partie basse et de forces poussant vers l'avant dans la partie haute. C'est là une démonstration habile de la façon dont les charges peuvent être portées et transférées sur des éléments architecturaux secondaires. Horta prouve ici une fois encore qu'il fut le grand architecte des débuts de l'Art nouveau.

L'œuvre de Victor Horta aurait été en mesure d'aider son pays à parvenir dès cette époque à une notoriété particulière, mais ce sera un autre artiste belge qui, bien qu'il fût alors au début de son évolution, devait connaître un écho plus important: Henry van de Velde sera moins un concurrent de Horta de par son

Henry van de Velde, paravent, Bruxelles, avant 1900, in: Dekorative Kunst III, 1898/99

Henry van de Velde, fauteuil, Bruxelles 1898, bois de padouk et batik. Trondheim, Nordenfjeldske Kunstindustrimuseum

Henry van de Velde, aménagement d'un appartement à Bruxelles, 1899, in: Innendekoration XIII, 1902. Conservé aujourd'hui au Museum voor Sierkunst de Gand

Henry van de Velde, 1863–1957
Etudes de peinture de 1881 à 1884 à l'Académie d'Anvers. En 1889, il rejoint le groupe avant-gardiste «Les Vingt». Après 1901, conseiller artistique à la cour de l'archiduc Wilhelm-Ernst à Weimar. 1906–1914, dirige les écoles d'arts appliqués nouvellement créées à Weimar. En 1917, il émigre en Suisse. En 1925, il fonde l'«Institut Supérieur d'Architecture et des Arts Décoratifs», qu'il dirigera pendant dix ans. Il passe les dernières années de sa vie en Suisse.
Œuvres principales: le Karl-Ernst-Osthaus-Museum à Hagen, 1900/01; la Villa Hohenhof à Hagen, 1907/08; le théâtre de l'Exposition du Werkbund à Cologne, 1914; le Rijksmuseum Kröller-Müller à Otterlo/Pays-Bas, 1936–1953.

œuvre que par ses conceptions et sa façon de se présenter en tant qu'artiste. Si Horta était l'architecte habile, sûr de lui et de son métier, l'autre représentait plutôt le type de l'artiste moderne un peu blasé qui, empli de doutes, cherchait encore à tâtons à définir sa position. Du fait que van de Velde avait un certain talent pour la rhétorique et la représentation de sa personne, il constituait un attrait nettement plus grand pour le public intéressé dans la mesure où il le faisait participer à sa recherche artistique. Il était en outre soucieux de fonder ses actes sur une base théorique – ce qui ne pouvait aussi que fasciner.

Il avait commencé comme peintre et, doué d'une forte aptitude d'assimilation et de réception, il avait parcouru tour à tour les formes artistiques de Monet, de Renoir, de Van Gogh et d'autres peut-être, jusqu'à ce qu'il trouvât dans le pointillisme de Seurat un point d'appui passager. Mais la crise ne pouvait être stoppée. Fondamentalement et personnellement, il reconnut que l'existence d'artiste indépendant ne suffisait pas à faire un effet satisfaisant. C'est pourquoi, vers 1893, il commença à se tourner vers les arts appliqués. Ce qui l'aida dans ce processus, ce fut la possibilité de construire une maison pour lui-même

Henry van de Velde, chandelier, Bruxelles 1899 ou avant, bronze argenté, hauteur: 59 cm Trondheim, Nordenfjeldske Kunstindustrimuseum

Henry van de Velde, reliure, Bruxelles 1895 Hambourg, Museum für Kunst und Gewerbe

et sa jeune famille. C'est ainsi qu'il put se prévaloir avec succès d'être architecte et designer sans avoir reçu de formation dans ces domaines.

Jusqu'à ce moment, van de Velde avait traversé les étapes presque typiques de bien des artistes de l'époque, car tout comme lui, Behrens, Riemerschmid, Bernhard Pankok, Otto Eckmann et bien d'autres subissaient en Allemagne une transformation et une prise de conscience similaires. Eux aussi se détournèrent progressivement de l'isolement de l'artiste pour assumer des responsabilités sociales plus immédiates. Le modèle de ce revirement avait été pour eux William Morris qui, pendant des dizaines d'années, s'était efforcé d'unifier en lui l'écrivain, l'artiste artisan, le peintre, mais aussi le socialiste engagé. La poutre maîtresse de cette démarche, c'étaient ses propres ateliers, pour lesquels il concevait ses projets, et qui étaient en même temps censés représenter le modèle d'un monde du travail idéalisé. En Belgique, van de Velde était son adepte le plus virulent, et il contribuera pour beaucoup à le rendre célèbre sur le Continent.

Tandis que le style de Horta restait proche de la France – d'où il avait reçu les influences majeures qui devaient l'amener à développer son architecture en acier – van de Velde se présenta comme l'artiste qui apportait la pensée et les formes du Nord. Il ne se contentait pas de rendre hommage à Morris dans ses

Henry van de Velde, bureau de travail qui se trouvait à l'exposition de la Sécession à Munich en 1899; le bureau est pratiquement identique à celui de la page 24

conférences, il s'efforçait également de l'imiter dans ses actes. Sa propre maison «Bloemenwerf», nom de la sympathique et modeste maison qu'il devait se construire en 1895 à Uccle, proche banlieue de Bruxelles, avait été un premier pas dans ce sens. Le fait que van de Velde se soit servi de tissus et de papiers conçus par Morris peut être interprété comme un hommage direct à Morris. Mais le fait déterminant pour sa carrière d'architecte fut qu'il devint entrepreneur.

En Belgique, il était inévitable qu'il devînt le concurrent de Horta. Les quelques projets qu'il réalisa dans de riches maisons bruxelloises ressemblent ainsi aux intérieurs de Horta par leur représentativité sociale, mais sans posséder la même élégance ni la même hardiesse. Les principes de van de Velde, toujours conditionnés par l'Angleterre, semblent avoir été ressentis comme trop doctrinaires au goût du public belge, qui leur préférait la note française de Horta. Van de Velde dut donc se sentir sauvé lorsqu'il put se rendre en Allemagne vers 1900. Des rencontres préalables avaient déjà montré qu'il y existait une affinité particulière avec sa façon de travailler, à la fois stimulante et exemplaire, empreinte de théorie et toujours mise en rapport avec une certaine vision du monde. C'est d'ailleurs pour ces raisons que le rôle de précepteur auquel il aspirait lui fut accordé, la résonance fut vive et la plupart du temps approba-

Henry van de Velde, le magasin de la Havana-Compagnie à Berlin, 1899

trice. Berlin deviendra ainsi le domaine d'activités de van de Velde au cours des années 1900/1901. Et cela revêtait une signification particulière du fait que cette ville n'était pas sans ressembler à Bruxelles; elle pouvait ainsi offrir une compensation pour ce qui lui avait été refusé jusqu'alors. Les deux métropoles avaient quelque chose de parvenu et de nouveau-riche, mais de ce fait, elles étaient aussi plus audacieuses et moins conventionnelles. Van de Velde sut mettre à profit la durée de son séjour; il devint la figure artistique prédominante, se fit fêter et réalisa quelques commandes spectaculaires. Par les liens qu'il entretenait avec le «Hohenzollern-Kunstgewerbehaus», la qualité de réalisation pouvait sembler garantie, ce qui s'avéra rapidement faux. Pour pouvoir être concurrentiel, son propriétaire Wilhelm Hirschwald devait faire réaliser les projets coûteux de van de Velde par une main d'œuvre bon marché. Avec sa venue à Berlin, le bel idéal du temps d'Uccle se perdit en grande partie; c'est seulement plus tard, à Weimar, qu'il lui sera possible d'en retrouver quelque chose.

Mais les années berlinoises se virent tout de même justifiées par la célébrité qu'elles rapportèrent à van de Velde. Tout ce qui le caractérisait y mûrit, en particulier sa façon de procéder. Les locaux commerciaux, les magasins, c'est-à-dire des espaces pouvant compter sur un large public, semblent l'avoir tout particulièrement inspiré. La riche boutique de la Havana-Compagnie ou encore l'élégant salon de François Haby, coiffeur à la cour, comptent parmi ses créations les plus significatives. Van de Velde les considérait en même temps

Henry van de Velde, le salon du coiffeur de la cour François Haby à Berlin, 1901

comme des enseignements publics. Une symbiose étroite entre utilité et enseignement, entre ornement et construction y prédomine chaque fois. Ces deux domaines se glissent sans cesse l'un dans l'autre, mais leur fonction n'est jamais fixée de la même façon. Dans un cas, les panneaux latéraux des rayonnages préparent la fin de l'espace au niveau du plafond, mais ce cycle de lignes n'est pas un élément purement formel: son dessin, imitant des volutes de fumée, renvoie ainsi à la fonction globale. Plus spectaculaire encore, l'exégèse de la fonction dans le salon de coiffure de François Haby: van de Velde avait fait installer toutes les conduites de manière qu'elles fussent visibles, et non pas – comme cela se pratiquait ordinairement – en les faisant passer derrière les installations. C'est ainsi que par la fluidité de leur présence, les conduites de gaz et d'eau affichaient leur importance; elles venaient se couler le long des éléments de bois et de marbre, transformant la nécessité technique en un événement esthétique d'une nature toute particulière.

La réaction était prévisible. Le peintre Max Liebermann commenta cet exhibitionnisme en indiquant qu'il ne viendrait à l'idée de personne de porter ses intestins comme une chaîne de montre. Si cette remarque n'était pas dénuée de fondement, la comparaison avait ceci de boiteux, qu'elle continuait de présupposer un modèle organique dont van de Velde était fier de s'être débarrassé. Sa linéarité abstraite se voulait une conséquence directe des lois constructives, qui se passent de tout héritage formel légué par la tradition. En cela, il fut peut-être celui qui contribua de la façon la plus cohérente au style nouveau: parmi ses

Victor Horta, partie supérieure de la cage d'escalier et entrée de la maison de l'architecte à Bruxelles, 1898–1900

collègues, rares étaient ceux qui allaient aussi loin. Trop souvent, le renouveau n'avait consisté qu'à renouveler l'agencement des plantes, des cheveux et des vagues. Dans ce domaine, van de Velde l'emportait même sur Horta, dont les formes ornementales procédaient encore de la serre en dépit de leur audace. Si van de Velde n'a pas été l'inventeur de cette symbiose particulière entre les formes constructive et artistique qui fêtait son triomphe vers 1900, il fut en revanche l'un de ceux qui l'appliquera de la façon la plus radicale.

Tandis que van de Velde était encore à discipliner ses formes et à les mettre en harmonie avec ses théorèmes personnels, Horta poursuivait de son côté son parcours à Bruxelles en tant qu'architecte tout aussi audacieux qu'académique. Sa formation très étendue lui permettait de faire preuve d'une immense virtuosité architecturale, ce que démontre avant tout le grand nombre d'immeubles luxueux qu'il construira à Bruxelles. Avec eux, il poursuivra ce qu'il avait commencé avec l'intérieur de la Maison Tassel. Il s'agissait de rendre luxueuses et vastes les pièces les plus petites. C'est ce qu'il fit, d'une façon un peu plus modérée, dans sa propre maison. La seule façon dont Horta savait faire aboutir un pilier presque accessoire, placé au début d'un escalier, dans la structure d'une grille montrait déjà au niveau du détail quelles étaient les intentions fondamentales de l'architecte. L'indication donnée à cet endroit – au moment où l'on pénètre dans la maison – prépare le point culminant situé tout à la fin de l'escalier, où une verrière inclinée vient recouvrir le hall. Deux miroirs opposés viennent s'y ajouter pour élargir l'espace d'une façon inhabituelle, presque explosive.

Mais ces idées peuvent encore sembler alignées et juxtaposées. C'est dans la

EN HOMMAGE A VICTOR HORTA
LA COMMUNE DE SAINT-GILLES A
SAUVE CETTE MAISON OU VECUT ET
TRAVAILLA LE GRAND ARCHITECTE
HET HUIS WAAR DE GROTE ARCHITECT

Victor Horta, le hall central de la Maison van Eetvelde à Bruxelles, 1899. A droite, l'escalier qui relie le rez-de-chaussée au passage (aujourd'hui fermé) conduisant à la maison voisine.

maison van Eetvelde (illustrations p. 60, 61) que Horta parviendra peu après à subordonner l'ensemble de l'architecture intérieure à une idée unique. Le dispositif, une fois encore relativement étroit, est caractérisé par un mouvement en forme de spirale qui démarre dès la porte d'entrée ménagée à droite à l'extérieur, s'étire en diagonale par un corridor traversant l'entresol avant de se transformer sur le mur latéral gauche en un cercle ascendant dont le diamètre égale la largeur de la maison. La progression spatiale s'accompagne d'une progression comparable de la luminosité, qui ne cesse de s'accroître. Après quelques marches, on se trouve sur un palier d'où l'on accède d'une part à une pièce octogonale, et d'où un passage mène également à la maison voisine. Celle-ci avait aussi été construite quelques années auparavant par Horta. L'ascension se poursuit donc et, suivant toujours la courbe de la spirale, se resserre vers l'axe longitudinal de l'édifice, s'éloignant progressivement du mur latéral. C'est ainsi que l'on accède à l'étage principal de la maison. L'on y trouve un passage qui donne accès à une pièce un peu en retrait vers l'arrière et vers les dégagements. Mais le visiteur se sent plutôt amené à poursuivre le grand mouvement, c'est-à-dire à boucler le cercle. Le parcours fait contourner une pièce circulaire éclairée jusqu'à l'éblouissement par un jour à plomb, pour le ramener vers la face antérieure de la maison, où l'accueille une grande pièce occupant toute la largeur de la maison. Grâce à un encorbellement, elle s'étend jusqu'au centre de la maison. Ainsi sont à la fois marqués l'apogée et le but du grand mouvement qui définit l'ensemble de la construction.

Victor Horta, les deux maisons van Eetvelde à Bruxelles, 1897 et avant

Il est peu d'exemples architectoniques où le changement d'un étage à l'autre et l'introduction dans l'organisme d'une maison ont été réalisés d'une façon aussi subtile et intelligente. Le point déterminant a peut-être été la nécessité de créer à mi-chemin une liaison avec la maison attenante (cette liaison a été supprimée). Mais un dispositif rectiligne aurait tout aussi bien pu faire l'affaire qu'un dispositif en forme de vis. Ainsi l'ingénieuse idée de la pièce ronde entourée d'un mouvement en forme de spirale garde toute sa valeur. Mais cette idée suit sous une forme extrêmement transposée un des motifs préférés de l'Art nouveau, celui des plantes ou des corps s'étirant autour d'un vase. Le fait que la pièce centrale de la maison van Eetvelde soit constituée d'une structure en filigrane de verre et d'acier ne surprendra plus.

La façade procède également d'une composition similaire qui saute immédiatement aux yeux par contraste avec le caractère massif de la maison attenante. Une fois encore, Horta devait avoir l'occasion de se dépasser lorsqu'il construisit pour le riche fabriquant Solvay un immeuble donnant sur la luxueuse avenue de Louise (illustrations p. 62, 63). Là encore, Horta dut composer avec l'étroitesse de la parcelle, bien qu'il disposât d'un peu plus d'espace que ce qui était en usage à Bruxelles. La façade préfigure certains éléments du «Grand Bazar Anspach» (illustration p. 50); sa forme mouvementée au niveau des étages principaux fait ressortir les talents de plasticien de l'architecte, talents qu'il possédait à égalité avec ses talents structurels. Son effort a porté en particulier sur l'intérieur, où la transparence verticale se combine heureusement avec la

Victor Horta, vue extérieure et cage d'escalier de la Maison Solvay à Bruxelles, 1895–1900

transparence horizontale. La quasi-totalité de l'étage principal est tenue par des baies et des vitrines dont certaines peuvent en outre coulisser. Le regard peut ainsi embrasser la totalité de l'étage et le sentiment d'audace rivalise alors avec celui de solennité. A l'acier, partout visible comme dans les autres œuvres de Horta, viennent s'ajouter des bois et des marbres précieux.

Avec cet immeuble, l'espace des possibilités semblait totalement exploité. On ne peut en même temps manquer de voir que des traits plus conventionnels commencèrent à se mêler à l'ensemble, dans l'impression globale comme dans les détails, dont l'effet est quelque peu routinier. Horta ne semble jamais avoir eu pour but de façon aussi rigide que van de Velde l'unité stylistique. En lui, le constructeur l'emportait sans cesse sur le concepteur de meubles, de rampes, de lampes et autres accessoires. Il est donc compréhensible qu'il fût un architecte de premier ordre tout en s'avérant être un styliste inégal.

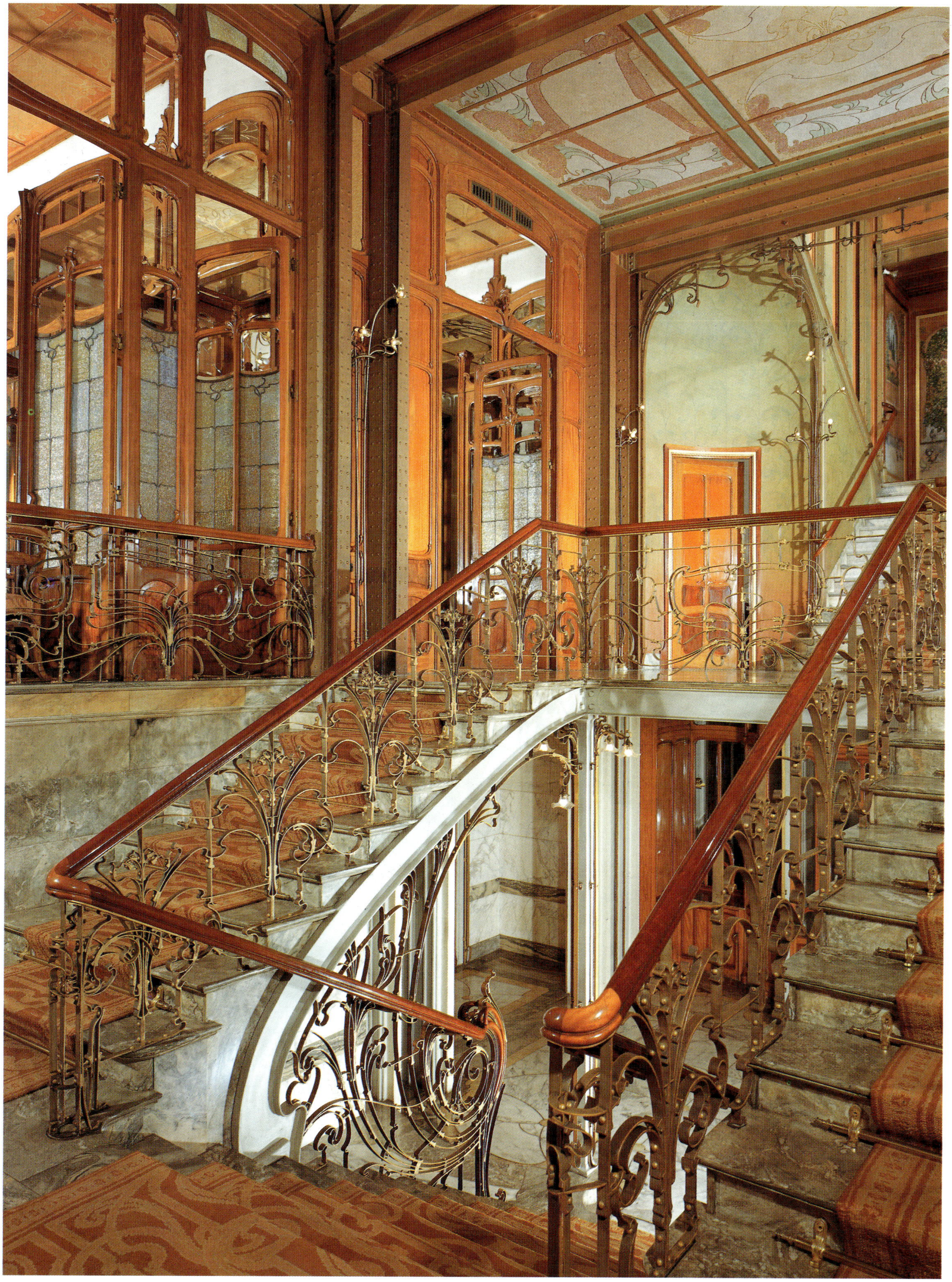

11. - NANCY. — La Gare Saint-Jean.

Phototypie A. Humblot et Cie.

103 — NANCY - Place et Statue Thiers

37 NANCY. — La Place St-Jean et le Temple protestant. — LL.

Nancy

Au cours de son histoire, Nancy peut se prévaloir d'avoir joué plusieurs fois un rôle dépassant largement son statut de simple ville. Les événements lui conférèrent alors chaque fois un éclat inattendu. Dans un tout autre contexte, ce qui avait déjà eu lieu une première fois au 18ème siècle devait se produire à nouveau vers 1900. Mais dans un cas comme dans l'autre, des exilés seront à l'origine de sa prospérité.

Ceci vaut tout d'abord pour le roi polonais Stanislas Leczinski, qui dut quitter son pays en 1736 et devint duc de Lorraine, la maison régnante s'y étant éteinte. Pendant les trente années qui suivirent, il transforma sa résidence en joyau architectural; depuis cette époque, ce lieu célèbre ennoblit la cité plutôt modeste de Nancy. Après la mort de Stanislas en 1766, le duché perdit définitivement son indépendance et revint à la France. Plus d'un siècle plus tard, en 1871, la France ne devait pas seulement céder l'Alsace au nouveau Reich allemand, mais aussi une partie de la Lorraine, avec la ville de Metz. Cette décision, résultant d'une défaite, devait être lourde de conséquences pour Nancy. Située jadis au centre d'un pays qui n'avait jamais été divisé, elle s'était soudainement trouvée repoussée en périphérie de la Lorraine française, à une vingtaine de kilomètres à peine de la frontière.

Mais l'amputation des alentours est de la ville devait tourner à l'avantage de Nancy, d'une part parce que la France faisait tout son possible pour renforcer économiquement et politiquement la ville et le reste de la Lorraine, et d'autre part en raison d'une vague d'immigration venue entre 1871 et 1900 des territoires perdus, où nombre de gens ne voulaient pas «mourir prussiens». Cet exode s'avéra décisif, car c'étaient souvent les meilleures familles des villes importantes qui émigraient vers la France. En quelques années, Metz perdit ainsi la moitié de sa population; presque tous les fonctionnaires et professeurs quittèrent Strasbourg, mais aussi beaucoup de personnes indépendantes. A cela s'ajoutait le fait que l'administration allemande s'avérait encore plus centralisatrice que celle de la France; les initiatives locales pour développer la vie culturelle de la région, qui avaient vu le jour sous Napoléon III, étaient désormais strictement interdites.

Nancy et ses alentours devinrent le but de nombreux immigrants, la ville profitant ainsi soit du capital des nouveaux arrivants, soit de leurs précieuses aptitudes. Ces deux apports donneront un coup de fouet à l'évolution de la ville, le marché s'enrichit et la qualité de l'offre s'améliora. Ceci était valable en particulier pour les articles de luxe – nous sommes à la fin du 19ème siècle. Mais le niveau culturel de la ville s'éleva lui aussi grâce aux cercles académiques qui vinrent s'y installer.

Page précédente: trois cartes postales de Nancy vers 1900

*Louis Majorelle, Auguste et Antonin Daum,
lampe-cactus, Nancy, peu après 1900
Nancy, Musée de l'Ecole*

*Emile Gallé, lampe-champignon,
peu après 1900
Nancy, Musée de l'Ecole*

*Emile Gallé, vase en forme de gobelet,
Nancy 1904
Nancy, Musée de l'Ecole*

Emile Gallé, 1846–1904
Elève, il fait preuve d'un vif intérêt pour la rhétorique, la philosophie, la botanique et la chimie. 1864–1866: apprentissage pratique dans les ateliers de verrerie et de céramique paternels, et études de dessin et de conception d'objets à Weimar. Ses premiers projets pour des décors de faïence sont exécutés et présentés à l'Exposition Universelle de Paris en 1867. En 1874, il reprend la direction artistique de l'entreprise familiale. Après 1880, nombreux projets pour la céramique, le verre et les meubles. A partir de 1885, entretient des rapports commerciaux avec la Manufacture Burgun, Schverer & Co. à Meisenbach, qui se trouve depuis 1871 dans la partie allemande de la Lorraine et qui fournit une grande partie des pâtes de verre brutes. 1889, grand succès à l'Exposition Universelle de Paris; le «genre Gallé» devient un modèle pour la concurrence. A partir du milieu des années 90, apparition des formes typiques de l'Art nouveau.

Ainsi Nancy était-elle devenue vers 1900 la ville la plus puissante de l'Est français, et cela dans tous les domaines: politique, économique et culturel. Sa nouvelle position stratégique lui fit jouer un rôle prépondérant avec la présence d'une garnison de 10 000 hommes, ce qui représentait presque un dixième de la population. Mais Nancy vivait avant tout de l'industrie du textile et du cuir, de la bière et des manufactures de meubles, de ses verreries et de la céramique. Pour ce qui est des transports, il y avait d'excellentes liaisons grâce aux canaux et aux chemins de fer.

Mais cette prospérité serait restée stérile si nombre d'artistes et d'artisans n'étaient venus s'y installer. Jean Daum en est un bon exemple, qui émigra à Nancy pour y fonder en 1878 la «Verrerie Sainte-Catherine», bientôt rebaptisée «Verrerie de Nancy», et qui produisait depuis 1895 des articles de verre dans le style Art nouveau, ne craignant pas de produire aussi des articles de confection. De Metz vinrent également s'installer à Nancy des ébénistes de grand talent comme par exemple Jacques Gruber, dont les réalisations imposèrent Nancy dans ce second domaine, assurant sa renommée mondiale autour de 1900. A côté du verre superposé ou découpé, ce furent donc les marqueteries qui contribuèrent à rendre célèbre l'Ecole de Nancy. Emile Gallé, le plus habile et le plus complet parmi les artistes concernés, s'efforcera pour sa part de s'imposer dans ces deux domaines. La division de la Lorraine eut une répercussion si profonde sur les mentalités qu'elle se refléta également dans la production artistique. Ainsi pouvait-on voir fréquemment symboles et insignes orner les réalisations artisanales, comme par exemple la Croix de Lorraine, parfois brisée. Gallé l'ajouta même un certain temps à sa propre signature. D'autres évocations représentaient aussi Jeanne d'Arc, la «pucelle lorraine» — symbole du combat contre les puissances étrangères — ainsi que la devise de Nancy «Qui s'y frotte, s'y pique», et le chardon, tiré des armes de la ville. Cette fleur belliqueuse et sa signification patriotique apparurent ainsi sous forme stylisée dans un grand nombre de productions de l'Ecole de Nancy.

Le succès obtenu reste sujet à caution en dépit du fait qu'entre 1871 et 1900, tout ce qui venait de Lorraine sera dans l'ensemble davantage prisé qu'auparavant. La Lorraine avait également ses protecteurs influents: le critique

Edmond de Goncourt, né à Nancy, tenait à Paris un salon où se réunissaient régulièrement les écrivains et les artistes; Roger Marx, lui aussi originaire de Nancy, était un ami et admirateur de Gallé. Devenu inspecteur général des Musées de France, il soutiendra du haut de sa position tout ce qui était d'origine lorraine.

En France, le destin de cette province divisée était considéré comme une affaire nationale, et l'espoir de revanche restait sans cesse en éveil. Mais le sentiment patriotique qui soutenait la Lorraine éveillait également des sentiments plus mitigés. Par bien des aspects, l'accolade de la France pouvait être ressentie comme étouffante, et l'espoir de voir un jour la fin d'un centralisme typiquement français ne devait nullement s'éteindre. Même Gallé, à qui cette situation profitait pourtant plus qu'à tout autre, se plaignait sans cesse de la marge étroite laissée à la Lorraine sur le plan culturel. L'identité culturelle de la province se développa donc fortement, bien que ce fût moins par antagonisme à l'égard de la capitale que par une habile utilisation des avantages que lui procurait sa position politique.

Il s'avéra particulièrement avantageux que l'artiste le plus important de l'Ecole de Nancy connût une renommée dépassant largement les frontières

Emile Gallé, lampe-ombelle, Nancy, vers 1900
Nancy, Musée de l'Ecole

Louis Majorelle, chambre à coucher,
Nancy, vers 1905
Nancy, Musée de l'Ecole

Emile Gallé, carafe, Nancy, peu après 1900, verre strié et poli, hauteur: 32 cm
Vienne, Österreichisches Museum für Angewandte Kunst

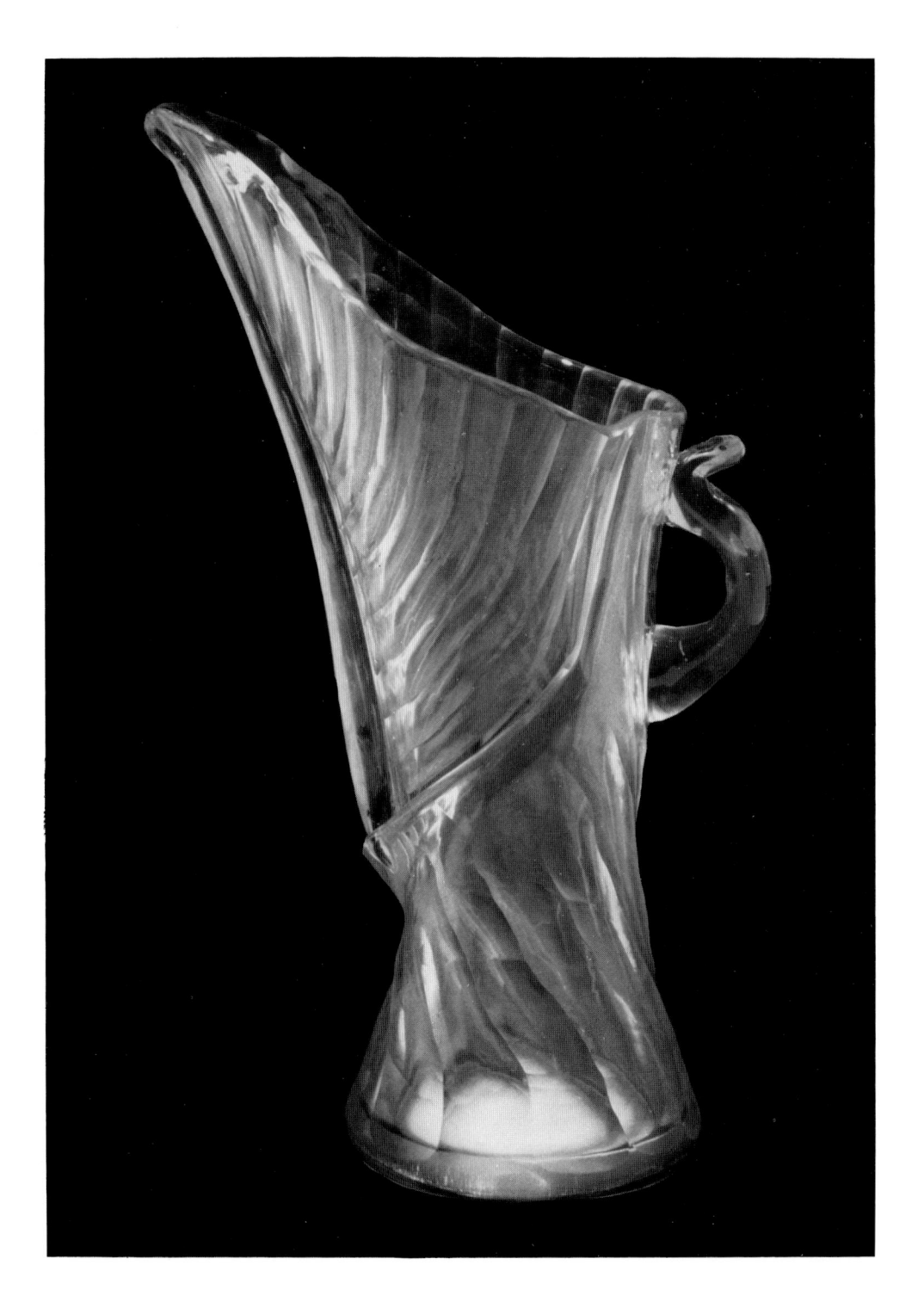

nationales, et l'on peut même dire que Gallé devint l'une des figures de proue de l'Art nouveau. Son nom fait indéniablement partie des premiers cités lorsqu'on parle de ce mouvement. Ce succès est dû au métier dans lequel il sera le plus productif: le verre, un des matériaux préférés de l'Art nouveau (illustrations p. 14, 15). Il pouvait en effet prendre toutes les formes, des plus simples aux plus fantasques, et sa surface se prêtait à toutes les formes de traitement – c'est d'ailleurs précisément dans ce domaine que la Lorraine était passée maître. Utilisé pour les lampes, il faisait valoir toute la richesse de son spectre de couleurs (illustrations p. 66, 67). Toutes ces choses trouvaient facilement des amateurs, et c'est ainsi que la production de Gallé aura une place de choix sur le marché international. Dans l'engouement général suscité par cette production, on avait tendance à oublier que la qualité en était inégale, et que maints objets auraient dû être regardés comme de simples articles de confection. C'est ainsi qu'à côté de

*Emile Gallé, vase à décor de colchiques, Nancy
1899, pâte de verre, hauteur: 37 cm
Munich, collection particulière*

pièces inspirées et traitées avec une virtuosité certaine, et dont on peut supposer que Gallé en a réellement été l'initiateur, on trouvait beaucoup d'objets qui se contentaient de mettre sa manière sur le marché. Mais comparés à la manière flamboyante dont l'Américain Louis Comfort Tiffany savait transformer le verre coloré en une matière aussi magique que fragile, les vases de Nancy laissent un sentiment de contrainte, voire de lourdeur, qui correspondait somme toute au goût de la bourgeoisie; et l'on irait même jusqu'à soupçonner que c'est précisément leur note bourgeoise caractéristique qui est à l'origine de leur immense popularité. Considérés de cette façon, ils constituent d'excellents exemples des arts appliqués français, dont l'apogée était du passé aux alentours de 1900, mais qui malgré cela – ou peut-être précisément pour cette raison – se voyaient adulés dans le monde entier. La nouveauté n'avait jamais représenté un défi particulièrement important – pas plus en 1900 qu'auparavant. Lorsqu'on y regarde de plus

Jacques Gruber, paravent en trois parties, Nancy, vers 1900, marqueteries sur noyer et verre, hauteur: 170 cm
Munich, Münchner Stadtmuseum

Louis Majorelle, une salle du Café de Paris, Nancy 1899, in: Dekorative Kunst III, 1899

près, on constate que la plupart des témoignages de l'Art nouveau français sont des déclinaisons de modèles bien plus anciens, en particulier, cela va de soi, des modèles glorieux de l'héroïque 18ème siècle. Cela vaut tout particulièrement dans le domaine du mobilier, dont l'Ecole de Nancy avait fait un de ses fers de lance. Dans ce domaine, il faut dire que Gallé procédait sans grande fierté, se contentant d'un grand savoir-faire artisanal pour les marqueteries, tandis que les réalisations de Louis Majorelle font ressentir très nettement que les concepteurs entendaient donner une dynamique, une élégance et une tension modernes à des formes traditionnelles. Mais dans la mesure où le point de départ en était toujours plus sculptural que constructif, on restait en grande partie confiné dans le traitement de surface. Le fardeau de l'histoire semblait difficile à surmonter, pourquoi donc aurait-on d'ailleurs sacrifié fondamentalement ce qui avait fait ses preuves depuis si longtemps? L'Exposition de Paris devait cependant montrer précisément à un pays habitué aux applaudissements que des forces nouvelles commençaient à s'imposer. Les aménagements intérieurs français étaient le plus convaincants lorsqu'ils s'appliquaient à recouvrir les formes traditionnelles d'une ornementation vivante, comme Majorelle en avait fait la démonstration avec la décoration d'un café. Malheureusement, tout cela n'allait guère plus loin que l'expression de formes sur le déclin.

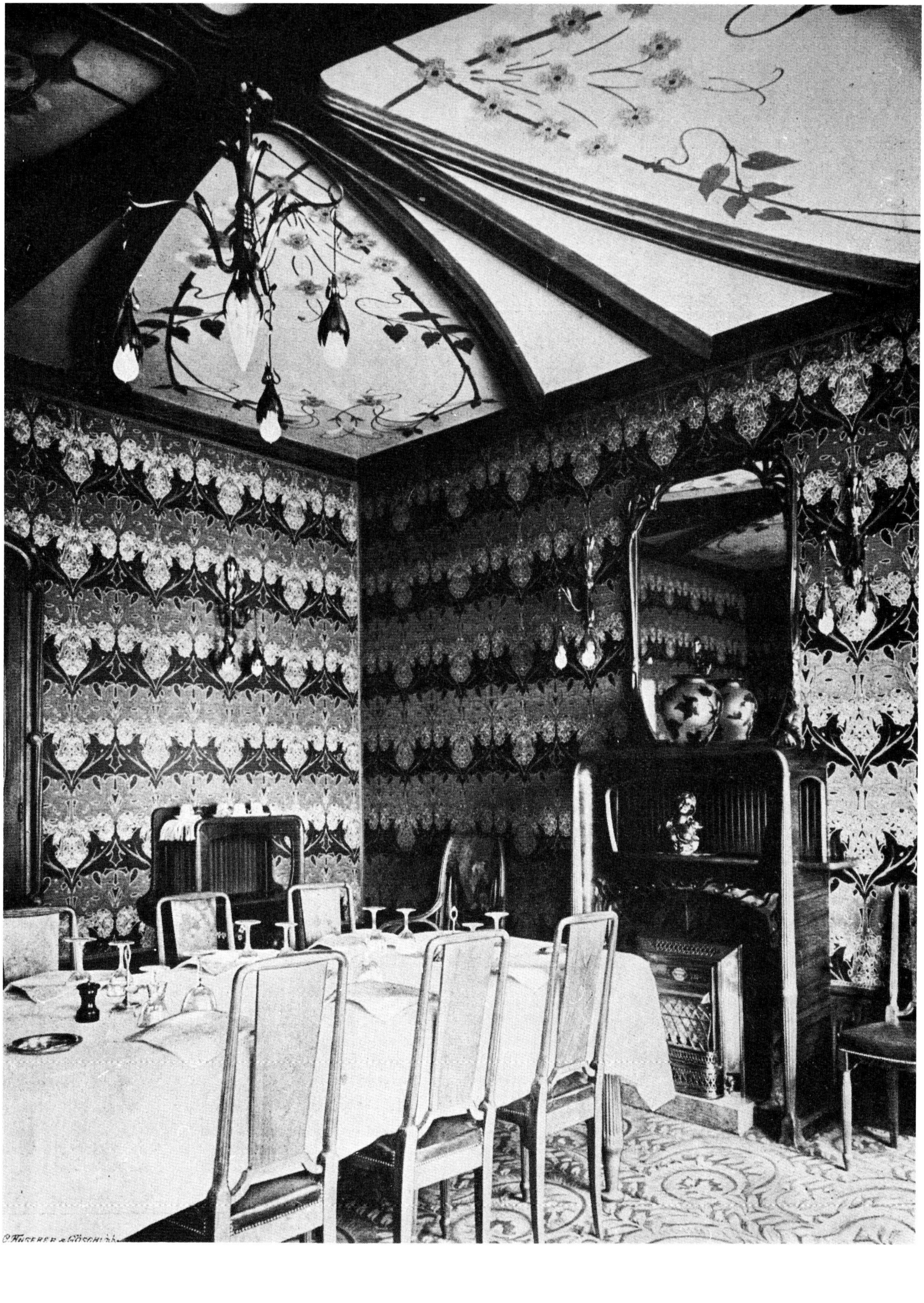

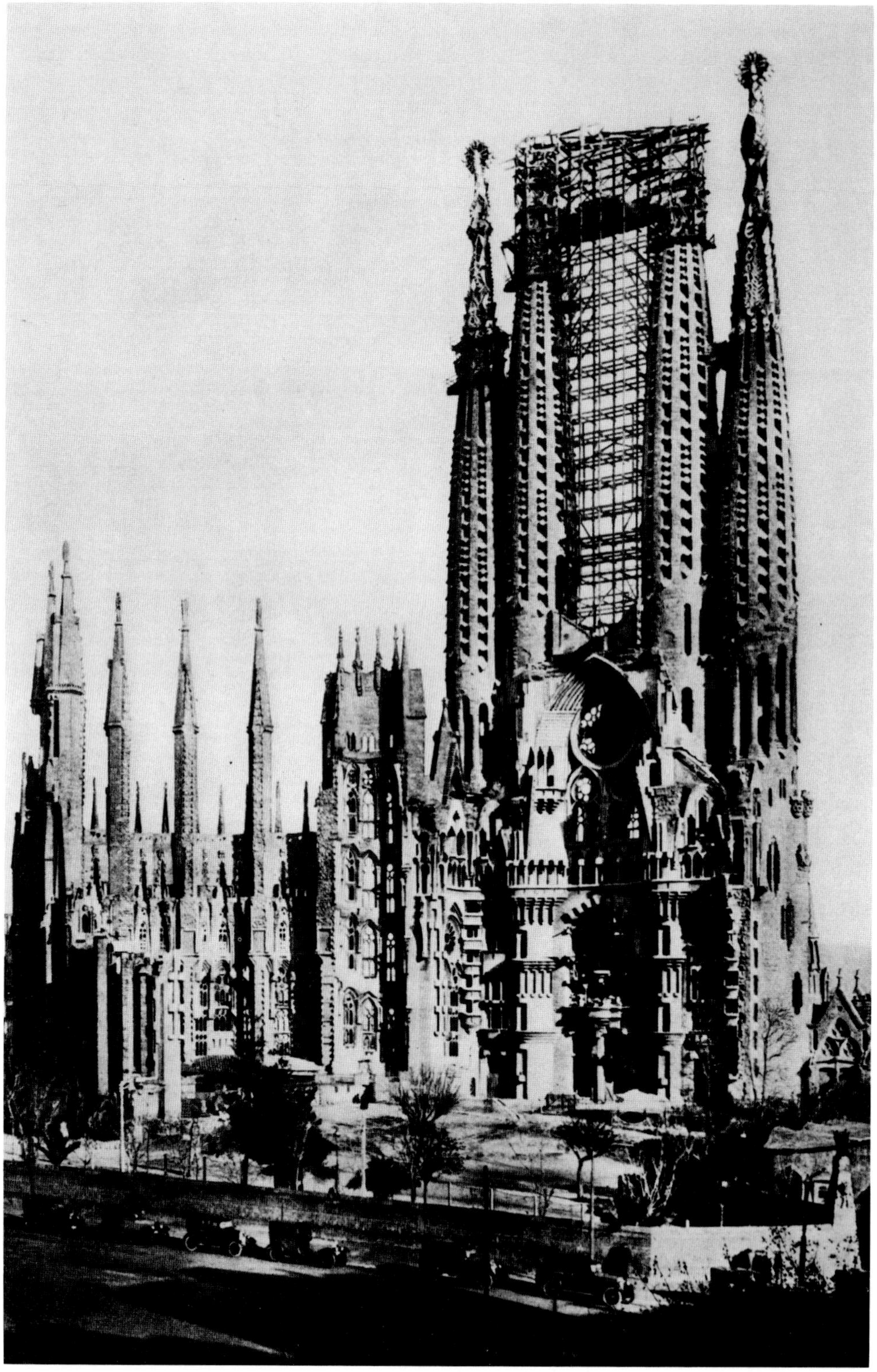

Barcelone

Vers 1900, la situation politique et culturelle de la Catalogne et de Barcelone, son centre, était caractérisée plus que toute autre région d'Europe par une lutte séculaire pour la reconnaissance de son mode de vie spécifique. Ces dissensions remontaient au 15ème siècle et n'avaient cessé de s'amplifier depuis le début du 18ème. En 1714, le roi Philippe V avait annulé tous les privilèges du pays pour le soumettre définitivement à la domination castillane. Mais à côté de la domination politique, toutes les tentatives du pouvoir central pour asseoir également la domination culturelle ne firent que générer de nouveaux conflits, et la «question catalane» devint une préoccupation perpétuelle de la politique intérieure espagnole. Une longue série de rébellions, d'émeutes et d'attentats avait ainsi parsemé l'ensemble du 19ème siècle.

Au Moyen-Age, Barcelone avait été l'un des ports les plus importants du monde; mais la ville devait connaître un lent déclin jusqu'au milieu du 18ème siècle. Exclue en effet du commerce avec l'Amérique pour des raisons politiques, elle finit par perdre toute son importance. Rendus à l'impuissance et contrôlés jalousement par Madrid, les catalans se concentrèrent alors davantage sur des entreprises économiques; le voisinage d'une France incomparablement plus moderne contribua à ce que la Catalogne puisse réaliser cette reconversion par ses propres forces. Déjà pendant le dernier quart du 18ème siècle, le pays pouvait se prévaloir d'être une des régions méditerranéennes les plus modernes sur le plan économique. Au début du 19ème siècle commença à se dessiner une évolution à long terme, Barcelone se voyant autorisée à participer au commerce avec l'Amérique, qui garantissait une prospérité certaine. De plus, l'industrialisation naissante s'y développait mieux que partout ailleurs en Espagne.

Parallèlement à cette évolution, Barcelone se développait rapidement, principalement en raison de la venue d'ouvriers. Entre 1850 et 1900, la population devait passer de 175.000 à 500.000 habitants. L'ancien noyau urbain explosa, et de nouveaux quartiers furent aménagés avec ordre; sous l'influence d'urbanistes français, on traça de larges boulevards. Les quartiers modernes furent disposés en échiquier.

A l'époque qui nous intéresse, la Catalogne était toujours dominée par Madrid, mais elle avait depuis longtemps dépassé une Espagne qui restait arriérée en raison d'une structure agraire prédominante et elle était devenue la région industrielle la plus puissante du pays. Ainsi cette province était-elle la plus peuplée, celle qui produisait le plus, en un mot: la plus riche des provinces espagnoles. Barcelone venait certes encore après Madrid par sa taille et le nombre de ses habitants, mais elle n'en était pas moins la

Page précédente: l'Eglise de la Sagrada Familia à Barcelone, photo prise vers 1920

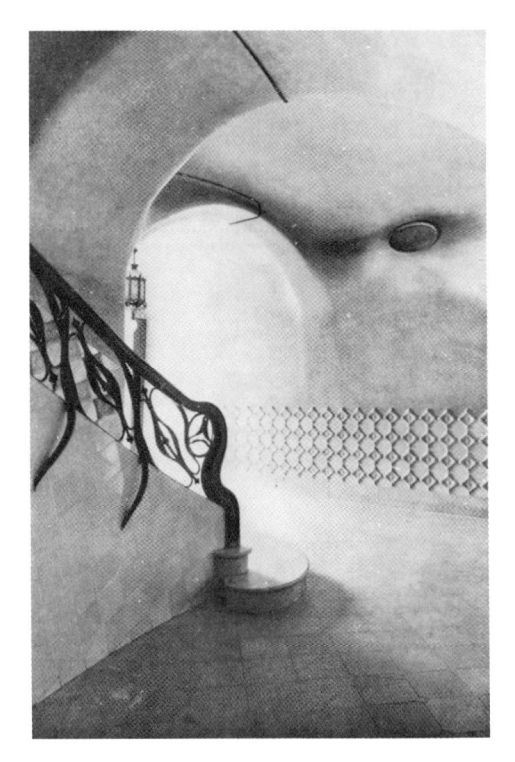

Antoni Gaudí, hall d'entrée de la Casa Batlló à Barcelone, 1904–1906

Antoni Gaudí, portail de la Casa Miralles près de Barcelone, 1901/02

Antoni Gaudí, 1852–1926
Commence ses études d'architecture à dix-sept ans. Premiers projets à partir de 1878 avec des résonances architecturales islamiques. Il sera bientôt sous l'influence du mouvement romantique de la «Renaixença» catalane, d'où procèdera vers 1890 le «Modernisme». 1883, commande pour la poursuite de la construction de l'église de la Sagrada Familia, commencée dans un style gothique, et qui le préoccupera jusqu'à la fin de ses jours. Contacts étroits avec le fabricant de textile Güell, qui lui procure de nombreuses commandes.
Œuvres principales: Palacio Güell, 1885–1889; la chapelle de la Colonia Güell, 1898–1914; le Parc Güell, 1900–1914; la Casa Mila, 1905–1911; toutes ses œuvres se trouvent à Barcelone ou dans les environs.

véritable métropole industrielle du pays. Elle présentait ainsi le syndrome typique de la «seconde» ville, s'efforçant de compenser par la puissance économique ce dont l'évolution historique l'avait privée. C'était là une destinée qu'elle partageait avec des villes comme Glasgow et Chicago. Sa renommée mondiale sera en outre assurée en 1888 grâce à une Exposition Universelle; le port était désormais le carrefour des routes maritimes internationales, entre autres pour les lignes des bateaux à vapeur vers Gênes, Marseille, Liverpool, Hambourg, Rio de Janeiro et Buenos Aires. Plusieurs lignes de chemin de fer facilitaient les transports vers l'intérieur du pays et la France. Culturellement aussi, grâce au nombre de ses équipements scientifiques, la ville pouvait se sentir prédominante. Avec le célèbre Liceo, Barcelone possédait en outre le plus grand opéra du pays.

Le regain d'importance et le sentiment de supériorité se reflétaient dans une atmosphère et un esprit extrêmement ouverts en comparaison avec le reste de l'Espagne. Mais sur ce fond d'expansion économique, les tensions sociales ne pouvaient être évitées. Si les Catalans avaient déjà la réputation d'être des esprits peu dociles et plutôt enclins à la rébellion, l'importante classe ouvrière de Barcelone devait tout particulièrement confirmer cette réputation. Au cours d'une année comme 1903, plutôt calme par ailleurs, la ville comptera tout de même soixante-treize grèves. En 1870 déjà, Friedrich Engels estimait que cette ville devait avoir connu plus de barricades que n'importe quelle autre ville au monde. Au cours des années qui suivirent, on put donc assister à une collusion progressive entre les aspirations autonomistes et la diffusion des idées sociales et révolutionnaires. 1880 vit la création d'un syndicat socialiste à Barcelone, et avec les dernières années du 19ème siècle, les activités anarchistes se multiplièrent – le rythme des attentats et des exécutions s'accélérant sans cesse.

L'autonomisme régional plongeait ses racines dans le sentiment que l'origine culturelle et la langue catalane reliaient cette région davantage avec le paysage culturel du sud de la France qu'avec le reste de l'Espagne. Au Moyen-Age, le catalan faisait partie du groupe des dialectes provençaux que l'on parle aujourd'hui encore au sud et au nord des Pyrénées. Un peu

comme en Finlande à la même époque, la conscience linguistique était un stimulant spécifique des efforts pour obtenir davantage d'autonomie. Vers 1900, on parlait presque exclusivement catalan à Barcelone.
C'est d'ailleurs dans cette seule langue que s'exprimait l'artiste qui devait bientôt devenir le symbole du renouveau: Antoni Gaudí. Bien que l'œuvre de cet architecte ne soit pas importante en quantité et qu'elle ait suscité une vive polémique à l'époque de son apparition, elle eut cependant un impact qui devait largement dépasser sa valeur réelle. Si, comme dans le cas présent, l'expérimentation artistique et les associations d'idées s'unissaient dans une même démarche, l'audace portait également des traits plus conciliants qui favorisaient l'identification du public. Gaudí se rapprochait fort du goût de son public en ceci qu'au milieu de ses bizarreries, il savait aussi montrer des traits familiers, que ce soit à travers des constructions de consonance gothique évoquant l'apogée de la Catalogne, par des éléments mauresques, qui pouvaient eux aussi être considérés comme familiers, ou encore par des réalisations naturalisantes qui conféraient à l'ensemble quelque chose d'une croissance plus que d'une construction. Si ses créations étaient fascinantes au plus haut point, cela ne signifie nullement qu'elles n'eussent pas leur logique et leur cohérence. C'est en tout cas grâce à cette ambivalence qu'elles répondaient d'une façon très adéquate à ce que l'on attendait de l'Art nouveau, leur caractère provocateur les apparentant ainsi aux grilles du métro parisien dessinées par Hector Guimard.
Gaudí était de dix à vingt ans plus âgé que la plupart des artistes qui peuplaient la scène révolutionnaire vers 1900. Il avait donc une certaine longueur d'avance sur eux. Ce n'est cependant qu'avec le début du nouveau siècle que son œuvre devait manifester toute sa rigueur et sa cohérence. Auparavant, il était passé maître dans l'art de juxtaposer des éléments disparates, l'économie de moyens lui étant pour ainsi dire inconnue. D'un autre côté, Gaudí a toujours évité de rechercher la sécurité d'un Historisme formel. Sa liberté artistique reposait sur la confiance et la générosité que lui témoignaient de riches mécènes, dont le plus important était Eusebio Güell. A côté de quelques constructions privées, cet homme lui confia la réalisation

Antoni Gaudí, l'entrée du Parc Güell à Barcelone, 1900–1914

Antoni Gaudí, pavillon à l'une des entrées du Parc Güell à Barcelone, 1900–1914

Antoni Gaudí, banc de pierre avec mosaïque de carreaux cassés et morceaux de verre dans le Parc Güell à Barcelone, 1900–1914

Antoni Gaudí, toit de la Casa Batlló à Barcelone, 1904–1906

du célèbre Parc qui porte son nom, au nord-ouest de la ville. Ce parc devait représenter l'apogée de la phase mûre de l'œuvre de Gaudí, où son travail ne reposait plus sur la compilation mais visait à la globalité.

Le Parc Güell semble d'une part avoir été inspiré par les modèles anglais et avait procédé d'autre part d'un engagement social. Mais l'idée initiale prévoyant d'y construire des immeubles disposés de façon exemplaire échoua en raison du manque d'intérêt des acheteurs. Güell, qui avait payé la totalité de l'entreprise, devait mourir en 1918, mais déjà avant, Gaudí s'était de plus en plus concentré sur ce qui devait être à la fois son œuvre la plus célèbre et la plus malheureuse: l'église de la Sagrada Familia (illustration p. 72). Visiblement, cette commande, héritée dès 1883 d'un précédent architecte, était peu à peu devenue une affaire de foi – bien que la marge laissée à Gaudí ait permis au mieux de réaliser une construction vaguement néogothique. Gaudí, décrit dans ses jeunes années comme un Dandy, vécut à la fin de sa vie dans le plus grand isolement, obsédé par une œuvre dont il savait qu'il ne pourrait l'achever. Lorsqu'en 1926 il mourut à soixante-quatorze ans dans un accident, il était une personnalité révérée, mais personne ne le connaissait.

Cette contradiction entre l'existence et l'apparence n'était que la dernière d'une longue série de contradictions similaires. Sur le plan politique, on s'étonnera qu'un homme devenu fanatiquement religieux sur la fin de sa vie ait pu devenir le symbole d'un mouvement de libération nationale. Mais il n'est pas impensable que ce mouvement ait toujours été alimenté par la droite. En tant que révolutionnaire, il jouissait de la bienveillance et du soutien de riches mécènes; mais cela non plus n'était pas inhabituel et l'apparentait à des situations simi-

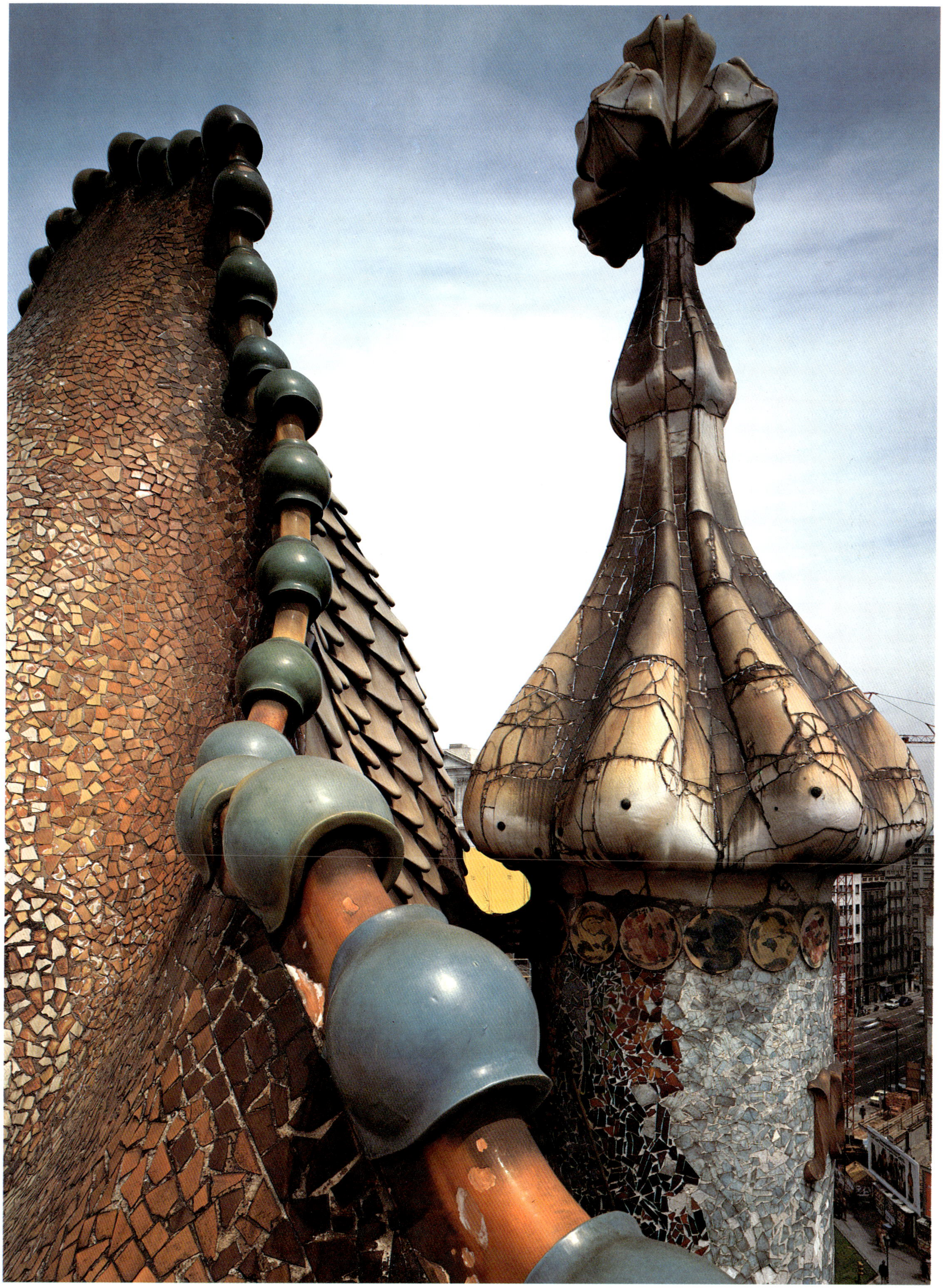

Antoni Gaudí, une des salles à manger de la Casa Batlló à Barcelone, les meubles sont de l'architecte, 1906

Antoni Gaudí, colonnade dans le Parc Güell à Barcelone, 1900–1914

laires qui se produisaient à Bruxelles, Darmstadt, Weimar, Glasgow et ailleurs. On sera davantage surpris par le fait que l'architecte qu'il était se transformât progressivement en un plasticien qui commençait ses constructions sans plan déterminé et semblait les modeler au fur et à mesure de la construction. C'est pourtant cette façon de procéder peu orthodoxe qui nourrira le mythe de l'artiste Gaudí, qui semblait être parvenu à réaliser une utopie: celle de l'architecte libéré du diktat de l'angle droit. Comme constructeur aussi, Gaudí fut adulé, mais le modèle de Gaudí ne fut pas davantage en mesure de faire école que les expériences statiques, et les nombreuses maquettes qu'il essaya lors de la construction de la Sagrada Familia n'étaient qu'un prolongement des principes constructifs du gothique et ne pouvaient convaincre que par leur naïveté. En revanche, Gaudí se montrera réellement audacieux et inventif dans une œuvre secondaire: la petite école provisoire construite dans l'ombre de l'église (illustration p. 72, en bas à droite), à laquelle il sut conférer une étonnante tenue grâce à des murs et un toit ondulés, dont la matière extrêmement fine et les mouvements de vagues furent soigneusement pensés. Le plasticien souvent arbitraire se montrait ici un ingénieur de grande précision.

La fascination qui émane de Gaudí jusqu'à nos jours repose certainement sur la liberté qu'il revendiquait pour lui-même en tant qu'artiste-architecte, et par laquelle il sut revivre l'idéal romantique d'une fin d'époque. En tant que projection d'un fantasme, il demeurera sans doute indestructible.

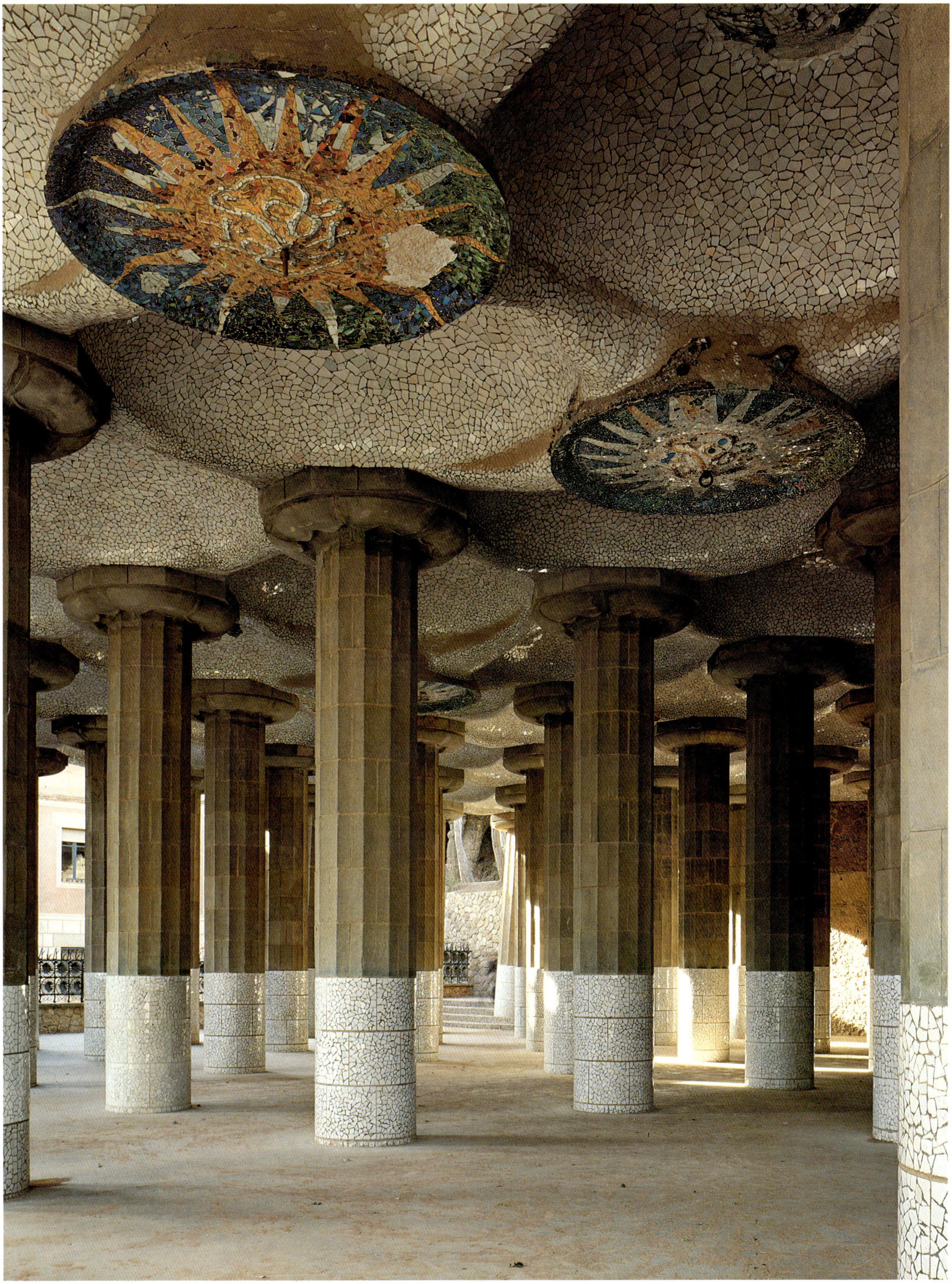

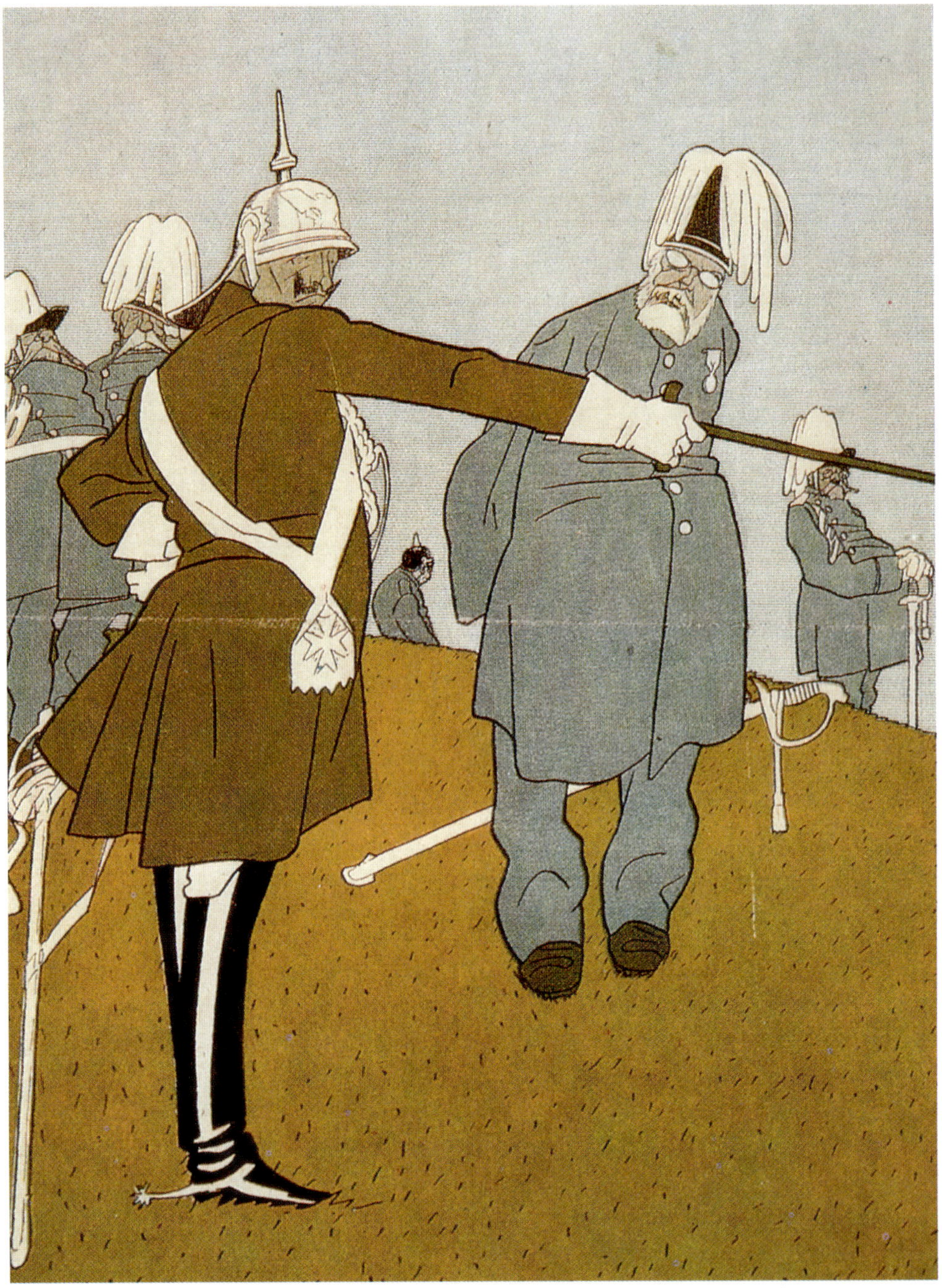

Munich

De tous les mouvements artistiques du renouveau qui apparurent au moment du changement de siècle, celui de Munich fut sans doute le plus proche de l'esprit populaire. Dans cette ville, on trouve les exemples d'un «Art nouveau vulgaire» émouvant. Ces exemples montrent avec quelle insouciance l'élan vers un nouveau monde artistique fut adapté en un tournemain aux exigences de la bourgeoisie sans que cela créât la moindre rupture sociale. A Munich, toute pudeur ou respect particuliers dans ce domaine auraient très vite été considérés comme superfétatoires. Le caractère civil de la métropole bavaroise, habituée à traiter la muse avec une certaine légèreté, n'a probablement considéré bien des provocations de l'époque que comme des farces réussies, le désarroi énergique participant davantage du tempérament que de la mentalité munichoise.
Ces dispositions d'esprit étaient soutenues par le fait que les œuvres d'art ne manquaient jamais de faire œuvre d'un esprit direct et populaire, et qu'elles reposaient souvent sur une invention simple et belle. Elles s'embarrassaient rarement de détours. L'Art nouveau munichois n'était ni intellectuel, ni exsangue ou éthéré. Ses racines bavaroises étaient évidentes, en particulier chez l'architecte Richard Riemerschmid, qui ne dédaignait pas les motifs folkloriques.
Le changement général, qui avait également investi Munich, y eut pour résultat ambigu que parallèlement à des traits nouveaux, inhabituels et inconnus jusqu'alors, le «Jugendstil» – la variante munichoise de l'Art nouveau européen – souligna et fit revivre les traditions. Une version bourgeoise du Néoclassicisme allait créer le renouveau munichois. A Munich, ce qui partout ailleurs procédait d'une succession chronologique – c'est-à-dire un élan juvénile exalté suivi d'une forme plus stable, tournée vers des caractéristiques plus éprouvées –, devait avoir lieu simultanément. Le fait que les choses aient pu se dérouler de la sorte définit bien l'ouverture d'esprit dénuée de tout excès de curiosité qui caractérise cette ville. L'on n'y était nullement disposé à déprécier, et encore moins à sacrifier la tradition au nom de la nouveauté.
On en arriva parfois à des mélanges, où des réminiscences de l'Antiquité et la modernité pouvaient amener des compositions assez hybrides. C'est ainsi que vers 1900, une exposition d'art moderne français – où l'on pouvait voir entre autre «le penseur» de Rodin –, fut présentée dans une salle montée en forme d'atrium romain dans les larges salles du «Glaspalast», le *Palais de Verre*. Ou bien sur un monument – l'Ange de la Paix –, des mythes antiques apparaissaient drapés de l'habit coloré de l'Art nouveau. Aujourd'hui, si nous ne pouvons nous empêcher de sourire en voyant ce sympathique manque de respect, cette décontraction dans la récupération du sublime, nous sommes également capables de les considérer comme des formes de démocratisation artistique.

Page précédente: caricature de Olaf Gulbransson tirée du journal «Simplicissimus»: «Manœuvre impériale, Sa Majesté expliquant les positions ennemies au Prince Luitpold de Bavière», Munich 1909

Franz von Stuck, le salon de musique de la maison de l'artiste à Munich, 1897/98

Theodor Fischer, le pont «Prinzregentenbrücke» à Munich avec vue sur l'«Ange de la Paix», 1901

Pour cette générosité conservatrice – si nous pouvons nous permettre de l'appeler ainsi –, le passé artistique de la ville était déterminant. Munich avait été épargnée par les excroissances de l'Historisme d'apparat de l'ère wilhelminienne. Les années de la fondation du Reich étaient passées sans altérer la spécificité de la ville. Sa croissance avait été régulière, et la haute idée qu'elle avait d'elle-même pouvait se passer d'une confirmation empressée. A Munich, on pouvait voir venir les choses avec une certaine tranquillité.

Au lieu de cela, au cours des années 1830 et 1840, Leo von Klenze, Friedrich von Gärtner et d'autres architectes avaient marqué l'image de la ville d'un classicisme lumineux, tout en finesse, et d'un Historisme teinté d'une douceur toute romantique. La Glyptothèque et l'Université en sont sans doute les meilleurs exemples. Un grand nombre d'immeubles bourgeois modestes, mais généreux avaient fait écho à cette architecture officielle. La situation méridionale de la ville avait fait le reste en établissant un rapport évident et sans rigidité avec tout ce qu'il était convenu d'appeler «classique».

Cette ère, tout imprégnée du sens artistique du roi Louis 1er, devait être suivie d'une ère bien différente. Entre 1848 et 1864, Maximilien II dirigea le destin du pays d'une façon nettement plus pragmatique. Encourageant l'industrialisation, il ne voyait pas le modèle de sa démarche en Grèce, comme l'avait fait son père, mais plutôt en Angleterre. Dès la seconde moitié du siècle, on vit apparaître dans la métropole bavaroise des constructions modernes d'acier et de verre, notamment le fameux «Glaspalast», qui devint rapidement le lieu privilégié de toutes sortes de manifestations, qu'il s'agît de grandes fêtes de chant ou d'expositions richement décorées. Ravagé par un incendie en 1931, il ne cessera jamais d'être jusqu'à ce moment le centre de la «ville d'art». Et pourtant, on avait toujours réalisé que cet édifice transparent ne se prêtait que fort mal à de telles manifestations, et qu'il devait être réaménagé spécialement pour chaque occasion. Mais de telles contradictions ne gênaient personne dans une ville habituée à la magie des coulisses baroques; elles constituaient plutôt un stimulant qu'un obstacle. Ainsi mise sur la voie d'une évolution moderne, la ville sut cependant conserver l'équilibre économique tout autant que celui de son image extérieure. Si Nuremberg et Augsbourg étaient les centres industriels les plus

Franz von Stuck, sa maison construite par lui-même, Munich, Prinzregentenstraße, 1897/98

Franz von Stuck, salle de réception de sa maison à Munich, 1897/98

importants, la ville de Munich n'en devait pas moins apporter elle aussi sa contribution au développement bavarois. Munich n'était pas un centre exclusivement administratif; la tradition des arts appliqués continuait de s'y affirmer. Le résultat de cette évolution modérée fut qu'une grande continuité régnait dans tous les domaines, et pas seulement sur le plan économique, mais aussi sur le plan artistique. Aucune irruption brutale ne s'était fait sentir, les conséquences néfastes d'une industrialisation trop rapide purent être évitées tout autant que la déformation de l'image urbaine par des transformations précipitées. Seuls les palais romantiques de Louis II renseignaient sur le degré de dégradation du goût dans le reste de la Bavière.

A cet étrange roi, qui régna de 1864 à 1886 – c'est pendant cette période que le roi de Prusse fut couronné Empereur d'Allemagne, couronnement auquel Louis II avait consenti après le paiement d'une somme importante grâce à l'entremise de Otto von Bismarck –, succéda le Prince-Régent Luitpolt. Comme Louis II ne s'était pas marié et qu'il était mort sans laisser d'héritier, ce fut le plus jeune fils de Louis 1er qui gouverna. Né en 1821, il était alors déjà fort âgé. Se détournant nettement des excentricités et des traits méprisants de son prédécesseur, Luitpolt se montra proche du peuple et plutôt bourgeois. Un peu comme son père, il s'efforça d'avoir une action stimulante sur les arts, mais ses efforts furent caractérisés par leur indifférenciation, ne donnant le signe d'aucun penchant particulier. Entre-temps, il est vrai qu'un demi-siècle s'était écoulé, et l'autodétermination bourgeoise s'était développée en proportion. C'est pourquoi le renouveau artistique des années 1900 eut à Munich des racines naturelles. Il ne fut ni surimposé artificiellement comme à Darmstadt, ni conditionné par les nécessités économiques comme ce sera le cas à Weimar.

A Munich, l'héritage d'un Historisme modéré fut poursuivi vers 1900 – et bien au-delà – par l'architecte Gabriel von Seidl (1848–1913). Cet architecte avait su trouver des formes moins conventionnelles où le canon historique ne se présentait plus comme quelque chose d'inamovible, comme l'architecture en soi, mais plutôt comme une application ou un élément d'harmonisation ou de mise en valeur. Par la diversité des styles cités, l'architecture externe du Musée National de Bavière, construit entre 1894 et 1899, se présente comme une allusion programmatique à des pièces de musée. Cela manifeste une distanciation et une redéfinition du caractère historique qui, même si elles ne généraient rien de nouveau, faisaient cependant preuve d'ouverture d'esprit à l'égard des nouveaux courants.

C'est de cette position que naîtra l'architecture de Theodor Fischer (1862–1938), dont les traits traditionnels ne s'exprimaient plus par des formes fixées historiquement, mais par une simplicité intemporelle. Son architecture était mesurée, soucieuse de pureté, mais non pas réellement créative. Vers le changement de siècle, Fischer devait construire à Munich toute une série de ponts et d'écoles qui contribuèrent à donner son image à la ville (illustration p. 82). Bien que Fischer appartînt à la génération d'artistes qui créa l'Art nouveau aux alentours de 1900, lui-même restera pour ainsi dire étranger à cette influence.

Si la célèbre villa construite en 1897/98 par Franz von Stuck (1863–1928) pour ses besoins personnels fut elle aussi conçue dans un style traditionnel (illustration p. 83), elle le fut d'une façon aussi peu contrainte que possible. Grâce à sa grande conscience de soi et à sa vitalité naturelle, ce fils de paysans qui s'était élevé n'avait pas craint de s'amuser d'une façon surprenante. Un architecte de formation n'aurait sans doute rien fait comme lui, il aurait procédé sans la même simplicité dans la juxtaposition directe des styles préférés d'un amateur éclairé. Stuck ne s'arrêtait pas longtemps aux détails, et créa une forme qui n'était pas dénuée de grandeur. La découpe cubique de l'ensemble, le carac-

Bruno Paul, caricature dans la revue «Simplicissimus»: «Tu crois comme ça qu'tu peux insulter ma femme, espèce de Prussien, espèce de putois!» (en dialecte bavarois [n.d.t.]), Munich 1899

tère peu conventionnel des plans au sol et la linéarité de la réalisation intérieure en sont la preuve. Venait s'y ajouter une palette de couleurs invariable: beaucoup d'or, du brun et du bleu. Stuck était lui aussi un familier des dieux de l'Antiquité – dont il répartit les images dans toute la maison et jusque dans sa salle de bains.

Le fait que Franz von Stuck ne visait pas tant à une profession de foi artistique qu'à un cadre qui lui convint est corroboré par le fait qu'à côté des salles de réception aménagées dans le style Empire se trouvaient également des chambres dans un style Renaissance. Le propos n'était donc nullement l'unité du style nouveau. Malgré cela, nous sommes aujourd'hui tentés de voir dans cette maison la meilleure performance artistique de Stuck. Pour ses meubles aux réminiscences antiques, il reçut la médaille d'or de l'Exposition de Paris en 1900.

Il est vrai qu'à cette époque, le fait qu'un artiste construise lui-même sa maison n'avait rien d'inhabituel. Van de Velde l'avait déjà fait en 1895 à proximité de Bruxelles, et en 1901, la même idée avait été à l'origine de la colonie d'artistes de Darmstadt. On pourrait presque parler de l'obligation qu'il y avait à être un architecte dilettante. De cette manière, l'artiste pouvait prouver qu'il maîtrisait toutes les disciplines et qu'il se rapprochait de l'idéal proclamé de «l'œuvre d'art totale». Quelques peintres opérèrent ainsi un revirement et restèrent définitivement dans le domaine des «arts appliqués». Cela ne valait pas seulement pour Henry van de Velde et Peter Behrens, mais aussi pour Richard

Bernhard Pankok, fumoir présenté en 1900 à l'Exposition Universelle de Paris

Riemerschmid, qui se construisit une sobre maison de campagne à Pasing, près de Munich, en 1896. Même des écrivains furent contaminés. En 1901, Walter von Heymel – fondateur d'une maison d'édition, écrivain, et même héros d'un livre sous le nom de «Prince Coucou» –, aménagea un bel appartement de la Leopoldstraße dans un style néobiedermeier avec l'aide de Rudolf Alexander Schröder, architecte d'intérieur alors très recherché. Le troisième homme de cette association était l'architecte Paul Ludwig Troost – qui devait par la suite mutiler Munich avec le néoclassique «Haus der Deutschen Kunst», la *Maison de l'Art Allemand* (1934). Dans l'appartement de Heymel aussi, Apollon était présent. Une sculpture grandeur nature occupait le centre d'une des chambres. Comparé à toutes ces bonnes manières, le premier cri de la nouveauté, de l'inconnu, qui se fit entendre autour de 1900, dut faire l'effet d'un acte quasi barbare. Le coup de clairon par lequel August Endell effraya Munich lorsqu'en 1897, il créa l'atelier «Elvira» (illustrations p. 13, 95, 96), était pour le moins audacieux, débridé, et ne dénotait pas le moindre respect de la tradition. Une nouvelle volonté formelle venait de se manifester. Comme dans une savante mise en scène, les deux positions adverses devaient s'affronter sur une Via

Richard Riemerschmid, pot en grès avec couvercle en étain, Munich 1900, Villeroy & Boch, Mettlach, hauteur: 16,5 cm
Munich, collection particulière

Bernhard Pankok, fauteuil, Munich 1898, acajou
Stuttgart, Württembergisches Landesmuseum

Bruno Paul, caricature dans la revue «Simplicissimus»: «Eh, Schorschi, tu la vois, la mouche?» – «Quelle mouche?» – «Ben la mouche là, quoi!» – «J'vois pas d'mouche.» – «Moi non plus!» – «M. Palier, on arrête le travail, on n'y voit plus rien.» (en dialecte bavarois [n.d.t.]) Munich 1901

Triumphalis qui venait à peine d'être terminée: la Prinzregentenstraße. Tandis qu'en bas, au tout début de la nouvelle avenue, la façade de l'atelier «Elvira», provocation manifeste, se dressait menaçante, la Villa Stuck lui faisait un pendant apaisant sur un plateau en surplomb situé de l'autre côté de l'Isar. Entre ces deux constructions, la route passait sur l'arc élancé du pont Prinzregentenbrücke, construit en 1901 par Theodor Fischer (illustration p. 82). Ce pont était couronné par la colonne du «Friedensengel», l'Ange de la Paix, monument dans le style antique installé en 1899. A quelques pas de la rive vécut un certain temps le poète rebelle Frank Wedekind, et au-delà de la villa des artistes se trouvait le Prinzregententheater, édifié en 1900 pour concurrencer Bayreuth, et qui devait faire de Richard Wagner, jadis banni, l'hôte permanent de Munich. Ainsi, aucune tendance ne manquait, et au milieu de la grande avenue, la collection du Bayerisches Nationalmuseum semblait avoir pour fonction de réconcilier tous les opposés.

Bien qu'à Munich, un modernisme modéré semblât prédominer, c'est l'Art nouveau qui détenait la puissance de transformation la plus frappante: sa vitalité était tout simplement plus grande. On avait pu en voir les prémisses au «Glaspalast» rempli jusqu'à l'éclatement: au sein de la «VIIème Exposition Internationale de l'Art», on découvrait un coin caché où s'étaient réunies presque toutes les forces qui allaient bientôt créer à Munich quelque chose de réellement nouveau. Dans une salle conçue par Theodor Fischer, les visiteurs pouvaient voir des tableaux de Richard Riemerschmid, des frises en plâtre et un rideau tissé de August Endell, ainsi qu'une chaise de Bernhard Pankok. Dans l'ensemble – si l'on s'en tient à une mauvaise photographie –, cette pièce semble surchargée et obscure, l'impression est plutôt d'avoir affaire à un vieux style allemand plutôt qu'à quelque chose de révolutionnaire, bien que certains éléments fussent assez inhabituels. Cela vaut en particulier pour les formes décoratives abstraites introduites par Endell. D'ici au monument le plus important de l'Art nouveau munichois, la «Elvira-Fassade», il n'y avait plus qu'un pas.

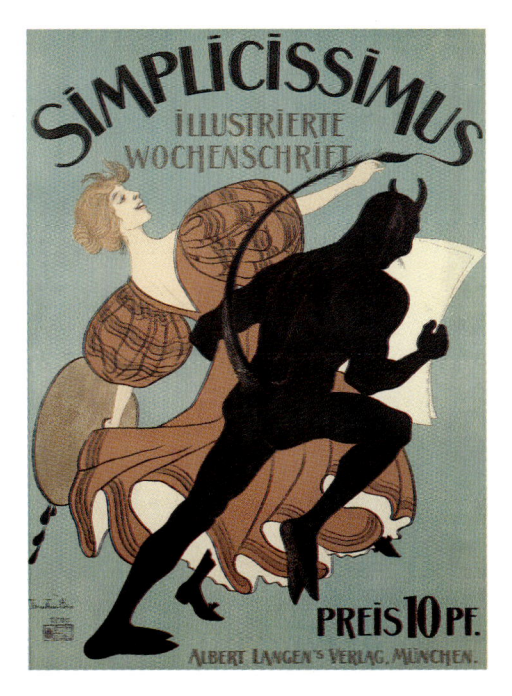

Ainsi était donné le coup d'envoi qui allait être largement suivi. Sous la surface classique de Munich se dessinait une tendance subversive qui devait bientôt envahir non seulement le domaine des arts appliqués, mais

Thomas Theodor Heine, affiche pour la revue «Simplicissimus», Munich 1896
Munich, collection particulière

Thomas Theodor Heine, diable en bronze, Munich 1902, hauteur: 41 cm
Munich, collection particulière

Bruno Paul, caricature dans la revue «Simplicissimus»: «Les anges l'appellent joie céleste; le diable l'appelle souffrance infernale; les hommes l'appellent l'a...a...aille...mour.» (Jeu de mots sur «amour» et «coups», [n.d.t.]) Munich 1901

aussi la littérature, le cabaret et la musique. Des publications régulières assuraient la diffusion nécessaire comme par exemple, à partir de 1899, la «Dekorative Kunst» (Art Décoratif) – qui paraissait chez Bruckmann à Munich et était de meilleure qualité que la «Deutsche Kunst und Dekoration» (Art et Décoration Allemands) publiée à Darmstadt. Mais c'étaient surtout les journaux «Jugend» (Jeunesse) et «Simplicissimus», qui devaient donner le ton spécifiquement munichois. Bien que le titre de la première publication allât donner son nom à l'Art nouveau allemand, celle-ci était plutôt scrupuleuse et conservative. Mais le moment le plus exquis, que l'on sentit bientôt partout, devait trouver sa plus belle expression avec les des-

Hermann Obrist, 1862–1927
D'origine suisse, Obrist arrive à Weimar en 1876, où sa mère habitait une villa à proximité du pavillon où habita Goethe. A des visions depuis sa jeunesse. A partir de 1886, grands voyages, en 1890 à Paris. Habite à Munich à partir de 1895. Construit sa propre maison meublée par Bernhard Pankok. Fonde avec Wilhelm von Debschitz une école dont il se retire après quelques temps. 1914: décoration plastique du théâtre construit par Henry van de Velde pour l'exposition du Werkbund à Cologne en 1914.

*Hermann Obrist, projet pour une fontaine, Munich, vers 1900, plâtre, hauteur: 43 cm
Zurich, Kunstgewerbemuseum*

sins satiriques du «Simplicissimus» (illustrations p. 80, 84). La ligne générale antiprussienne du journal devait forcer l'expression des meilleures qualités bavaroises. Au nobliau grinçant et borné, aux officiers prussiens s'opposaient des types populaires nettement marqués, dont la naïveté n'était pas davantage épargnée mais qui, dans le portrait chaleureux qu'en donnait le journal, avaient cependant des traits touchants d'humanité. C'est dans ce journal que le rejet de ce qui venait du Nord s'exprimait de la façon la moins déformée, alors qu'il était décrit partout ailleurs d'une façon stylisée ou trop artistique. Ici, on ne se payait pas de mots, et des condamnations d'auteurs ou de rédacteurs s'en suivront plus d'une fois – en particulier lorsque c'était l'Empereur qui faisait les frais de l'impitoyable satire. Les réprimandes vinrent aussi de la Bavière elle-même, qui n'était pas aussi libérale qu'on pourrait le penser rétrospectivement. Vers 1900, la censure théâtrale venait par exemple tout juste d'être renforcée. Il n'en demeure pas moins que Munich était seule en mesure de tenir tête à Berlin. Et de fait, dans la mesure où la protestation englobait presque tous les domaines artistiques et cela sur le mode populaire, ce mouvement prenait toutes les allures d'une révolte.

Sous le signe du «Simplicissimus», Bruno Paul était l'artiste le plus représen-

Bernhard Pankok, page de garde du catalogue du département allemand à l'Exposition Universelle de Paris, Munich 1900
Nuremberg, Bibliothek der Landesgewerbeanstalt

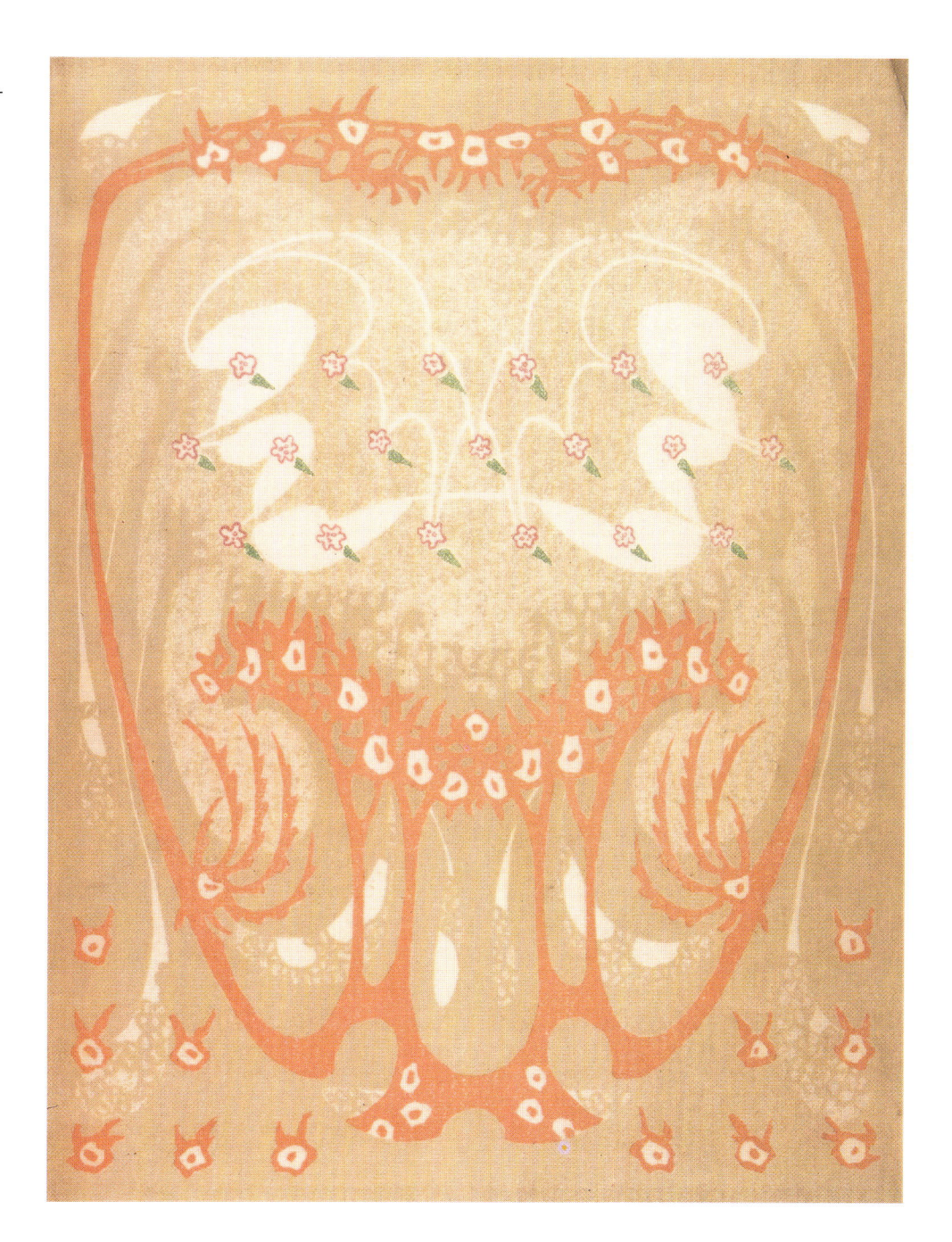

tatif de l'esprit du journal. Tandis que les autres caricaturistes s'efforçaient de donner une illustration exacte de la pointe verbale, les personnages de Bruno Paul, puissamment contourés, donnent une impression beaucoup plus indépendante. Personne ne savait aussi bien que lui croquer en quelques traits et avec autant de pertinence les femmes de chambre, les soldats, les filles de paysans et les ouvriers. Il a su faire ressortir d'une façon si marquante les particularités physiques – longs mollets, pieds lourds et grosses mains – de ce peuple de montagnards qu'on pourrait croire que les courbes spécifiques et certains traits originels de l'Art nouveau munichois ont été développés par ces mêmes hommes. Entre les personnages de Bruno Paul et la forme générale de la chambre conçue par Pankok pour l'Exposition Universelle de Paris en 1900 (illustration p. 85), il n'y a en fait aucune différence de physionomie. Munich était alors passée maître dans la complexité de l'expression.

A la même époque, le dessinateur Thomas Theodor Heine se montrait pour sa part plus aigu et impitoyable dans sa façon de saisir, tandis que son style

Peter Behrens, *projet de papier peint, vers 1900*

Hermann Obrist, projet de monument, vers 1900

August Endell, projet pour les loges du «Bunte Theater» à Berlin, 1901, in: Berliner Architekturwelt, 1902

August Endell, l'atelier «Elvira», Von-der-Tann-Straße à Munich, 1896/97

<u>August Endell, 1871–1925</u>
Etudes de philosophie et de psychologie à Tübingen à partir de 1891. Entre 1892 et 1901, il vit à Munich, où il s'intéresse en autodidacte à des projets d'arts appliqués et d'architecture. En 1901, il s'installe à Berlin où il exécute toute une série de commandes. En 1904, il y crée une école d'arts appliqués qui subsistera jusqu'en 1914. 1918, Endell est nommé à Breslau, où il succède à Hans Poelzig à l'Académie des Arts et Arts appliqués.
Œuvres principales: l'atelier «Elvira» à Munich 1897/98; le «Bunte Theater» à Berlin, 1901; les «Neumann'sche Festsäle», 1905/06; l'hippodrome de Mariendorf, 1911/12.

était en même temps plus compliqué. Il n'a cessé de faire le portrait acide de quelques personnages typiques – visages renfrognés, diables boiteux, jeunes filles stupidement pudiques, épouses grincheuses et hommes d'église hypocrites (illustrations p. 8, 88). Il aimait assez à se cacher derrière une facture un peu anodine, à laquelle rien n'échappait en réalité, et il est probable que son cynisme faisait plus d'effet que les élégantes plaisanteries de Bruno Paul. Plus proche de ce dernier par le style de son dessin, on trouve Olaf Gulbransson (illustration p. 80), dont les travaux, plus fins, sont moins empreints de «charge comique» que ceux de Bruno Paul.

La manière énergique des travaux de Bruno Paul et de Pankok allait devenir caractéristique de l'ensemble de l'Art nouveau munichois. La vigueur de son trait exigeait visiblement une transposition plastique, et c'est d'ailleurs pour cette raison que les réalisations les plus importantes appartiennent précisément à ce domaine. Très tôt déjà, dès 1896 – et donc avant tous les autres –, le sculpteur suisse Hermann Obrist s'était fait remarquer à Munich par quelques œuvres inhabituelles. Dans un premier temps, c'est avec des broderies, puis avec toutes sortes de monuments, dont quelques fontaines, qu'il développera un art ornemental transposant librement des inspirations puisées dans la nature (illustrations p. 12, 90, 93). Etrangement noueux, bourrelé et chaotique, s'écoulant en douces courbes pour se résoudre soudainement en des configurations bizarres, pointues et aiguisées, son art rappelait des vagues écumantes, des cristaux de glace ou des constitutions osseuses. Mais il n'était jamais précisément allusif; il y avait plutôt toujours quelque chose d'énigmatique et d'étrange, quelque chose qui semblait

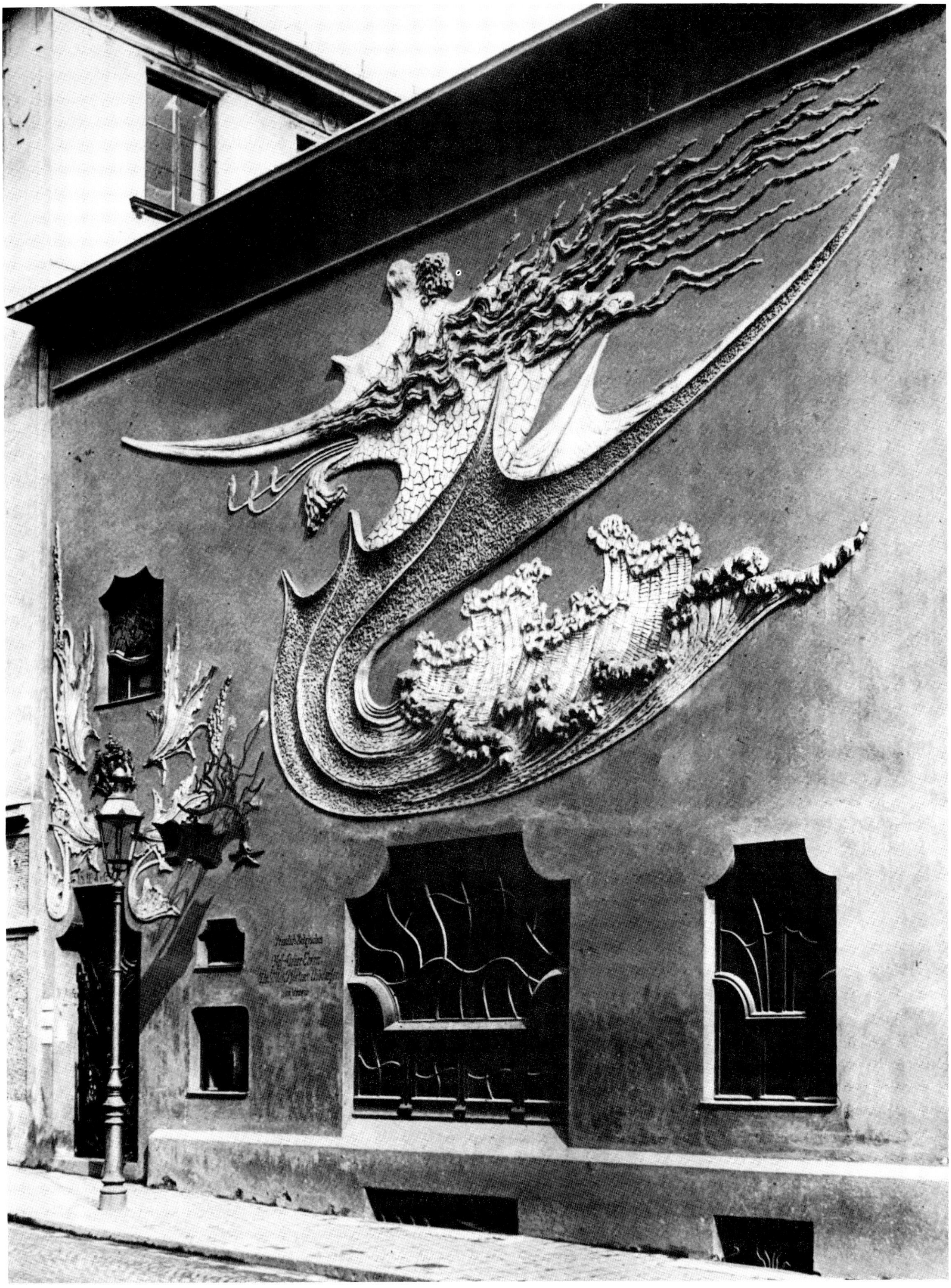

August Endell, grille d'entrée de l'atelier «Elvira» à Munich, 1896/97

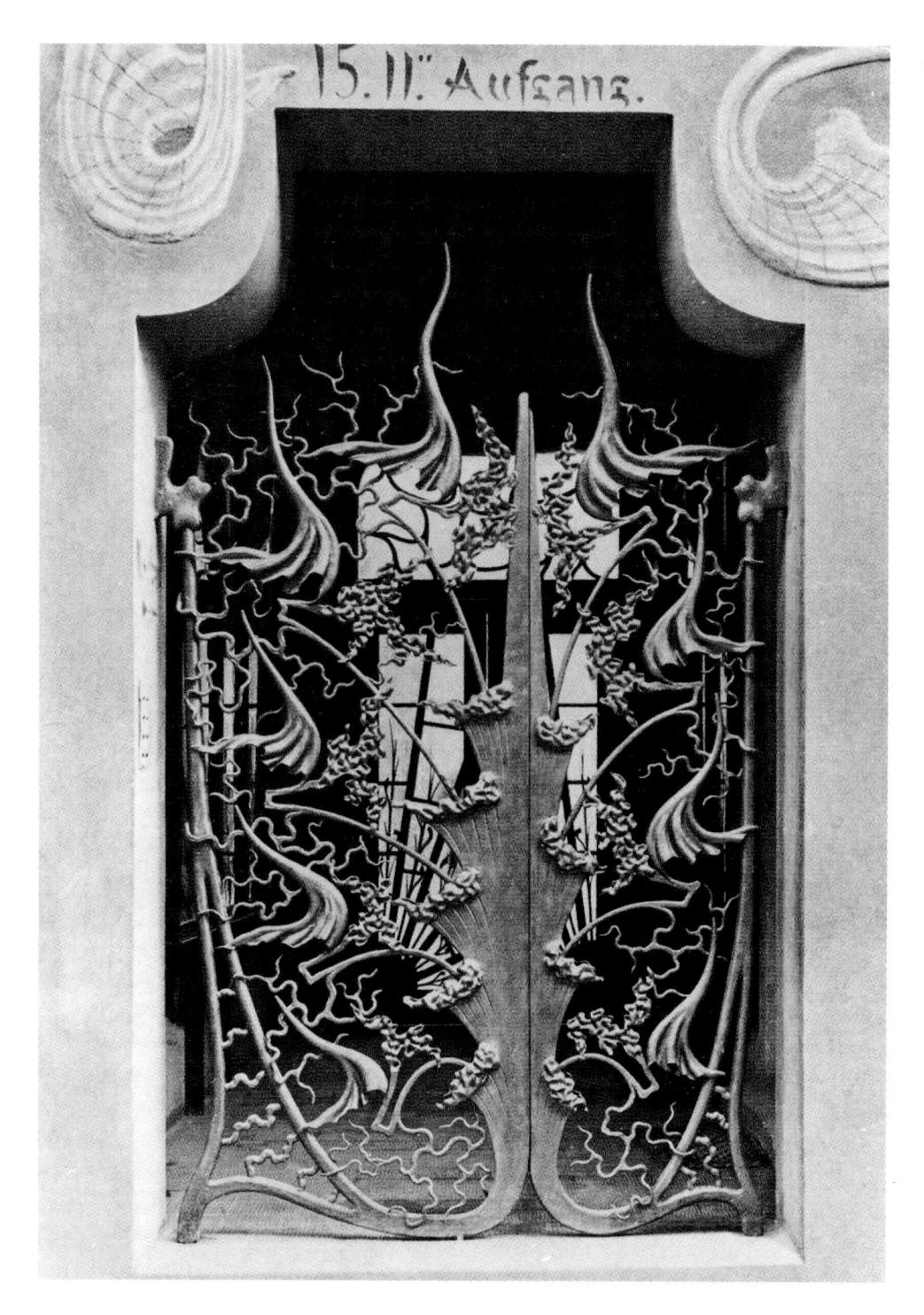

venir d'un autre monde. Et de fait, l'artiste avait plusieurs fois été l'objet de visions dont il s'efforçait ensuite de fixer l'image. Les descriptions qu'il donne dans ses écrits posthumes témoignent des efforts impuissants pour mettre en forme ses visions fantastiques. Mais la tentative de libération vers l'abstraction ne réussit pas. Les rares œuvres d'Obrist que nous connaissons montrent ainsi une forme dense, chargée d'une dynamique intérieure, mais se ressentant de cette recherche. En dépit de leur grande liberté, elles s'avèrent finalement tellement soumises à des lois artistiques qu'elles seront immédiatement comprises comme des catalyseurs et comme des exemples scolaires. C'est ainsi que la plupart des artistes de l'Art nouveau munichois ont été influencés par Hermann Obrist.

Cette influence est sans aucun doute la plus manifeste chez Endell. Ancien étudiant de philosophie, il reconnut sans réserve cette filiation et ne montra guère de scrupules à décorer la façade de l'atelier «Elvira» d'un ornement dans le plus pur style d'Obrist. Mais il alla encore plus loin. Le grand monstre qu'il avait conçu était comme un animal en cage se balançant d'un bord à l'autre de l'immense façade, au mépris de tout ce que l'on avait pu voir auparavant à Munich. C'était comme l'annonce d'une anarchie à venir; cette configuration effrontément fantomatique, mais en même temps vivante et colorée, et dont personne n'aurait pu dire d'où elle venait – à moins qu'elle ne fût un bâtard né de la rencontre entre les dragons d'un conte chinois et d'une légende germanique. Le signal du renouveau était donné avec une clarté suffisante; en le voyant, la colère et l'enthousiasme purent chacun se donner libre cours.

Ce qui avait ainsi éclaté était un «ornement en soi», une grande forme sans utilité, si ce n'est de remplir un grand mur vide. Mais on peut aussi se demander si le grand plan de cette façade dénuée de fenêtres n'a pas été spécialement conçu dans ce but. Le fait que l'atelier de l'étage supérieur pouvait se passer d'une fenêtre orientée au sud ne justifiait nullement un tel parti pris. Le renversement des valeurs est en fait assez clair: l'ornement ne soutient plus l'architec-

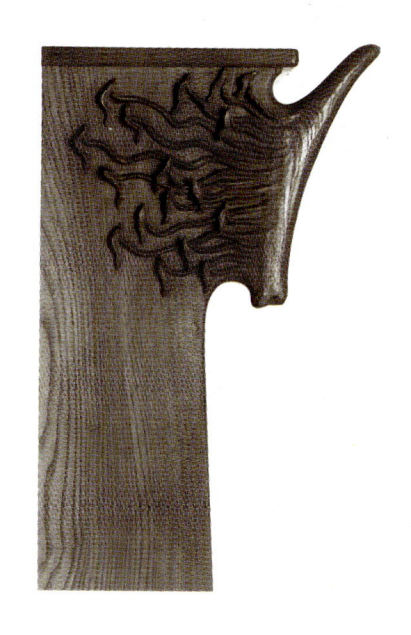

August Endell, détail supérieur d'une bibliothèque, Munich 1899

August Endell, fauteuil, Munich 1899, orme, le tissus est de Richard Riemerschmid
Munich, Bayerisches Nationalmuseum

Richard Riemerschmid, projet mural pour l'aménagement d'une pièce présentée à l'Exposition Universelle de 1900 à Paris
Munich, Architektursammlung der Technischen Hochschule

Richard Riemerschmid, 1868–1957
Etudes de peinture de 1888 à 1890 à l'Académie des Beaux-Arts de Munich, sa ville natale. En 1897, il est co-fondateur des «Vereinigte Werkstätten für Kunst im Handwerk». A partir de 1903, il travaille pour les «Dresdner Werkstätten für Handwerkskunst». De 1912 à 1924, il est directeur de l'Ecole d'Arts Appliqués de Munich, et de 1926 à 1931, directeur de la «Werkschule» de Cologne.
Œuvres principales: les «Kammerspiele» du Théâtre de Munich, 1901; la ville-jardin Hellerau près de Dresde, commencée en 1909.

ture; celle-ci ne sert plus que de fond neutre à une forme décorative omniprésente, ce qui démontre in extenso l'origine décorative de l'Art nouveau.

Quoi qu'il en soit, l'audace architecturale ne s'arrête pas là. Il y a tout d'abord la réussite de la grille d'entrée, puis, un peu moins heureux, l'intérieur, où des formes de pieuvres ou de racines jaillissent sourdement de tous les coins. Force est de rendre hommage au courage des deux femmes qui dirigèrent cet atelier. Leur art photographique était plutôt conventionnel et fort éloigné de la rigueur annoncée par l'extérieur du bâtiment. Les formes ornementales de Endell s'appliquaient encore mieux aux meubles, où elles se retrouvaient dans un rapport plus juste avec les éléments osseux et peu dégrossis d'une chaise, ou encore avec les planches nues de grandes étagères (illustration p. 97). Endell, qui ne créa qu'un petit nombre de meubles, ne restera d'ailleurs fidèle à la ligne munichoise qu'au début du mouvement. Plus tard, il s'efforcera de réglementer ses idées toujours un peu bizarres. Ses œuvres feront alors l'effet de sages enjolivures, toujours extrêmement personnelles, mais mieux domestiquées. En 1901, il se rendit à Berlin, trouvant rapidement dans cette ville le travail le mieux approprié à ses qualités: aménager pour Ernst von Wolzogen le «Bunte Theater», le *Théâtre Multicolore* (illustrations p. 9, 94). La plaisanterie qu'il y mit en scène était brillante. A peu de frais, il avait su réaliser le décor de cabaret le plus original de Berlin. Malheureusement, l'existence de ce cabaret sera de courte durée, et Endell n'aura plus la même audace.

Moins impétueux dès le début, mais montrant un sens architectural plus développé, les travaux de Richard Riemerschmid. Celui-ci deviendra d'ailleurs la figure la plus constante de l'Art nouveau munichois, pour ne pas dire son incarnation. Ce peintre, qui n'avait fait aucune action d'éclat particulière à ses débuts, se transforma rapidement en un créateur capable de penser de façon constructive et sensée. De ses ateliers sortirent un grand nombre de meubles qui avaient tous l'avantage d'être d'un usage extrêmement pratique. Pour ce type d'objets, Riemerschmid montrait un véritable talent d'ingénieur. Personne ne savait utiliser le bois d'une façon aussi efficace et économe. On pouvait voir très clairement comment étaient composées ses créations – toujours caractérisées par une grande logique, bien que parfois un peu excessives. Ce penchant fondamentalement constructif le rapprochait de van de Velde, qui voyait d'ailleurs en lui son concurrent le plus direct et le louait publiquement.

L'année même où étaient apparues les premières traces de l'Art nouveau munichois, c'est-à-dire en 1897, une grande exposition d'arts appliqués se tint à Dresde, où van de Velde devait faire une première apparition décisive en Allemagne. Quatre aménagements intérieurs, qui n'avaient guère rencontré de

Richard Riemerschmid, lampe de bureau, Munich 1899, hauteur: 45 cm
Londres, Kenneth Barlow Ltd.

Richard Riemerschmid, chaise dessinée en 1899 pour un salon de musique, chêne et cuir
Munich, collection particulière

Richard Riemerschmid, le foyer inférieur des «Kammerspiele» de Munich, 1901

succès à Paris en 1895/96, y furent exposés accompagnés d'un salon, et seront immédiatement acclamés à grand bruit. C'est ainsi que le virus de l'Art nouveau abstrait-constructif fut introduit en Europe centrale, et avec lui la lutte contre toute autre tendance, surtout si celle-ci manifestait quelque douceur, si elle était purement décorative et qu'elle arborait des traits végétaux. Le degré d'influence de cette exposition sur l'Art nouveau munichois reste sujet à discussion. Quoi qu'il en soit, une certaine affinité – tout du moins entre van de Velde et Riemerschmid – avait toujours existé. La parenté de conception est évidente. Et tandis que le premier poursuivait sa marche triomphale à travers l'Allemagne, présentant en 1899 à Munich un aménagement qui fait partie de ses meilleures réalisations – un intérieur de bureau de travail avec le meuble dont nous avons déjà parlé plus haut (illustration p. 55) –, le Munichois créait la même année quelque chose d'équivalent pour une autre exposition d'arts appliqués à Dresde: le salon de musique que Riemerschmid devait y montrer en 1899 avait pour lui la valeur d'un manifeste tout à fait semblable à celle que la pièce munichoise avait pour van de Velde.

Un dessin fortement articulé devait également caractériser dès lors les œuvres de Riemerschmid. Ce dessin accordait une importance égale à tous les éléments. Une chaise conçue par Riemerschmid à la même époque nous permettra mieux d'expliquer sa manière énergique et sobre (illustration p. 99). Afin de laisser aux musiciens une totale liberté de bras, le concepteur renonce à toute forme d'appui latéral, inventant cependant une autre méthode pour obtenir la

Richard Riemerschmid, foyer supérieur et partie de la salle des «Kammerspiele» de Munich, 1901

Richard Riemerschmid, la fabrique des Dresdner Werkstätten à Hellerau, près de Dresde, 1908–1910

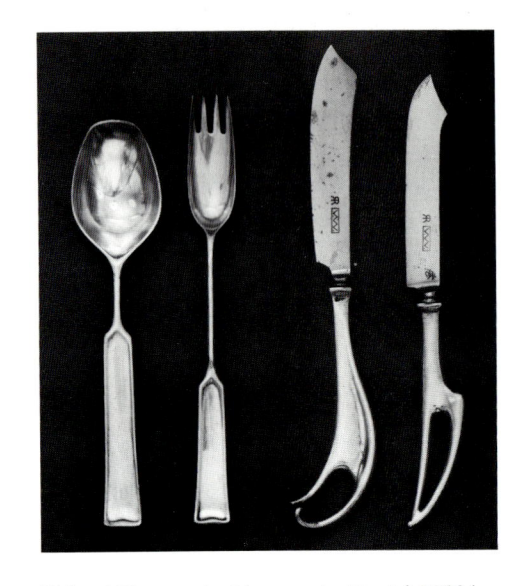

Richard Riemerschmid, couverts, Munich 1899/1900, argent
Collection particulière

Richard Riemerschmid, chaise, Dresdner Werkstätten, 1905, chêne avec un tissus dessiné par l'artiste
Munich, collection particulière

stabilité nécessaire. La méthode consiste à introduire des entretoises diagonales qui saisissent en un seul mouvement les éléments les plus importants. Partant du dossier, elles vont jusqu'aux pieds avant, où elles s'ancrent fermement. Les bords de l'assise sont ainsi traversés par l'entretoise dont la légère courbure semble les mettre sous tension. L'ancrage des pieds arrière dénote la même solidité. Vue latéralement, la chaise est donc construite sur la base de deux triangles indissolublement liés par une ligne commune: l'entretoise diagonale. Le point de rencontre entre le siège et l'entretoise détermine la cohésion de l'ensemble qui s'écroulerait sans ce point d'ancrage. Mais cet aboutissement pratique n'a généré aucune raideur. Un modelé soigneux rend les lignes de force internes de ce meuble presque organiquement perceptibles.

A Munich, il y avait encore d'autres domaines dans lesquels l'apprentissage avait été rapide. Ainsi s'était-on aperçu qu'il était bon que les artistes s'unissent en une communauté d'intérêts économiques. Afin de pouvoir réaliser leurs projets, puis de pouvoir les vendre, Obrist, Riemerschmid, Pankok, Bruno Paul et d'autres fondèrent en 1898 les «Vereinigte Werkstätte für Kunst im Handwerk», les *Ateliers Réunis pour l'Art Appliqué à l'Artisanat*. Le modèle anglais de William Morris y tenait une place importante: l'artiste en tant qu'entrepreneur. A Munich, ce type d'association réussit assez bien; un succès rapide amenant d'ailleurs une invitation à participer à l'Exposition Universelle de 1900

Richard Riemerschmid, pièce modèle des Dresdner Werkstätten avec meubles et vaisselle dessinés par l'artiste, vers 1905

Richard Riemerschmid, cabine du vapeur «Kronprinzessin Cecilie», 1906

Richard Riemerschmid, fauteuil en rotin, Dresde 1904–1906
Munich, Münchner Stadtmuseum

à Paris. La place ne pouvait pas bien sûr être assurée dans la «Maison Allemande» officielle qui, placée sous l'égide du goût de Guillaume II – c'est-à-dire bon marché et théâtral –, se trouvait au bord de la Seine parmi d'autres formes de représentation nationale. Le groupe munichois obtint en revanche une place qui, bien qu'elle fût quelque peu à l'écart dans le département du commissariat à l'art allemand, se situait tout de même sur l'Esplanade des Invalides.

Des trois salles qui étaient à leur disposition, la plus grande fut destinée à accueillir essentiellement les pièces isolées: meubles, fontaines, tapis et autres objets. Riemerschmid s'efforça de donner une unité à l'installation en la faisant parcourir d'un ornement de tresses. Dans une telle compilation d'objets hétéroclites, cet ornement était d'un effet tout à fait bénéfique. Le reste était modeste, les deux pièces restantes étant cependant destinées à des réalisations plus globales. La première fut définie comme fumoir, pour lequel Pankok avait réalisé un énergique habillage de bois (illustration p. 85). Le fumoir évoquait ainsi l'intérieur d'une vieille cabine de bateau. Un léger balancement aurait été assez seyant, les tressages auraient légèrement craqué et les lampes accro-

Richard Riemerschmid, pièce modèle des Dresdner Werkstätten avec meubles dessinés par l'artiste, Dresde 1905

Richard Riemerschmid, fauteuil, 1905, acajou et tissus, Dresdner Werkstätten
Munich, collection particulière

chées au plafond se seraient balancées agréablement. Çà et là étaient venus se placer des ornements noueux qui conféraient à l'installation un caractère casanier. Les formes en bois renflées, placées dans le passage d'une pièce à l'autre, donnaient à l'ensemble quelque chose d'habité.

La troisième salle, dessinée par Bruno Paul, était censée représenter un salon de chasse. C'est pourquoi on lui avait donné l'aspect d'un intérieur de cabane. Dans l'ensemble, on ne pouvait que relever l'ironie bavaroise qui en imprégnait les formes. De toutes façons, personne n'ignorait à Paris qui étaient les auteurs de la contribution munichoise. L'arrivée de la province bavaroise dans la métropole planétaire qu'était Paris n'avait certes pas été un choc – cela entrait dans l'habitude de laisser une bonne place à l'amusement folklorique, mais en tant que contribution artistique, c'était cependant audacieux. La contribution munichoise sera d'ailleurs toute proche du pavillon finlandais, qui relevait du même esprit, et où l'on avait précisément misé d'une façon presque propagandiste sur une stylisation artistique du folklore – ce qui avait amené un certain succès aux deux pavillons.

L'étape suivante devait générer un chef-d'œuvre; l'heure de la célébrité avait sonné pour Riemerschmid, lorsque par l'entremise de ses relations familiales, il fut chargé de dessiner l'intérieur d'un petit théâtre munichois. Les «Kammerspiele» furent une chance pour tout le mouvement (illustrations p. 100, 101); leur importance et leur valeur n'étant comparables qu'au Folkwang-Museum de

J.J. Scharvogel et W. Magnussen, pot en grès avec couvercle en étain, Munich, vers 1900, hauteur: 35 cm
Munich, collection particulière

Richard Riemerschmid, pot en grès, Munich 1902, Ateliers Reinhold Merkelbach, Grenzhausen, hauteur: 22 cm
Munich, collection particulière

Hagen, qui devait être agrandi à la même époque – 1900/01 – par van de Velde (illustrations p. 36, 37). Le contexte était lui aussi comparable dans les deux cas. Si le Belge jouissait de l'aide d'un mécène qu'il réussit à convaincre d'ouvrir sa maison aux dernières tendances de l'art, Riemerschmid devait travailler pour un groupe de théâtre qui s'était proposé de monter le répertoire dramatique moderne. La taille et les aménagement de la salle furent conçus dans cet esprit et pour un public qui, à cette époque, passait encore pour une conjuration. Tout comme van de Velde, Riemerschmid dut s'accommoder d'un bâtiment pratiquement terminé, ce qui avait ses avantages: face à cet obstacle, il redoubla d'invention.

Ce qui réussit le mieux à son esprit inventif, ce fut l'aménagement du plafond dans toutes les pièces. Dans la salle proprement dite, il réunit toutes les lampes dans quelques cuvettes en forme de bateau tendues en travers de l'espace. Pour les foyers, il dessina soit des motifs circulaires reliés les uns aux autres, soit un filet de lamelles. Ces ornements n'étaient pas une décoration en soi, ils étaient adroitement combinés avec l'éclairage. Dans l'ensemble, grâce à un grand nombre d'effets plastiques, Riemerschmid sut conférer une étonnante légèreté à la rigidité générale des salles. On sent partout une humeur joyeuse que soutiennent encore des coloris qui vont dans le même sens. Il convient de dire que la différenciation entre le foyer inférieur, un peu aquarium, dont les coloris aériens vont du gris-violet au bleu, et du foyer supérieur, plus paisible, qui met surtout en avant des tons de brun, de gris et de jaune laiton, est très réussie.

Friedrich Adler, service à café, Munich, peu après 1900, étain, hauteur de la cafetière: 24 cm
Munich, collection particulière

Theodor Fischer, l'école communale de la Haimhauserstraße, Munich 1895–1898

Theodor Fischer, porte de l'école communale de la Haimhauserstraße, Munich 1898

Dans la salle en revanche, ce sont un rouge énergique et un vert aquatique qui dominent. Tout bien considéré, le théâtre était à son époque plus coloré que ne le permettaient les conceptions dramaturgiques d'un Henrik Ibsen et d'un Gerhart Hauptmann! Riemerschmid, habituellement plus tempéré, montrait qu'il disposait d'une palette de moyens extrêmement large dès lors qu'il se montrait tout à fait lui-même.

Une commande tout aussi riche en possibilités revint à Riemerschmid lorsqu'il dut réaliser l'aménagement intérieur d'un grand restaurant berlinois. Pour ce restaurant, il se servira des mêmes moyens que ceux dont il s'était servi pour le théâtre. Il eut également l'occasion de construire quelques maisons, lui qui n'avait jamais étudié l'architecture. Mais ainsi que nous l'avons déjà évoqué, sa véritable passion semble avoir été de dessiner des meubles (illustrations p. 102–105). Il est vrai que d'autres artistes – comme par exemple van de Velde, Behrens et Hoffmann – travaillaient déjà dans ce domaine, mais aucun ne procédait d'une façon aussi démonstrative que Riemerschmid. Le but qu'il poursuivit pendant de nombreuses années sera de fixer certains standards et de trouver des solutions modèles. En 1901 déjà, il devait gagner un concours ouvert pour réaliser au meilleur prix l'aménagement d'un appartement modèle pour ouvriers. Par la suite, Riemerschmid suivra la même voie en se tournant vers les «Dresdener Werkstätten für Handwerkskunst», les *Ateliers de Dresde pour l'art artisanal*, qui cherchaient à produire des objets bon marché pour le peuple, orientation qui répondait mieux à ses intérêts que les hautes exigences des «Vereinigte Werkstätten für Kunst und Handwerk» de Munich, dont il avait

Theodor Fischer, l'entrée de l'école communale de la Haimhauserstraße, Munich 1895–1898

Ludwig von Zumbusch, page de titre de la revue «Jugend», Munich 1896
Munich, collection particulière

Ferdinand Morave, pendule, Munich 1903, bois et laiton, hauteur: 53 cm, Vereinigte Werkstätten für Kunst im Handwerk
Munich, collection particulière

pourtant été le co-fondateur. En Allemagne, ces deux entreprises étaient les premières dans leur spécificité, mais elles n'étaient pas les seules. Quant aux aspects artistiques, ils étaient entre les mains d'un petit nombre de personnes, mais en dépit de ce facteur, ces entreprises montraient à quel point la tendance était répandue après 1900 de proposer des objets de fabrication «honnête» à des prix raisonnables. Il est vrai que l'idéal éthique de la production empêchait qu'on pût réellement pratiquer des prix bas. Mais dans la mesure où l'on ne s'obligeait pas non plus à être cher, on peut dire que les idées de Morris furent mises en pratique de façon convaincante.

Sans doute cela n'était-il possible qu'en renonçant à l'aspect «artistique», et même Riemerschmid faisait désormais son travail en se reniant d'une certaine façon lui-même, mais rien ne permet de penser qu'il ne l'a pas fait par choix. Au cours des années qui suivirent, Riemerschmid participera aux «Dresdener Werkstätten für Handwerkskunst» jusqu'à en déterminer l'image presque à lui seul (illustrations p. 102–105). Les résultats furent plus ou moins heureux, sans jamais être gratuits ou incohérents. Mais la grande majorité de la production était par trop empreinte de bonne volonté, et l'intention de faire une bonne action que l'on ressent dans les chambres modèles de Riemerschmid est parfois d'une certaine lourdeur. La mise en scène du confort avec cage d'oiseau, gravure d'art et vaisselle imposante se ressent à tel point d'un sentiment de prédéfinition, que la petite bourgeoisie pour laquelle l'ensemble était visiblement conçu aurait à peine mieux aimé y vivre que les ouvriers de l'usine Opel dans la maison construite à la même époque à Darmstadt par Joseph Maria Olbrich (illustration p. 165). Derrière toutes ces bonnes intentions d'honnêteté, on ne peut s'empêcher de ressentir la condescendance de gens s'imaginant savoir ce qui convenait à l'homme du peuple. On ne s'étonnera donc pas que cette tentative de réforme de la vie ait connu le même sort que la plupart de celles que drainait l'Art nouveau – en Allemagne, dès le départ, les velléités du mouvement avaient dépassé la simple révolte artistique. Les meubles ont sans doute été achetés par ceux-là même dont le seul plaisir a toujours été de faire quelque économie.

Mais les choses s'améliorèrent lorsqu'on en arriva à des créations fondées moins sur des partis-pris stylistiques que sur une réponse à des contraintes techniques. Proposé à partir de 1906, le «programme de meubles à la machine» se composait d'éléments sobres aux vis apparentes. Démontés, ils pouvaient être envoyés sans problème. L'Art nouveau, dont les impulsions étaient encore indissolublement liées à la personne du concepteur, connaissait ainsi un changement d'optique sensé. Sur le plan esthétique aussi, il en résultait un intérêt nouveau grâce à des vis apparentes et des articulations nettement marquées. La fondation du «Deutscher Werkbund» pouvait être considérée comme une confirmation de l'esprit et des idées défendues par les «Dresdener Werkstätten». Il s'agissait d'artistes, de fabricants et d'écrivains engagés qui s'associèrent à Munich en 1907. Le but déclaré de l'association était une collaboration plus étroite entre les designers progressistes et l'industrie. On faisait ainsi

Otto Eckmann, pot en grès avec monture en bronze, Munich, peu avant 1900, hauteur: 42 cm
Munich, collection particulière

Otto Eckmann, illustration de la revue «Jugend», Munich 1899
Munich, collection particulière

Bruno Paul, affiche, Munich 1901
Munich, Münchner Stadtmuseum

Bruno Paul, 1874–1968
Etudes à la Kunstgewerbeschule de Dresde, puis à l'Académie des Beaux-Arts de Munich. Collaborateur de la revue «Simplicissimus», pour laquelle il dessina près de 500 caricatures. Il commence à dessiner des meubles sous l'influence de Henry van de Velde. 1898, co-fondateur des «Vereinigte Werkstätten für Kunst im Handwerk» à Munich. 1907, directeur de l'école du Kunstgewerbemuseum de Berlin.
Œuvres principales: salon de chasse de l'Exposition Universelle de Paris 1900, pour lequel il reçoit un «Grand Prix»; salle à manger à l'exposition d'arts décoratifs de Turin, 1902; bureau de travail pour le président du gouvernement à Bayreuth, 1904; aménagement de la salle d'attente de la gare de Nuremberg, 1905.

preuve de beaucoup de pragmatisme, et la profession de foi à l'égard de la production industrielle permettait de signifier que l'avenir et le salut ne devaient plus être recherchés dans l'idéal artisanal qui avait marqué les débuts de l'Art nouveau. Cela revenait à dire que la révolution véritable ne s'accomplissait que maintenant, bien après la révolution des apparences. La démarche consciente que représentait la fondation du «Deutscher Werkbund» – presque tous les artistes que nous avons nommés jusqu'à présent en faisaient partie – pourrait être considérée comme le résultat le plus important de tout le mouvement, si on laisse de côté le fait que ce mouvement se retournera partiellement contre ses artistes, et que bien des aspects de ce nouveau pas constituaient un démenti formel des espoirs et des buts d'antan. Mais même une reconception du mouvement pouvait être le reflet d'une continuité et d'une filiation. Sous cet aspect, Riemerschmid sera l'une des figures-clé les plus conséquentes.

Au cours des années qui suivirent, c'est-à-dire à partir de 1909 – c'est Peter Behrens qui connut le plus de succès dans sa collaboration avec l'industrie. Il devint le conseiller artistique de AEG à Berlin. Lui aussi avait été à l'origine un membre du groupe munichois, mais il s'y était moins fait remarquer que les autres. Il n'attirera l'attention sur lui que plus tard, après sa nomination à Darmstadt en 1900. A Munich, il avait été avant tout un dessinateur expérimenté (illustration p. 114). Rétrospectivement, on comprend vite que pour cet artiste originaire de Hambourg, le séjour de Munich ne pouvait être qu'un passage; son habileté et son ambition visaient plus haut que ne l'autorisait la mentalité de l'Allemagne du Sud. La contribution de Otto Eckmann (illustration p. 111), qui mourra en 1902 à l'âge de trente-sept ans, restera elle aussi marginale. Le manque de puissance, que lui reprochait van de Velde après sa mort, pouvait de fait être considéré comme une trahison des buts les plus élevés de l'Art

Bruno Paul, la même chaise vue sous deux angles différents, Munich 1901, érable et cuir Munich, collection particulière

nouveau. Il convient cependant de dire qu'une certaine suffisance caractérisait une bonne part de ce qui se faisait à Munich aux alentours de 1900; une joyeuse gratuité dans les formes autant que dans l'esprit s'y était répandue plus facilement que sur les autres scènes. En fin de compte, les choses ne furent pas prises avec tout le sérieux auquel le sujet semblait avoir droit; c'est ainsi que sur une page de titre du journal «Jugend» (illustration p. 110), la représentation elle-même pouvait être relativement conventionnelle tandis que l'écriture était de la plus haute qualité. Les image étaient inégales, et souvent une simple ambiance remplaçait l'esprit authentique.

Tout cela ne vaut pas bien sûr seulement pour les deux artistes que nous avons présentés ensemble au début de ce chapitre: Bruno Paul et Bernhard Pankok – dont l'œuvre, avec celle de Riemerschmid, constituera la contribution majeure à la spécificité de l'Art nouveau munichois, et donc au «Jugendstil». Au cours de

Peter Behrens, page de titre du calendrier «Der Bunte Vogel», Munich 1898
Munich, collection particulière

Bernhard Pankok, armoire, Munich 1902, chêne plaqué merisier
Münster, Westfälisches Landesmuseum für Kunst und Kulturgeschichte

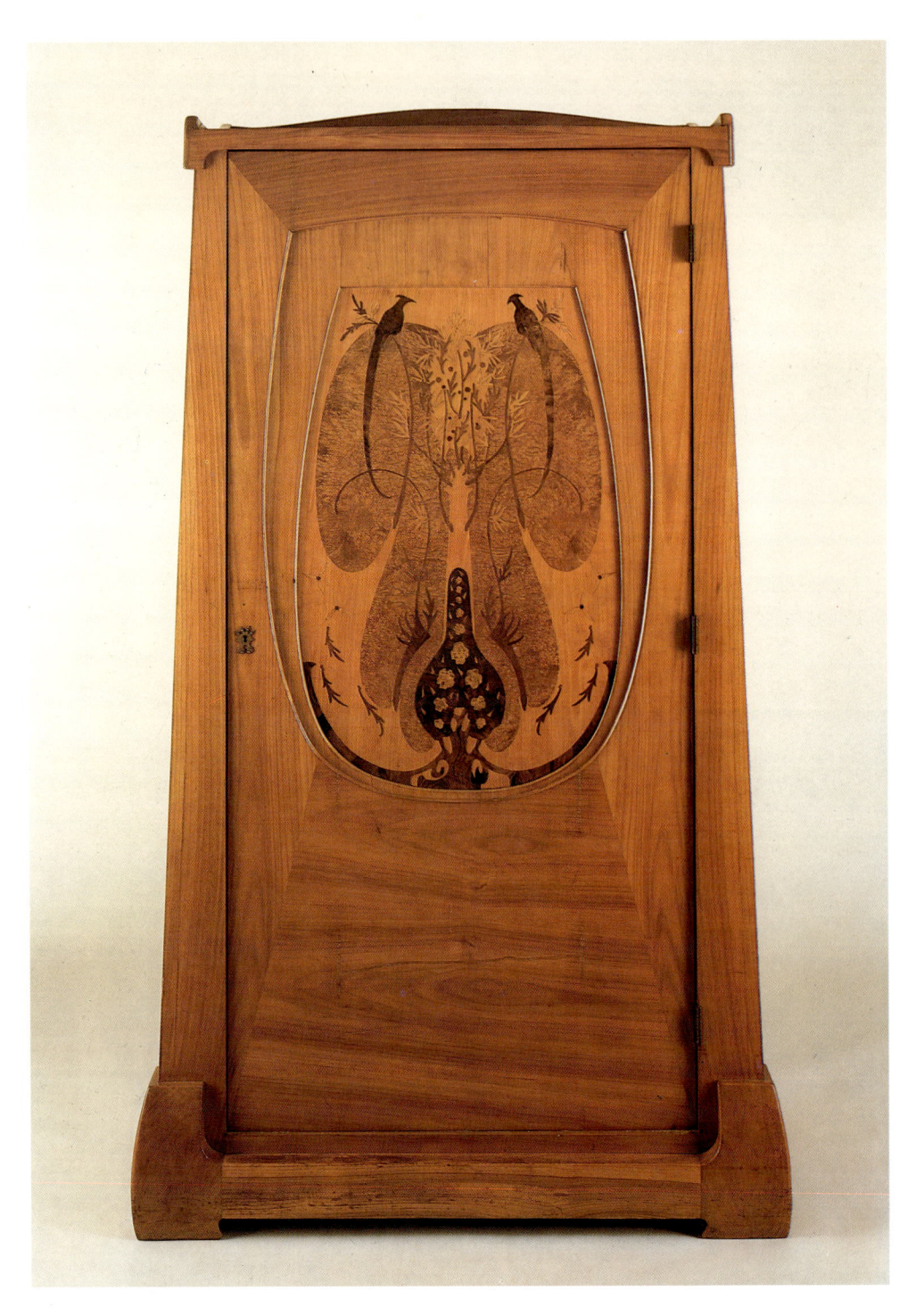

Bernhard Pankok, 1872–1943
Peintre et concepteur, Pankok étudie à partir de 1889 à l'Académie des Beaux-Arts de Düsseldorf et de Berlin. Ouvre son propre atelier en 1892 et est co-fondateur, en 1897 des «Vereinigte Werkstätten für Kunst im Handwerk». Est nommé professeur en 1901 à la «Königliche Lehr- und Versuchswerkstätte» de Stuttgart qui est réunie sous sa direction, en 1913, à l'Ecole d'Arts Appliqués.

son chemin ultérieur comme dessinateur de *Simplicissimus*, Bruno Paul se montra l'un des mutants les plus étonnants qu'ait connu l'époque des années 1900, époque où les personnalités de ce type n'étaient pas rares. Avec une rapidité surprenante, l'illustrateur modèle qu'était Bruno Paul se transforma en l'un des plus élégants et rigoureux designers de meubles, d'aménagements et de décorations de grande envergure. Bruno Paul n'y perdit rien de l'assurance de ses débuts, mais il est vrai que lorsque les commandes commencèrent à affluer, son assurance se fit progressivement plus routinière. Mais la faculté de représenter simplement les grandes valeurs, faculté que l'on pouvait déjà déceler dans ses caricatures, caractérisa de la même façon les meubles qu'il dessina dans les premières années après le changement de siècle. Ses chaises et fauteuils surtout étaient pensés avec une grande précision et un sens constructif extrêmement développé, se limitant à un petit nombre d'éléments nettement dessinés et affirmant une forte plasticité. Bruno Paul sut ensuite transposer leur construction très articulée à des espaces entiers – comme par exemple la salle à manger qu'il montra à l'exposition d'art décoratif moderne de Turin en 1902. C'est à lui qu'on doit également l'une des affiches les plus élégantes de l'époque (illustration p. 112). Loin de toute superficialité illustrative, on y voit un couple de hérons traverser le champ de l'image. La question reste posée de savoir ce que cela peut bien avoir à faire avec le titre «Kunst im Handwerk»: l'art appliqué à l'artisanat – à moins qu'on ne préfère considérer qu'il s'agit dans les deux cas de quelque chose de légèrement grandiloquent! Mais on peut aussi voir le

Hermann Gradl, terrine et plat d'un service à poisson réalisé par la Manufacture de Porcelaine de Nymphenburg, Munich 1899, diamètre de l'assiette: 23,5 cm
Berlin, Bröhan-Museum

Bernhard Pankok, la Maison Lange à Tübingen, 1901/02

rapport entre l'affiche et les meubles dans le fait que la forme des ailes a visiblement influencé celle de ses fauteuils (illustration p. 113).

Les influences de la faune ont par ailleurs été visiblement présentes à Munich, et cela dans une large mesure chez Pankok, l'artiste qui a toujours eu la démarche la plus surprenante. Tout comme Riemerschmid et Behrens, il avait lui aussi fait ses débuts en tant que peintre. Mais contrairement aux deux autres, il n'abandonnera jamais la peinture. Par la suite, il se fera un nom comme portraitiste, mais aussi comme décorateur de théâtre et dessinateur de costumes. Parallèlement, il ne cessa de créer des meubles aux formes peu habituelles et très personnelles, qui avaient en outre une grande valeur plastique. L'armoire d'une de ses chambres à coucher (illustration p. 114) est montée sur des pieds massifs en forme de cale pour s'affiner vers le haut et finir par deux oreilles pointues. Un double relief jouant de ses tensions internes constitue la porte, dont le panneau central, comme par jeu, est orné d'une marqueterie. L'on y reconnaît d'une part des oiseaux qui seraient assis sur des branches, mais on a d'autre part le sentiment d'y reconnaître également des poumons donnant à toute l'armoire

Bernhard Pankok, salon de la Maison Lange à Tübingen, 1902

une apparence vivante. Cette supposition devient tout à fait plausible dès lors qu'on veut bien interpréter le grand renflement central comme un phallus.

Très vite, Pankok eut également l'occasion de travailler comme architecte. Konrad Lange, titulaire d'une chaire d'Histoire de l'Art à Tübingen et âgé de quarante-cinq ans en 1900, fut assez audacieux pour faire construire sa maison par quelqu'un qui n'avait aucune expérience dans ce domaine. C'est probablement par les ateliers munichois qu'il entra en contact avec Pankok. Il est vrai que le résultat de ce travail commun peut tout aussi difficilement être considéré comme une révolution architecturale que les maisons et les villas construites par Riemerschmid à la même époque. Mais la maison Lange participe d'une simplicité et d'une fraîcheur telles qu'on doit bien reconnaître qu'il s'agissait là de débuts pour le moins prometteurs. Si la forme générale s'apparente encore largement à celle d'une maison paysanne de Forêt Noire, une série de détails ont été placés en-dessous ou à côté des retours de combles, empêchant tout sentiment de lourdeur ou d'ennui. L'intérêt consiste avant tout dans les rapports entre la grande dimension de l'ensemble et le caractère affirmé des petits éléments. Pour l'aménagement des loggias et des encorbellements, de l'escalier de la terrasse, des encadrements de fenêtres et de portes et particulièrement pour le pilier d'angle sur l'avant de la maison, Pankok se montra une fois de plus le sculpteur inventif que l'on avait pu voir en lui dès le début.

Ce parti-pris fut cependant présenté ici d'une façon nettement plus souple que chez Riemerschmid. A y regarder de plus près, on découvre toute une série d'idées charmantes: la frise de stuc sous le plafond, l'amusante horloge, dont le contour rappelle un mouvement de pendule, les jolis petits fleurons et l'habillage du mur, dont les stries profondes incitent fortement à se frotter la tête. Et comme pour confirmer le soupçon émis plus haut, selon lequel les objets simples de Riemerschmid ont été de préférence achetés par les gens qui auraient tout aussi bien pu dépenser davantage, on trouve sur la commode un pot dont ce concepteur est précisément l'auteur. Tous les éléments sont insensiblement reliés par une inclinaison légère donnée à leur contour ou inhérente à leur forme. Mais ainsi que le lui reprochera le propriétaire, la forme gracile des chaises s'affirmait aux dépens de leur confort.

Le salon de musique que Pankok dessinera en 1904 porte sa signature. Etrangement, la foison de détails ne trouble pas l'esprit. On s'aperçoit rapidement qu'elle s'intègre parfaitement à un ordre plus ample et fondamentalement rigoureux, celui de l'habillage mural. Le bizarre essaim des lampes poursuit ce jeu dans l'espace – et force est de constater soudain qu'on se trouve sous l'eau, entouré d'algues, de coraux et de toutes sortes de crustacés; on se sent le point de mire d'une nuée de raies en suspension. Cet espace, d'un luxe dispendieux, avait été exécuté pour l'une des dernières expositions importantes organisées à cette époque et devait en fait représenter l'aboutissement de l'Art nouveau munichois. Après cette exposition, on ne fera plus rien d'équivalent, les esprits s'orientent déjà dans d'autres directions. On peut le regretter précisément dans ce cas, car cette performance représentait indéniablement une apogée.

Bernhard Pankok, salon de musique présenté en 1904 à l'Exposition Universelle de St. Louis, puis exposé dans la Landesgewerbeanstalt de Stuttgart, aujourd'hui détruit

Bernhard Pankok, bureau de dame, Munich 1900/01, acajou et merisier
Berlin, Galerie Geitel

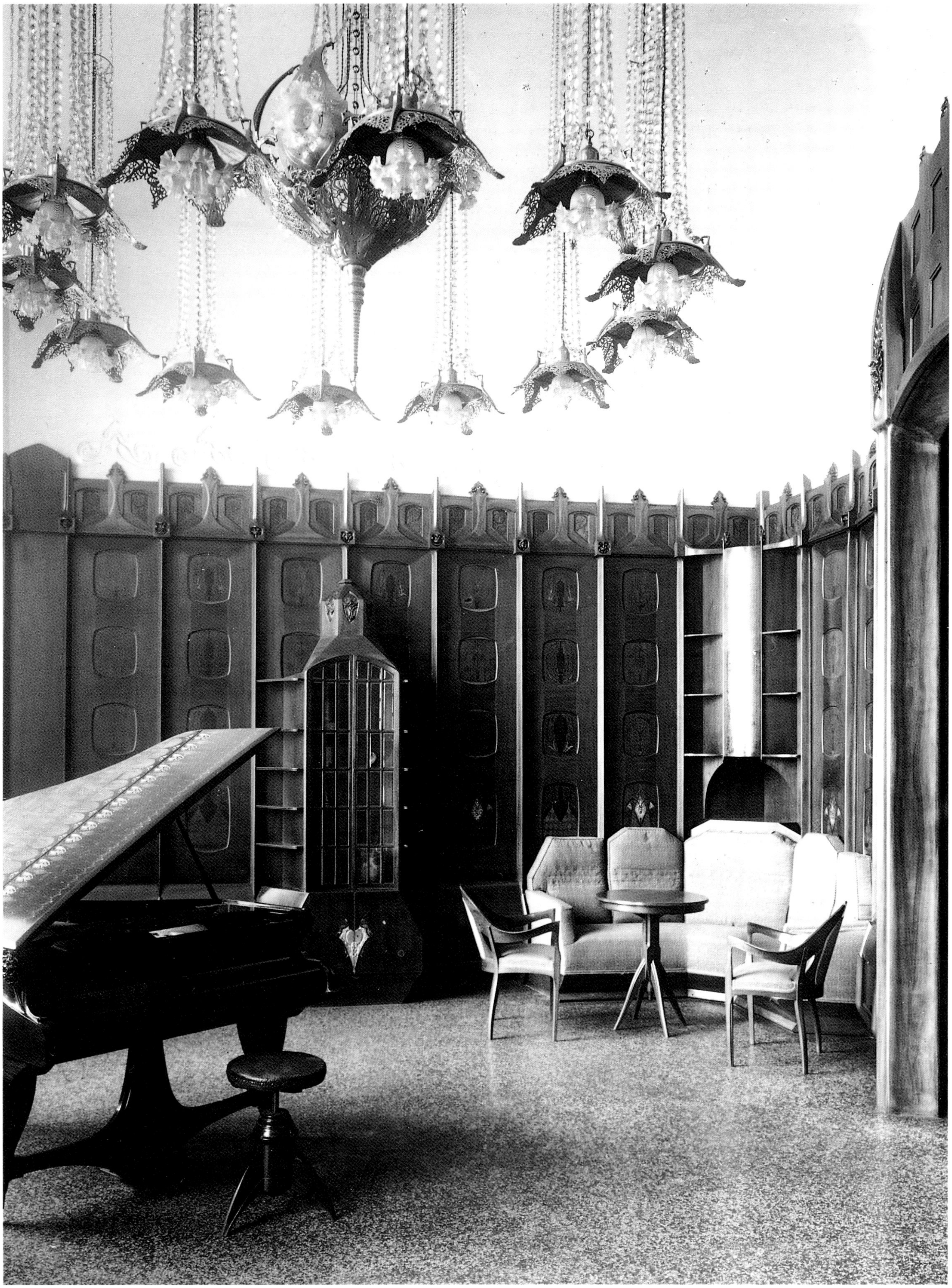

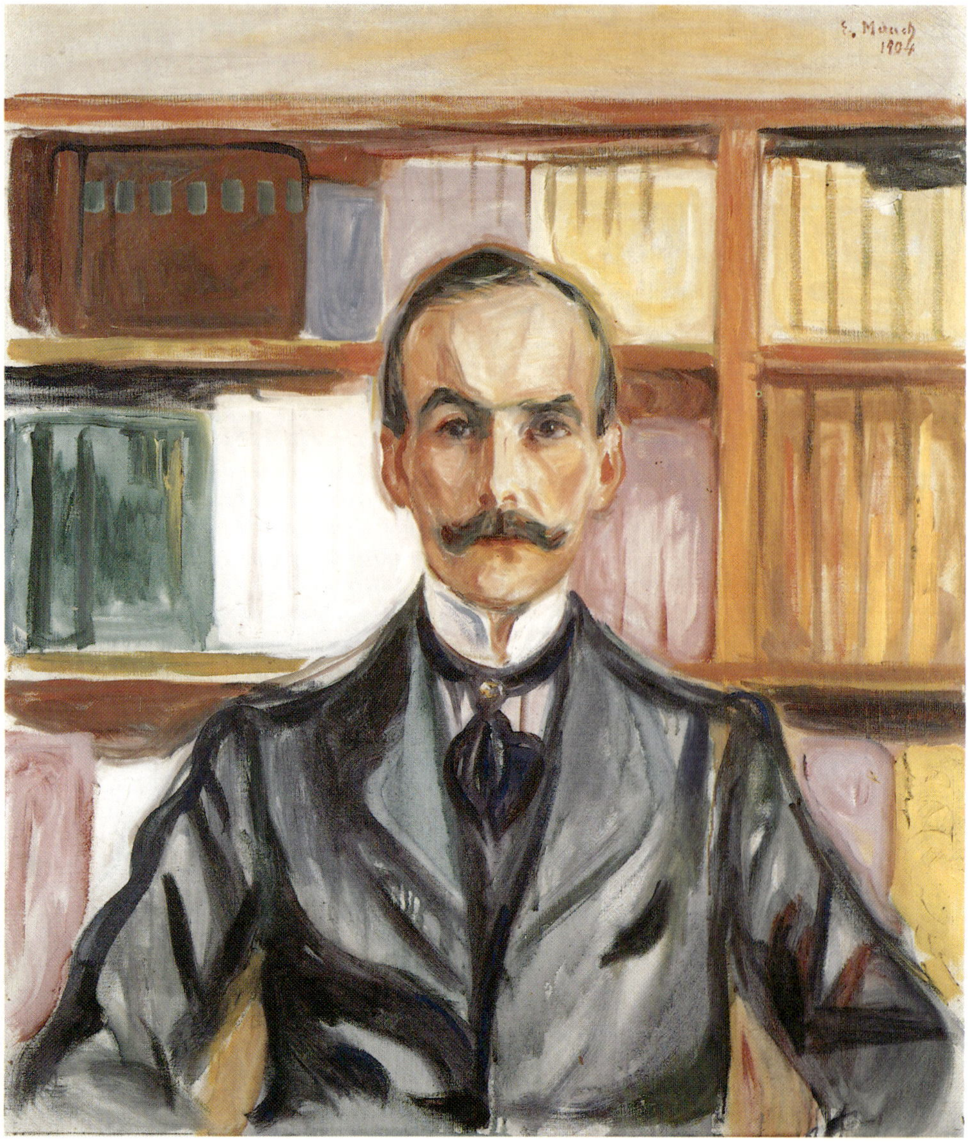
E. Munch
1904

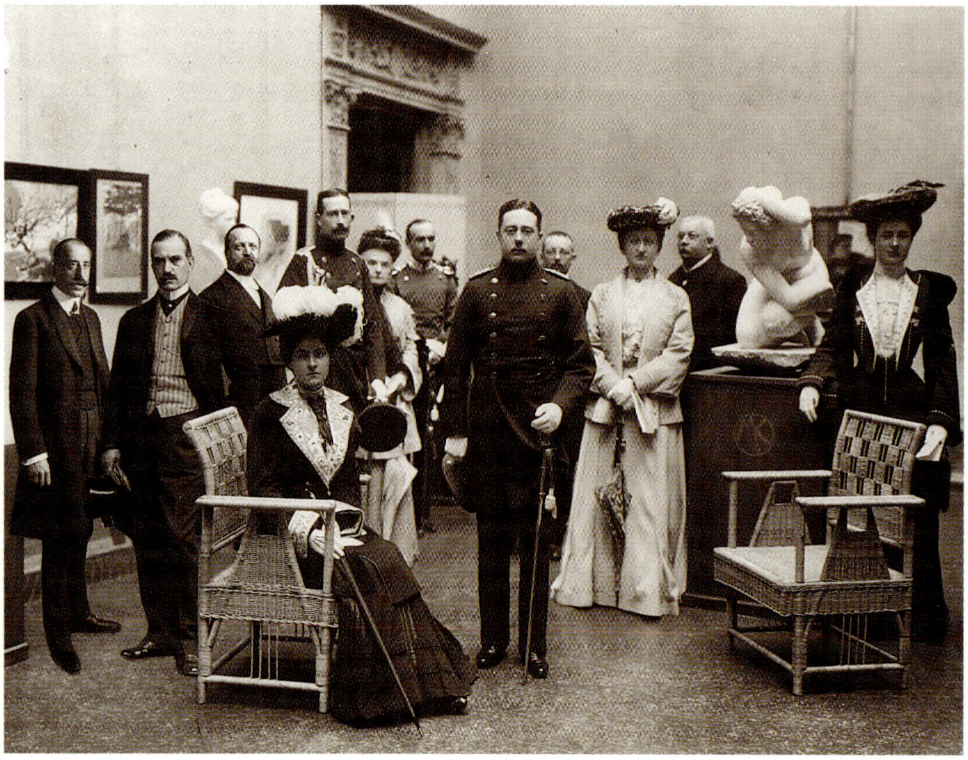

Weimar

Depuis l'époque du Classicisme allemand, Weimar était plus qu'un simple lieu: une notion. Vers 1800, sous le règne du duc Charles-Auguste, cette paisible ville résidentielle dénuée de toute signification politique ou économique connut une activité culturelle qui devait lui conférer dans le paysage culturel allemand la place d'une «Athènes sur Ilm». Johann Wolfgang von Goethe, Friedrich Schiller, Christoph Martin Wieland, Johann Gottfried Herder et d'autres encore y avaient vécu en permanence ou temporairement, ce qui avait ennobli la ville, lui ôtant tout provincialisme.

Après le partage de la Saxe au 17ème siècle, Weimar était devenue la capitale du duché thuringien de Saxe-Weimar-Eisenach, Etat composite dont les régions avaient des superficies extrêmement diverses – c'était sans doute l'un des plus petits Etats parmi les petits Etats allemands. Au congrès de Vienne de 1815, cet Etat fut cependant promu au rang de grand-duché. En dépit du développement industriel au 19ème siècle, l'activité économique de Thuringe était restée plutôt modeste. Les richesses du sous-sol manquaient; les matières premières et même les produits semi-finis devaient donc être importés. Le commerce et l'artisanat étaient les domaines qui avaient encore le plus de chances de pouvoir s'affirmer. Au cours de la seconde moitié du 19ème siècle, sous le grand-duc Charles-Alexandre, qui règnera de 1853 à 1901, Weimar devait encore s'élever. Très conscient de sa position, le souverain revendiquait pour le grand-duché une position privilégiée parmi les autres duchés de Saxe; il attira à Weimar l'ensemble de la diplomatie prussienne et russe de tous les Etats de Thuringe. Relativement libéral, le Grand-Duc commença par mener une politique assez neutre, tout en se tenant à l'écart de la politique de Berlin. C'est ainsi qu'il appela les luttes de 1866 une «guerre fratricide et criminelle». Mais après la fondation du Reich, espérant qu'avec son expansion, l'influence de la Prusse allait s'atténuer – supposition qui n'était pas dénuée de fondement, mais qui s'avéra finalement erronée –, il soutint le Kaiser. Resté politiquement dans l'ombre, le Grand-Duc s'efforça alors d'encourager d'autant la position culturelle de sa ville de résidence, annonçant ainsi l'action d'un autre prince: le grand-duc de Darmstadt, Ernst-Ludwig, beaucoup plus jeune. Il subventionnait de sa propre bourse une école de peinture fondée en 1860, qui verra passer des artistes aussi connus que Wilhelm von Kaulbach, Max Liebermann et Arnold Böcklin. Par bien des aspects, et plus qu'à Berlin, Munich ou Dresde, on y était ouvert aux influences nouvelles venues essentiellement de France. D'illustres personnalités issues d'autres domaines artistiques aimaient elles aussi à honorer la ville de leur présence. C'est ainsi que Franz Liszt et

Page précédente: portrait du comte Harry Kessler par Edvard Munch, Weimar 1904, collection particulière, et inauguration d'une exposition Klinger à Weimar, 1903. Au premier plan, l'archiduc Wilhelm-Ernst et son épouse, à gauche, un montage ultérieur fait apparaître Henry van de Velde; devant le paravent clair, le comte Harry Kessler.

Nicola Perscheid, Elisabeth Förster-Nietzsche dans l'entrée du Nietzsche-Archiv à Weimar, 1904, les poignées de porte et le tissu de la robe sont de Henry van de Velde

Henry van de Velde, la villa du Nietzsche-Archiv; la zone de l'entrée a été reconçue par l'artiste, 1903

Friedrich Hebbel s'installèrent à Weimar. La cour des muses d'antan semblait renaître, et l'on y soignait également la mémoire des gloires passées: 1889 avait vu la création de la société Goethe-Schiller, premier institut littéraire de cette nature. Depuis 1890, le siège de la fondation Schiller se trouvait en outre à Weimar, où une société Shakespeare existait déjà depuis longtemps. Le charme chaleureux et modeste de cette ville résidentielle qui ne comptait alors que 3000 habitants, s'était conservé, cachant peut-être ainsi que la situation économique du reste d'un pays essentiellement rural était nettement moins bonne.

L'atmosphère et l'ouverture d'esprit de la cour changèrent en revanche du tout au tout lorsqu'après la mort de Charles-Alexandre en 1901, le petit-fils de ce dernier reçut la charge du gouvernement – le fils maladif étant mort avant son père. Wilhelm-Ernst (illustration p. 120), était un type prussien fortement marqué par l'esprit du corps militaire de Bonn. Il avait la réputation d'être un homme de pouvoir froid et hautain, esprit brillant, certes, mais borné et dénué de sentiments et de tact. Il préférait de loin les joies de la chasse et des courses automobiles à tout ce qui avait trait à l'art. Il ne donna suite à la tradition culturelle de son duché que par la force des choses, s'apercevant qu'il lui était impossible de faire autrement.

En dépit de cette situation, on commença dès 1901 à mettre en œuvre un «troisième Weimar». La situation pouvait sembler similaire à celle de Darmstadt, bien que le caractère de Wilhelm-Ernst le distinguât en tous points de son collègue royal Ernst-Ludwig. C'est donc ainsi qu'il ne fut à l'origine d'aucune idée nouvelle, les impulsions venant d'autres personnalités nourrissant visiblement l'espoir qu'elles pourraient manier à leur gré ce souverain colérique et inconstant. Le comte Harry Kessler (illustration p. 120), qui devait jouer un rôle prédominant dans ce domaine, connaissait le Grand-Duc depuis leur passage dans le corps militaire de Bonn, et il aurait donc dû être averti. Mais il semble qu'il y ait eu au départ une certaine affinité entre les deux hommes, affinité reposant sur une loyauté de principe ou encore sur la personnalité du Comte, qui aimait peut-être la force brute du Grand-Duc en tant que pôle contraire à sa propre sensibilité.

Kessler fut aidé par Elisabeth Förster-Nietzsche, sœur du poète-philosophe. Elle s'était occupée de son frère pendant les dernières années de sa vie à Weimar et se considérait comme son héritière légitime – place qu'elle ne se contentait pas d'assumer de façon attentionnée, mais dont elle se servait en outre pour corriger ses œuvres. Son ambition personnelle lui valut une prestigieuse réussite: éditions fastueuses, agrandissement et réaménagement des archives qu'elle dirigeait et savait agrémenter de toutes sortes d'activités. Pour tous ces travaux, elle sut attirer l'admiration de l'homme qui allait marquer la physionomie artistique de Weimar: Henry van de Velde.

Mais des raisons purement économiques commandaient également la conduite de Weimar, tout comme c'était le cas à Darmstadt. Bien que l'artisanat de Thuringe et la petite industrie du pays fussent bien équipés sur le plan technique, ils avaient en effet besoin de s'éveiller sur le plan du goût pour s'affirmer dans la lutte de plus en plus âpre pour la survie. Conformément à l'idée que l'art seul pouvait aider l'artisanat, on était à la recherche d'une personnalité qui pourrait conférer à Weimar le prestige nécessaire à ces buts. Du Belge van de Velde, qui venait de connaître une ascension spectaculaire à Berlin, on attendait à Weimar à la fois la marque d'une main créative et la possibilité de recevoir des commandes lucratives pour les artisans régionaux. C'est du moins ce que Kessler avait laissé entrevoir lorsqu'il proposa son ami pour cette position. Lui-même prendra en 1902 la direction du «Museum am Karlsplatz», que l'on se plaisait aussi à appeler Musée des Arts Appliqués. Les deux hommes devaient désormais avoir leurs entrées à la cour.

Kessler et van de Velde s'étaient connus à Berlin. Le désir de jouer les missionnaires artistiques dans leur entourage les caractérisait tous deux, le premier en tant que mécène et intermédiaire, le second en tant qu'artiste-théoricien. Si les deux hommes se sentaient attirés vers les grandes métropoles, ils voulaient en même temps les fuir afin de pouvoir se vouer dans leur retraite à un travail intense. Ainsi incarnaient-ils à la perfection le conflit artistique de l'époque.

Weimar semblait se prêter parfaitement à une telle réflexion. Les deux

Henry van de Velde, salle de lecture du Nietzsche-Archiv à Weimar, 1903

Louis Held, Elisabeth Förster-Nietzsche avec une édition de luxe de «Ainsi parlait Zarathoustra», une des œuvres principales de son frère, dont Henry van de Velde avait assuré la présentation graphique, Weimar, vers 1910

Henry van de Velde, mobilier dans l'appartement du comte Harry Kessler à Weimar, 1902 et plus tard, c'est-à-dire après le réaménagement de la salle à manger en salon. La sculpture est de Maillol, la fresque de Maurice Denis.

Henry van de Velde, deux pages de son texte «Amo», imprimé à Weimar en 1909 aux Cranach-Presse du comte Harry Kessler.

AMO

J'AIME LES FLEURS QUI SONT LES yeux de la Terre, qui s'ouvrent dès qu'Elle se réveille pour nous dire l'éclat de sa joie, simple et enfantine, la gravité de ses pensées lourdes et obsédantes et de ses désirs inassouvis, l'ironie de sa cruauté ou l'infinie douceur de sa bonté.

J'aime les arbres qui réussissent où nous avons échoué et réalisent en beauté, sans l'intervention d'aucun bon sentiment, par le seul miracle de leur parure et de leur silence, la lutte et le choc des efforts et de l'égoïsme qui sont pareils à ceux qui décident de notre destinée. Pas un juge prononce parmi eux le jugement hautain; pas un prêtre la promesse fallacieuse du pardon de la faute commise contre les autres; pas un docteur applique le remède, panse la plaie; pas un voisin jase, colporte le blâme ou la médisance ou la louange chargée d'envie.

Parmi eux, le plus fort impose — sans plus — son geste et sa stature, puise sans égards au sol qu'il a mis sous lui. Et le faible s'accommode, fixe son humilité sans honte et sans plainte et sans revendication.

J'aime les corps humains et ceux des animaux. Nos sens affolés ont tout dit du corps de la femme, de celui de l'homme.

Le toucher s'illusionne qu'il caresse les plus beaux fruits, tandis que la vue détaille et découvre que chaque membre du corps humain ressemble aux choses les plus tentantes que son désir pourrait quérir sur Terre autant que dans le Paradis.

L'odorat trahit les fleurs, la senteur des matins et des brouillards d'automne pour les parfums de la chair qui varient selon qu'elle est sans désirs ou ardente, folle ou mortifiée et qui détient ainsi des secrets que la nature lui envie.

L'ouïe a pour la voix humaine des extases telles qu'aucun des sons que la virtuosité arrache aux instruments divins n'en peut provoquer et on sait que le goût ne connaît rien qui enivre plus sûrement que l'effleurement des lèvres et l'eau des bouches.

Tandis que ces instincts ne dissimulent qu'imparfaite-

hommes se sentaient libres de choisir leurs domaines d'action, et ils navigueront toute leur vie entre les divers pays et pôles spirituels. Bien qu'il fût d'origine allemande, Kessler avait grandi et s'était ensuite largement formé en Angleterre. S'il possédait un grand appartement à Berlin, il ne devait en fait y séjourner longuement qu'après la Première Guerre mondiale. Dans l'Allemagne wilhelminienne, il pouvait se sentir un immigrant au même titre que le Belge van de Velde. Ce dernier était d'ailleurs lui-même d'inspiration anglophile, et lui aussi était à la recherche d'une patrie qui ne fût pas sa patrie naturelle. Ses thèses rationnelles le rendaient en quelque sorte international, et il ne pouvait séjourner que là où il se sentait jouer le premier rôle et être le mieux compris. Toute sa vie, il sera à la recherche de cette patrie. De surcroît, les deux hommes ne pouvaient que s'entendre en raison de leur amour pour la France. Le Comte était un grand admirateur de la peinture impressionniste, à laquelle il s'efforçait de gagner ses amis berlinois, et c'est de Paris que l'artiste belge avait reçu ses inspirations capitales. La maîtrise et la vivacité des couleurs de ses espaces en témoignent. De par leur mode de vie, les deux hommes étaient attirés par l'Ouest, mais ils resteront liés à l'Allemagne par opportunisme. La chance réelle qui s'offrait à Weimar à leur action d'intermédiaire leur semblait visiblement plus importante que l'éclat d'une société parisienne déjà saturée.

Henry van de Velde, dans l'appartement du comte Harry Kessler à Weimar; même situation que sur la photo de gauche, avant la transformation de la salle à manger en salon, 1902

Henry van de Velde, projet pour un musée des arts appliqués à Weimar, 1903/04
Bruxelles, Archives La Cambre

Dans ses mémoires, van de Velde a donné une belle description de la personne du Comte, son ami: «La relation entre le comte Kessler et moi fut tout d'abord réservée et prudente, la première impression étant celle d'une distance profonde et insurmontable. Bien que nous nous sentîmes bientôt liés par une amitié inaliénable et quasi fraternelle, le sentiment de cette distance subsistera au cours des quarante années d'appartenance mutuelle. Physiquement, Kessler était d'une stature parfaite et d'une élégance naturelle et évidente. Il était certes un peu plus petit que la moyenne, mais bien proportionné et sans la moindre trace de corpulence. Des yeux intenses et lumineux, mais dénués de toute dureté, vous regardaient dans un beau visage; de temps à autre, on pouvait y voir une lueur autoritaire. S'il fallait chercher dans la littérature des personnages qui s'en rapprochent, on songerait au Dorian Gray d'Oscar Wilde ou à Jean des Esseintes, le personnage principal d'‹A Rebours› de Huysmans...»

A peine arrivés à Weimar, la première chose à faire avait été de décorer un appartement pour Kessler. La nécessité pour van de Velde de se faire remarquer à Weimar, nécessité qui avait encore pesé sur son travail berlinois, n'avait plus lieu d'être, et il put donc créer un aménagement extrêmement souple loin de la curiosité publique. On peut voir avec quelle subtilité il a été conçu et adapté à son propriétaire. Dans un premier temps, la pièce principale avait servi de salle à manger pour être transformée plus tard en salon (illustration p. 124). L'habillage du mur et une peinture du Français Maurice Denis seront laissés intacts. L'ambiance arcadienne de la pièce était encore merveilleusement complétée par un nu de Maillol, en regard duquel était posée sur une simple cheminée la copie en plâtre d'une partie de la frise du parthénon, comme pour confirmer qu'il s'agissait là d'une pièce «grecque» au sens moderne. La desserte en laque blanche est la déclinaison d'un type de meuble que van de Velde avait déjà dessiné précédemment à Berlin. Elle montre assez bien que le Japonisme, dont l'influence se faisait sentir dans tous les domaines artistiques aux alentours de 1900, n'inspirait pas seulement le traitement des surfaces dans l'Art nouveau. Le fin meuble à caissons peut être considéré lui aussi comme une délicate paraphrase des modèles extrême-orientaux. On y découvre partout des détails qui en soulignent discrètement les proportions, comme par exemple les garnitures métalliques et le mouvement évasé du plateau. Les chaises sont pour leur part une variante très personnelle du type Chippendale.

Les meubles nouveaux de la même pièce montrent qu'en changeant de lieu, leur auteur a légèrement modifié sa facture. Les impressions reçues par van de Velde au cours de son séjour à Darmstadt, où il visitait en 1901 l'Exposition en compagnie de Kessler, peuvent avoir eu une certaine influence. La promesse de ne plus faire paraître d'ornements pendant un certain temps a été tenue de façon tout à fait conséquente dans l'appartement de Weimar. Et pourtant, rien ne sent la rigidité, les objets font toujours une impression aussi vivante; ce ne sont plus leurs courbes qui produisent cette impression, mais leur logique et leur maniabilité. Nombre de détails confèrent à la pièce son ambiance décontractée, comme par exemple le fait que tout comme dans les autres pièces, le sol ait été garni de simples nattes.

Van de Velde ne devait pas hésiter à appliquer à l'architecture les principes éprouvés qui avaient eu le succès que l'on sait. Dans la mesure où il considérait ses théories comme applicables à tous les domaines, mais son activité architecturale ayant été assez limitée, on pouvait ressentir une certaine curiosité à l'égard des résultats. Le projet de reconstruction du Musée des Arts Appliqués (illustration p. 126), dont Kessler venait d'avoir la charge, démontre que l'entre-

Henry van de Velde, armoire, Weimar, peu après 1900, acajou
Francfort-sur-le-Main, Museum für Kunsthandwerk

Henry van de Velde, samovar, Weimar 1902, argent et bois d'ébène, hauteur: 37 cm
Zurich, Kunstgewerbemuseum

Henry van de Velde, service à thé, Weimar 1905, argent et buis, longueur du plateau: 50 cm
Hagen/Westphalie, Karl-Ernst-Osthaus-Museum

Henry van de Velde, assiette du service en porcelaine réalisé par la Manufacture de Meißen (cf. p.129), diamètre: 27 cm
Munich, collection particulière

Henry van de Velde, pièces d'un service en porcelaine réalisé par la Manufacture de Meißen, vers 1905

prise consistant à opérer une transposition directe du petit vers le grand était tout aussi douteuse qu'audacieuse. Le propos avant-gardiste se reconnaît dans le parti-pris globalement anti-conventionnel et une grande richesse plastique – seul un talentueux dilettante pouvait aborder l'architecture d'une façon aussi spontanée et aussi peu embarrassée –, mais on ne peut s'empêcher de constater à quel point la plus grande part a été dérivée de la conception de meubles. Ce qui pouvait avoir un sens dans ce dernier domaine, n'en avait pas nécessairement sur le plan architectural. L'apparence imposante de cet édifice aux dimensions plutôt réduites est le résultat de cette transposition directe dans les grands volumes. Ici encore, on voit apparaître le motif d'un arc censé introduire une certaine légèreté, mais hélas à peine conciliable avec l'intérieur du bâtiment. Force est cependant de constater que le mode de construction habituel avec pignon triangulaire, fenêtre rectangulaire et toit incliné a été évité. On doit bien reconnaître que la volonté d'innovation était globale.

Le projet ne put être exécuté et ce fut là une des premières déceptions que Kessler et van de Velde devaient connaître à Weimar. La collaboration avec l'artisanat local s'avéra en revanche d'autant plus productive. Le joaillier de la cour, Theodor Müller, et la manufacture de meubles Scheidemantel – toutes deux sises à Weimar – profitèrent visiblement de la présence de l'artiste, leur haut savoir-faire se voyant enfin totalement exploité. Les commandes reçues directement par van de Velde ne furent pas seules à insuffler une nouvelle vie à ce domaine. La vente d'objets réalisés d'après ses projets devait elle aussi y contribuer largement. Ceux qui en profitèrent le plus furent les fabricants de meubles en rotin à Tannroda, les tapisseries de Weimar, les potiers à Bürgel, les sculpteurs d'écume de mer à Rohla et les ferronniers d'art à Berka.

Le processus de réforme artistique sur une base commerciale fut systématisé en 1902 par l'introduction d'un groupe de recherches sur l'artisanat. Le but de cette création était de convaincre les ateliers de la nécessité soit d'une amélioration, soit d'une réorientation complète de leur production. Dans la pratique, cela

Rudolf Hentschel, pièces d'un service en porcelaine réalisé par la
Manufacture de Meißen, avec un décor d'arnica, 1906, diamètre de l'assiette: 25 cm
Munich, collection particulière

Konrad Hentschel, pièces d'un service en porcelaine réalisé par la
Manufacture de Meißen, avec un décor d'ailes, 1901, diamètre de l'assiette: 26 cm
Munich, collection particulière

Konrad Hentschel, pièces du service en porcelaine «Crocus» réalisé par la Manufacture de Meißen, 1896, hauteur de la cafetière: 20 cm Munich, collection particulière

signifiait que les designers des divers ateliers soumettaient, puis corrigeaient leurs projets sous la direction de van de Velde jusqu'à ce qu'ils soient mûrs pour la fabrication. Parmi les tâches de l'artiste, il y avait également des voyages d'inspection à travers le pays afin de ne pas négliger les petits ateliers. L'idée avantageuse d'une assistance par des séminaires n'était d'ailleurs pas nouvelle; une institution semblable avait déjà été fondée en 1882 avec la «Centrale archiducale de Saxe pour les arts appliqués», dont l'existence semble cependant avoir été de courte durée.

Si en venant à Weimar, van de Velde avait perdu sa clientèle berlinoise, rien ne l'obligeait à se limiter à la Thuringe ou à sa capitale. Les commandes devaient aussi affluer de la Saxe toute proche. Van de Velde jouissait d'une certaine notoriété à Dresde, où il avait commencé sa carrière allemande en 1897. Quatre chambres, qui avaient déplu à Paris en 1895/96, avaient eu un succès d'autant plus grand lorsqu'elles avaient été présentées un an plus tard à une grande exposition d'arts appliqués à Dresde. C'est là que bien avant son ascension berlinoise, on avait pu constater que c'était en Allemagne que les formes spécifiques de van de Velde étaient le mieux comprises. Vers 1905, ce premier pas sera suivi de l'installation de la Galerie Arnold à Dresde (illustrations p. 136, 137), qui exposait plusieurs pièces de van de Velde et montrait fort bien le parti-pris constructif adopté à cette époque par l'artiste. En même temps, la manufacture de Meißen, où l'on avait depuis longtemps introduit les décorations modernes, devait lui commander un service de porcelaine.

Henry van de Velde, projet pour un théâtre à Weimar, 1904
Bruxelles, Archives La Cambre

Henry van de Velde, deux vases en grès, Weimar 1902/04, Ateliers Reinhold Merkelbach, Höhr/Grenzhausen, hauteur: 21,5 et 23,5 cm
Munich, collection particulière

Henry van de Velde, jardinière en argent, cette pièce faisait partie d'une vaisselle nombreuse offerte en cadeau par le Land de Thuringe au couple archiducal, Weimar 1902, aujourd'hui disparu

Henry van de Velde, pièces d'une argenterie, Weimar 1903
Appartient à divers musées

Henry van de Velde, salle de musée présentée en 1906 à l'Exposition d'Arts Appliqués de Dresde; les peintures sont de Ludwig von Hofmann

Cet élégant service, dessiné en 1905 pour la Manufacture de Meißen (illustrations p. 128, 129) compte parmi les meilleures réalisations de l'artiste. Des lignes douces en définissent à la fois la forme et les ornements, qui découlent habilement l'un de l'autre. L'artiste a mis un grand soin à adapter les ornements aux divers éléments du service, c'est-à-dire à ne pas les appliquer de façon généralisante. Au motif circulaire de l'assiette correspond, sur le plan fonctionnel, le dessin plus soutenu des récipients. Bien qu'elles diffèrent par leur disposition, les lignes se ressemblent dans les deux versions et créent une unité entre tous les éléments du service. Très intelligent, le détail plastique qui prolonge le couvercle de la théière pour le faire entrer dans la partie supérieure de l'anse: le couvercle s'en trouve ainsi fermement maintenu. C'est en appliquant des principes semblables que van de Velde a réalisé des couverts d'argent (illustration p. 134). L'ornement s'y développe entièrement dans le dessin des manches; mais couteau, fourchette et cuiller se distinguent pourtant nettement les uns des autres. Chaque élément a une forme qui lui est propre, ce qui ne fait pas obstacle à l'unité générale du dessin.

Si achevées et sensées que puissent être ces formes dans le domaine des arts appliqués, elles restent en revanche douteuses dans leur transposition à la dimension supérieure de l'architecture. En accord avec sa conception, van de Velde pensait pouvoir procéder de la sorte, mais si la «Grande Salle de Musée pour Weimar» qu'il avait montée en 1906 à l'exposition d'arts appliqués de Dresde (illustration p. 135) dénotait une certaine musicalité, elle était dans

Henry van de Velde, espace d'exposition à la Galerie Arnold de Dresde, où sont présentées des pièces d'argenterie dessinées par l'artiste, vers 1905

l'ensemble surchargée d'éléments plastiques. Sa véhémence évoquait la salle de repos légèrement ampoulée avec laquelle van de Velde avait débuté à Dresde en 1897 – salle qui était venue s'ajouter aux quatre chambres parisiennes. Mais ici, presque dix ans plus tard, la même surcharge et la même conviction démonstrative étaient superflues. La logique artistique pouvait être juste au niveau du détail, mais elle ne l'était pas pour les dimensions. L'un des problèmes majeurs de l'Art nouveau, la transposition des arts appliqués vers l'architecture, se dévoilait ici avec trop d'insistance.

Même dans ses échecs, van de Velde devait être un prototype de l'Art nouveau, ce qui n'altère en rien l'importance qu'il aura pour Weimar. Pensée jusqu'au bout, la pratique d'une éducation artistique destinée à relever l'économie devait nécessairement conduire à s'institutionnaliser. Seule une institution pouvait lui permettre d'aller plus loin que ses actions ad-hoc de séminologue. C'est ainsi qu'en 1907 s'ouvrira une école d'arts appliqués placée sous la direction de van de Velde, école qui devait connaître une grande affluence dans les années qui suivirent. Le bâtiment qu'il construira dans ce but fait partie du petit nombre de projets architecturaux qu'il verra concrétisés (illustration p. 138). En dépit de ses modestes dimensions, cette construction manifeste une conception extrêmement précise et des caractéristiques très marquées par la technique, ce qui montre que van de Velde avait désormais trouvé un accès plus direct à l'architecture. Les caractéristiques de son style n'en sont pas perdues pour autant; le trois-quarts de cercle de la façade porte indéniablement sa marque. En tant que pédagogie de la cohérence fonctionnelle sous une forme artistique et imaginative, cet édifice est peut-être représentatif des meilleurs aspects de l'Art nouveau. Le centre de l'édifice avait en quelque sorte été marqué au compas – derrière les trois fenêtres supérieures se trouvait l'atelier de van de Velde –, définissant en même temps une liaison énergique entre le corps du bâtiment et la forme du toit. Ici, les éléments s'interpénètrent visiblement, rendant indissociable ce qui ailleurs apparaît souvent comme seulement composé. A côté d'autres innovations, la genèse d'un nouveau langage architectural fait partie des résultats les plus importants de ses premières années à Weimar, ses constructions ultérieures en apporteront d'ailleurs la confirmation.

Bien que Kessler et van de Velde eussent plutôt rencontré jusqu'alors l'indifférence de l'Archiduc plus que sa considération, ils nourrissaient tout de même l'espoir d'y faire face par la persévérance. Les deux hommes étaient infatigables. Kessler réussit à faire venir des expositions importantes à Weimar, en particulier des expositions d'art français. En 1903, ses activités conduisirent à la

Henry van de Velde, chandelier en argent, Weimar 1902 (ce chandelier se trouve à l'intérieur de la première vitrine sur la photo de gauche)
Londres, Kenneth Barlow Ltd.

Henry van de Velde, armoire d'architecte de la Galerie Arnold à Dresde, vers 1905
Munich, Galerie Stangl

Henry van de Velde, l'Ecole d'Arts Appliqués à Weimar, 1905/06

fondation du «Deutscher Künstlerbund», l'*Association des artistes allemands*, dans cette ville, association dont la renommée nouvelle ne tardera pas à faire parler d'elle. La grande tragédienne Louise Dumont envisageait d'établir son théâtre personnel à Weimar; van de Velde en dessina même les plans, mais le projet d'un «Bayreuth du théâtre» fut un échec. Alors que des espoirs étaient encore permis, van de Velde suivait les conseils du réformateur du théâtre anglais Gordon Craig, qui se plaisait à visiter la ville tout comme André Gide ou Hugo von Hofmannsthal. Ce dernier y séjournera même plusieurs fois. La ville accueillait, entre autres hôtes, Rainer Maria Rilke, Gerhart Hauptmann, Max Reinhardt et Ferruccio Busoni. La concentration de noms célèbres y était remarquable, la nouvelle «Athènes sur Ilm» semblait devoir revivre.

Si Weimar devait se montrer plus modeste que Darmstadt, ces deux villes avaient au fond les mêmes aspirations. Un aristocrate et un artiste, tous deux d'une époque déjà finissante, s'étaient associés dans chacune des villes afin de faire revivre une dernière fois un idéal commun. Il est difficile de dire jusqu'à quel point ces hommes avaient conscience d'être les derniers à en avoir les moyens. Si Kessler avait des traits communs avec l'archiduc de Hesse, le troisième terme de la comparaison, l'archiduc Wilhelm-Ernst était fort éloigné des deux autres, tant par le caractère que par les dispositions d'esprit. Après la mort prématurée de sa femme, l'influence culturelle que cette dernière exerçait à Weimar se perdit et l'atmosphère de la cour changea notablement.

En 1906, l'antipathie progressive de l'Archiduc aboutit à une affaire aussi célèbre que ridicule: Kessler avait convaincu Rodin de dédier un dessin de nu au souverain, sans doute dans le but de l'impressionner. Mais c'est exactement le contraire qui se produisit; au retour d'un voyage aux Indes, le prince ignora ostensiblement Kessler, et celui-ci se vit contraint de démissionner. C'est ainsi que l'élan culturel de Weimar fut brisé. Si Kessler et van de Velde continuèrent d'y habiter, il n'y avait plus guère de possibilités de développement pour leur amitié active. Van de Velde trouva une certaine compensation à Hagen, où Karl-Ernst Osthaus, homme extrêmement ambitieux sans être hélas un prince, lui procura de nombreuses commandes. Mais les travaux qu'il exécutera par la suite à Weimar montrent à quel point ce retrait de confiance l'avait atteint. En 1911, la tentative d'invoquer une dernière fois les esprits envolés avec un stade à la gloire de Friedrich Nietzsche échoua. Ce n'est qu'en 1919 que Weimar devait connaître une gloire nouvelle avec la fondation du Bauhaus, qui procédait en partie de l'Ecole d'Arts Appliqués fondée par van de Velde. Mais cette ascension devait hélas être de courte durée.

Henry van de Velde, poignées de porte du Nietzsche-Archiv à Weimar, 1903

Henry van de Velde, fauteuil à bascule, Weimar 1904, acajou et cuir
Francfort-sur-le-Main, Museum für Kunsthandwerk

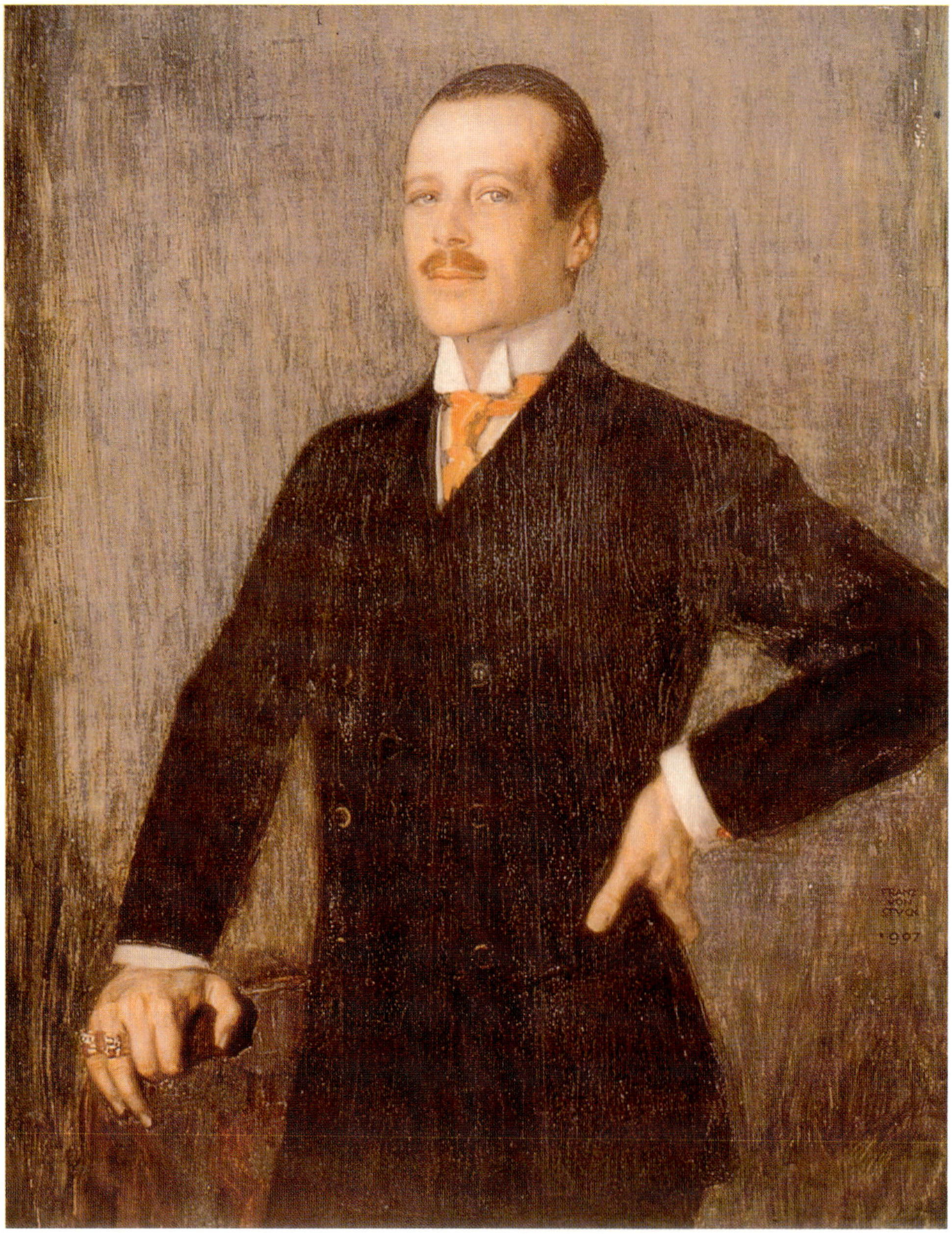

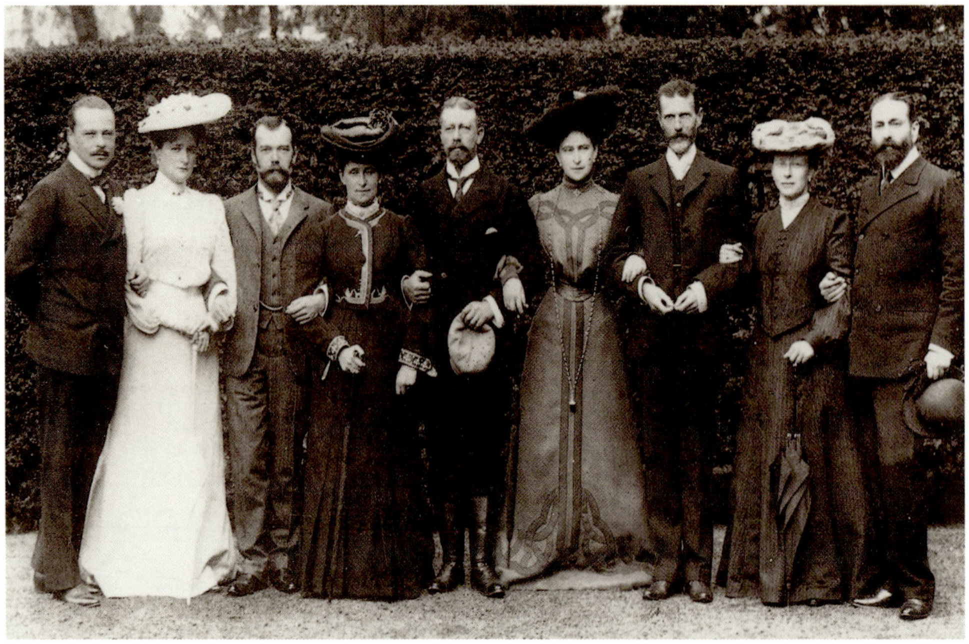

Darmstadt

Il était une fois un prince intelligent et audacieux, qui avait du style et qui encourageait les arts. Ce prince ne se contentait pas de les cultiver dans sa propre ville, il allait même jusqu'à les pratiquer occasionnellement. Pour que son pays connaisse le bien-être et la notoriété, il s'efforçait d'encourager les arts appliqués par des commandes bien payées. Pour s'aider dans cette tâche, il fit appel à de jeunes artistes et organisa une immense fête pour faire connaître au monde ses intentions.

C'est là le conte qui semble s'être déroulé à Darmstadt lorsque l'archiduc Ernst-Ludwig procéda à l'inauguration de l'exposition «Ein Dokument Deutscher Kunst», *Un Document de l'art allemand*, qu'il avait lui-même organisée et dont il avait probablement lui-même pris l'initiative. C'était en 1901; le titre de l'exposition était loin de rendre compte de la petite merveille qu'elle recelait: une colonie d'artistes entièrement construite dans le nouveau style. La «Mathildenhöhe», douce colline située non loin du centre de la ville, servit de domaine d'exposition, un vaste bâtiment d'ateliers en constituant l'axe architectonique, autour duquel venaient se grouper sept maisons. Dans l'ensemble, c'était là un programme plein de bonnes intentions, tous les bâtiments ayant été conçus par le même architecte; c'était donc un programme dont l'unité stylistique était totale. Rétrospectivement, le choix des sept artistes qui devaient être les acteurs et en quelque sorte le vivant inventaire de l'entreprise semble nettement moins convaincant. Les deux peintres et les deux sculpteurs du groupe étaient des talents remarquables, mais sans plus. Un jeune architecte d'intérieur était là en invité et se mouvait dans l'ombre de Joseph Maria Olbrich, architecte nettement plus expérimenté qui s'était déjà fait un nom à Vienne, et qui devait rapidement devenir une star à Darmstadt. Son entente particulière avec la personne de l'Archiduc, à qui il ressemblait par certains aspects, mais aussi son exceptionnelle virtuosité, l'aidèrent dans cette ascension. Il était en outre le seul architecte diplômé de la colonie. En fait, seul le septième artiste du groupe était en mesure de lui faire concurrence. Il s'agissait du peintre, graphiste et concepteur Peter Behrens, qui avait été appelé de Munich. C'est d'ailleurs ce dernier qui sera en réalité le grand gagnant de cette compétition artistique, même si c'était Olbrich qui donnait le ton et qui devait ensuite conserver sa position à Darmstadt. Sur le plan stylistique, ces hommes constituaient la plus parfaite antithèse.

Initialement, seuls les sept artistes évoqués devaient vivre dans les sept maisons, mais comme ils n'avaient pas tous les moyens de payer le bâtiment construit sur le terrain qu'on leur avait offert, deux des maisons déjà terminées furent achetées par un fabricant de meubles, qui profita de la décoration qui lui fut livrée pour promouvoir ses propres capacités. Cela avait été rendu possible par

Page précédente: portrait de l'Archiduc Ernst-Ludwig de Hesse et de Rhénanie par Franz von Stuck, 1904, Schloßmuseum de Darmstadt, et l'Archiduc avec sa parenté russe et anglaise. Le troisième en partant de la gauche est le Tsar Nicolas II, Darmstadt 1905

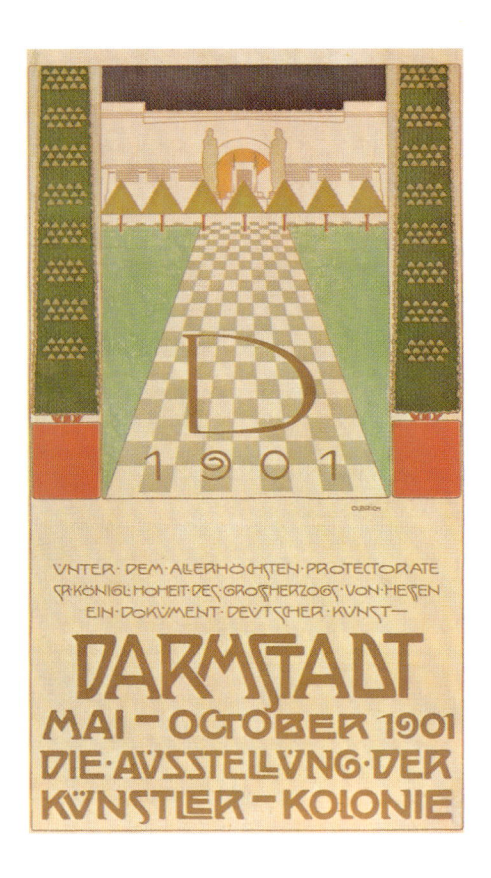

Joseph Maria Olbrich, affiche pour l'inauguration de la colonie d'artistes de Darmstadt en 1901
Darmstadt, Museum Künstlerkolonie

Joseph Maria Olbrich, pavillon d'exposition, construit pour l'exposition de la colonie d'artistes de Darmstadt en 1901

Joseph Maria Olbrich, 1867–1908
Etudes à l'Académie des Beaux-Arts de Vienne, de 1890 à 1893. Boursier du «Prix de Rome», voyage en Italie et en Afrique du nord avant d'entrer dans le bureau d'études de Otto Wagner. Olbrich devait rester quatre ans chez Wagner, il collabora aux plans des stations du métro et réalisa l'immeuble de la Sécession viennoise. Invité par l'archiduc Ernst-Ludwig de Hesse, Olbrich s'installa à Darmstadt, où il dirigera pendant huit ans la construction de la colonie d'artistes de la Mathildenhöhe.
Œuvres principales: l'immeuble de la Sécession à Vienne, 1898; maisons de la Mathildenhöhe à Darmstadt, 1900–1908; le grand magasin Tietz à Düsseldorf, 1906–1908.

l'ouverture au public de toutes les constructions dans le cadre de l'exposition. L'ensemble de l'entreprise n'avait d'ailleurs pas des buts purement désintéressés, car le prince qui en était l'initiateur avait toujours lié son intérêt personnel pour l'art à un soutien actif de l'économie de la Hesse. Mais le facteur commercial se cachait discrètement sous la façade esthétique, qui semblait visiblement l'emporter. L'absence d'effets théâtraux coutumiers de ce genre de manifestation avait eu un impact notable. Il n'y avait aucun trompe-l'œil; ce que l'on visitait n'était en fait ni plus ni moins que la complexe réalité elle-même. En dépit de quelque solennité dans les détails, notamment au moment de l'inauguration de l'exposition, l'ensemble avait un caractère joyeux et dénué de toute contrainte.

Pour une entreprise se déroulant en pleine Allemagne impériale, tout cela était fort inhabituel. Le sentiment était que l'on avait affaire à une rébellion dûment organisée, car il était évident que Ernst-Ludwig entendait présenter un contre-modèle à la lourdeur et au pathos wilhelminien. Avec le titre de l'exposition, il était évident que l'Archiduc proposait lui aussi un concept national, mais il comprenait bien sûr son engagement d'une toute autre façon que Berlin – dont beaucoup de choses le séparaient. Apparenté à la maison royale d'Angleterre par sa mère et élevé dans une grande ouverture d'esprit, il avait été marqué de ce côté par bien des aspects – ce qui avait des conséquences sur une attitude extrêmement maîtrisée, mais aussi sur l'idée qu'il se faisait de ses devoirs de prince et de souverain.

Largement exclu d'une collaboration politique au sein du Reich par le caractère autocratique du Kaiser, il s'était donc concentré sur son pays, s'efforçant de lui faire jouer un rôle culturel. Cela avait surtout eu des effets bénéfiques pour Darmstadt, la capitale. Depuis le milieu du 19ème siècle, cette petite ville de garnison s'était développée pour devenir une ville industrielle dont les activités étaient principalement axées sur l'industrie lourde, l'industrie chimique et la construction de meubles. Du point de vue architectural, la ville avait déjà été embellie par l'architecte de la cour Georg Moller, et Ernst-

Ludwig songeait lui aussi à en faire autant. Une des premières décisions du jeune Archiduc, appelé à régner dès l'âge de trente-trois ans, fut de choisir pour la reconstruction du musée de la Hesse, situé à Darmstadt, un architecte jusqu'alors inconnu, et qui devint donc d'autant plus célèbre, Alfred Messel. Ernst-Ludwig n'hésitait nullement à se fier uniquement à son propre jugement. Occasionnellement, cet amateur de Wagner s'était déjà essayé comme metteur en scène d'opéra. L'idée de présenter en 1901 son manifeste artistique essentiellement sous la forme d'une initiative personnelle était de toute évidence elle aussi d'inspiration anglaise. Si cet acte de mécénat avait très clairement pour but de servir le bien-être d'autrui, l'exposition devait également contribuer, quoique de façon indirecte, au bonheur et à la reconnaissance du souverain. Il est vrai que l'Archiduc avait pris un grand risque. Dans la mesure où l'aspect artistique était prédominant, il était compréhensible, quoique d'une vision un peu étroite, que l'entreprise n'ait été considérée par les critiques que comme un événement esthétique, et que l'affront politique qu'il constituait en ait été passé sous silence. Peut-être cela était-il dû avant tout à une certaine gêne, car une initiative venant aussi ostensiblement d'«en-haut» devait nécessairement être condamnée. La particularité réelle de l'événement n'avait pas été vue, bien que Georg Fuchs, auteur officiel de la manifestation, s'efforçât de faire ressortir l'opposition entre Darmstadt et les métropoles qui donnaient le ton – Berlin et Munich –, entre l'Archiduc et le Kaiser: «Ce fut un acte fort audacieux de la part du fondateur de la colonie d'artistes, lorsque, se dressant contre l'apparente toute-puissance des grands centres artistiques, il affirma l'indépendance de Darmstadt: lorsqu'il s'efforça dans toute la mesure du possible de faire échapper sa création à l'arbitraire et aux influences souvent néfastes qui ont sans cesse pour but de rabaisser la grandeur, d'élever la bassesse et de nourrir la médiocrité.»*

Ce qui voyait le jour à Darmstadt dans un cadre provincial était une architecture qui n'avait elle-même rien de provincial. Les dimensions humaines

Joseph Maria Olbrich, pavillon d'entrée construit pour l'exposition de la colonie d'artistes de Darmstadt en 1901, à l'arrière-plan, la chapelle russe pour la parenté de l'Archiduc

Paul Bürck, carton d'invitation pour l'inauguration de la colonie d'artistes de Darmstadt le 15 mai 1901
Darmstadt, Museum Künstlerkolonie

*Georg Fuchs: Un Document de l'art allemand, in: Alexander Koch (éditeur): Ernst-Ludwig et l'exposition de la colonie d'artistes à Darmstadt Mai-octobre 1901, Darmstadt 1901

Joseph Maria Olbrich, coupe transversale de la Maison Ernst-Ludwig à Darmstadt et façade de l'entrée du complexe d'ateliers avec les sculptures «Force» et «Beauté» de Ludwig Habich, 1901

du lieu étaient avantageuses, car la nouveauté pouvait s'y épanouir sans entraves mieux que dans une grande métropole; mais dans la mesure où le défi se voyait ainsi limité, l'ensemble devait nécessairement perdre quelque chose de sa grandeur. L'extérieur aimable que dénotaient toutes les maisons construites par Olbrich était d'une portée restreinte, bien que prometteuse. Si dans l'ensemble, on avait donc affaire à des débuts prometteurs, la réalisation n'était pas suffisamment aboutie dans les détails. On vit ainsi apparaître des traits maniérés tels qu'ils caractérisaient déjà les premières œuvres d'Olbrich. Le bâtiment le plus original jusqu'à ce jour reste celui des ateliers, où des surfaces vitrées inclinées éclairent huit pièces de travail juxtaposées. La façade principale ne comporte qu'un petit nombre de fenêtres dans la mesure où elle est orientée au sud. L'agencement sobre et fonctionnel du complexe est précédé d'un riche portail en forme de trois-quarts de cercle, flanqué de deux sculptures monumentales. Tout bien

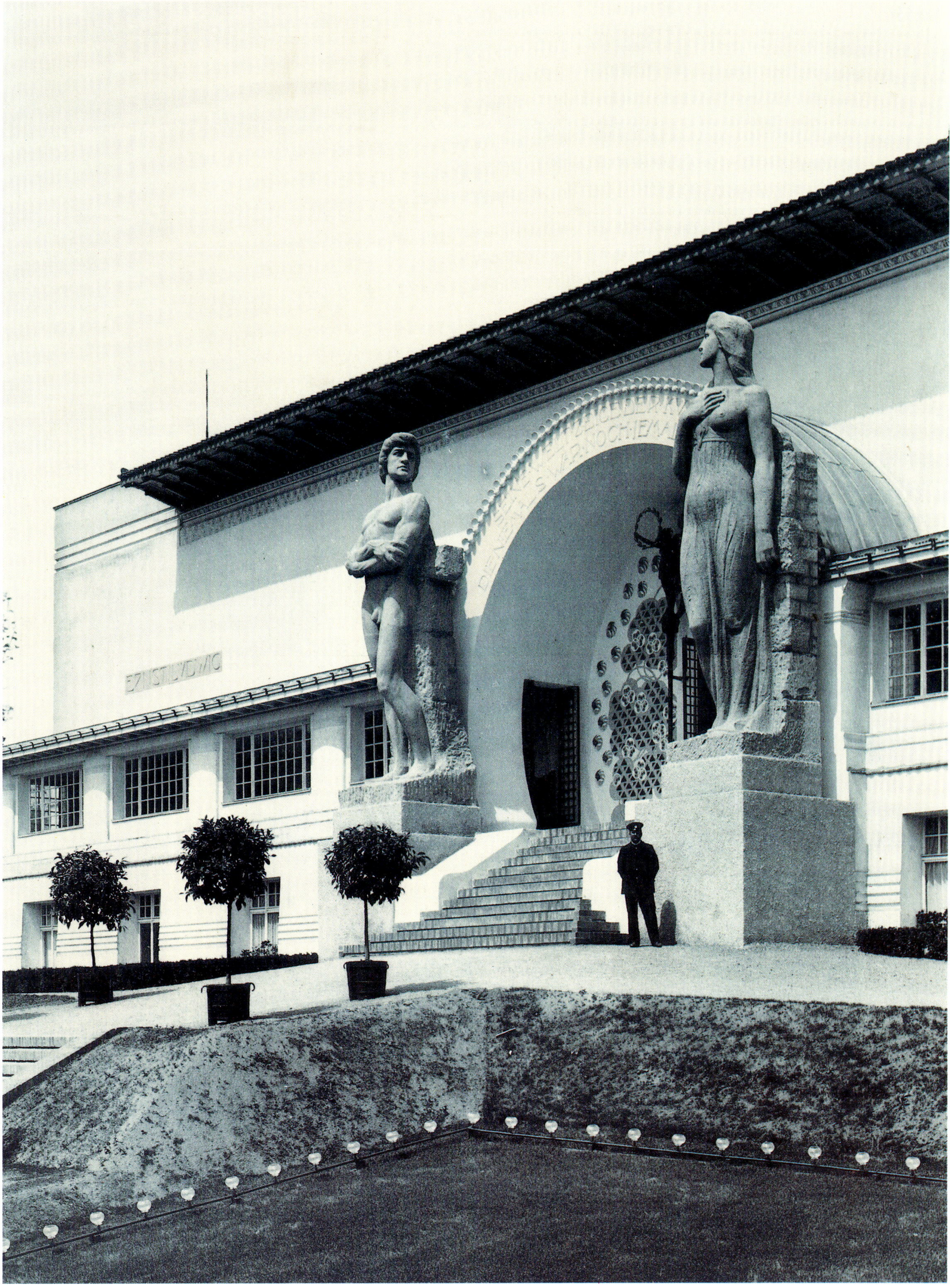

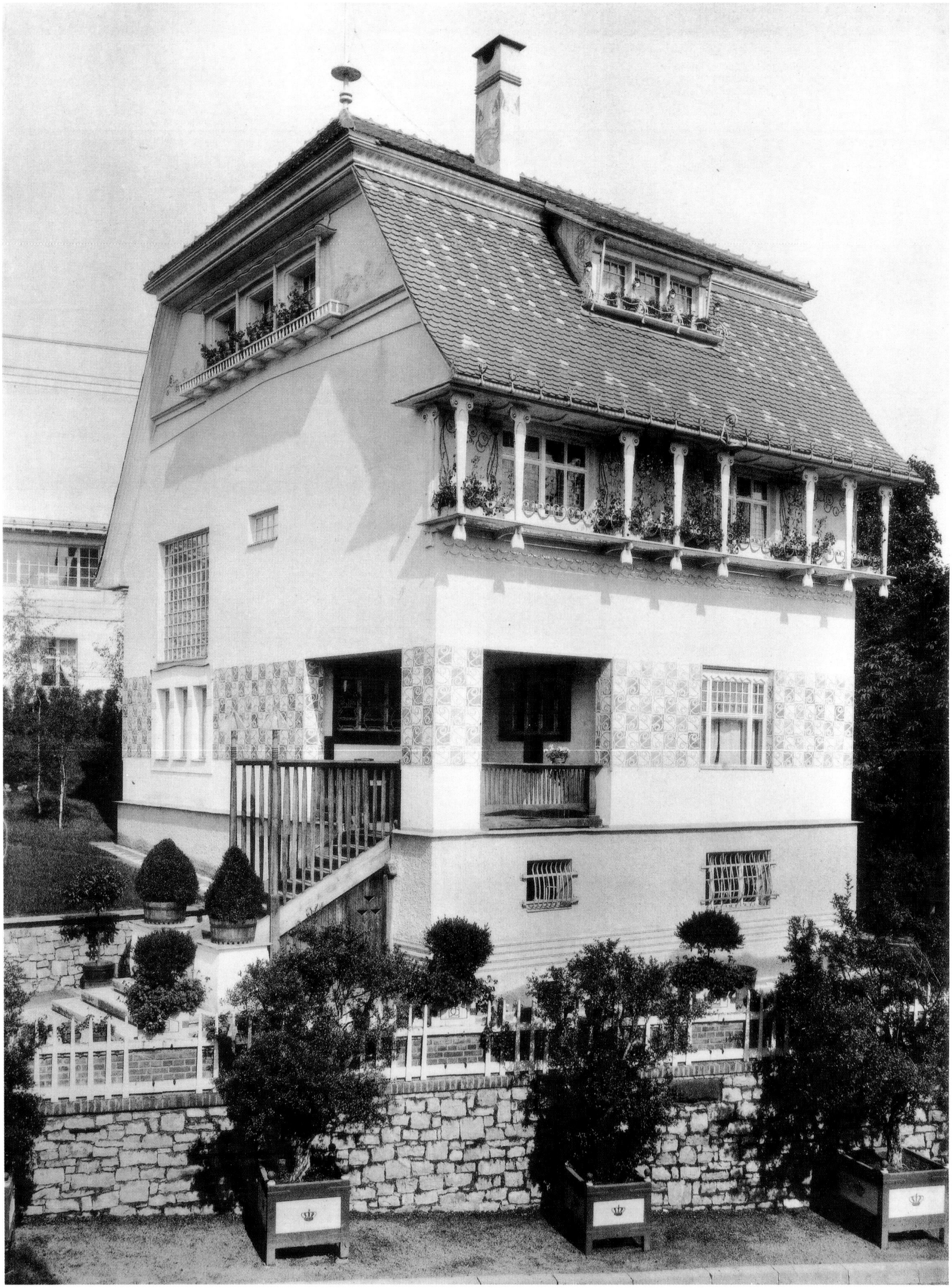

Joseph Maria Olbrich, vue d'ensemble et entrée de la maison de l'artiste à Darmstadt, 1901

considéré, l'arc est trop grand et les statues trop imposantes – et pourtant, on est en présence d'un équilibre étonnant. Ce n'est pas l'architecture qui constitue l'élément déterminant, mais les sculptures. Ces figures, caryatides sorties de leur élément, redressent fièrement la tête et règnent sur le bâtiment. La puissance de l'ensemble est toute concentrée en elles, tandis que le reste semble trop délicat, voire fluet. Cette impression est encore renforcée par l'aspect partiellement inachevé des sculptures, qui se démarque ainsi nettement de l'apparence lisse et diaphane de l'architecture.

On a procédé ici à diverses inversions: ce qui au départ était solide est à présent empreint de faiblesse, tandis que des matériaux plus fragiles affichent une grande puissance. Le caractère massif de la construction semble vulnérable, et sa vulnérabilité déborde de vitalité. L'on a ainsi une impression semblable à celle que l'on avait face au bâtiment de la Sécession viennoise, qui avait rendu Olbrich célèbre en 1899. Des blocs lourds de plusieurs tonnes donnaient l'im-

Joseph Maria Olbrich, projet pour la Maison Christiansen à Darmstadt, vers 1900

pression d'être des cloisons de papier, et les divers plans de la construction semblaient agencés d'une façon si légère qu'on avait le sentiment de pouvoir les déplacer à tout moment. Cette architecture a quelque chose de «nomade», elle donne l'impression d'avoir été dressée à la hâte.
Les bâtiments situés à l'entrée de l'exposition et une salle d'exposition pour les arts de surface (illustrations p. 142, 143) qui se trouvait au bout du court chemin en aval des ateliers avaient pour leur part été des pavillons provisoires. Tandis que les architectures à arcs font songer à une fête foraine ou au grand bazar, l'autre bâtiment évoquait une galère renversée. Les éléments porteurs latéraux, dénués de sens architectural mais d'un certain effet, évoquaient une rangée de rames. La forme arquée, extrêmement originale et audacieuse, masquait en fait l'absence de profondeur de l'ensemble. Ce qui apparaissait comme un mur frontal n'était en réalité qu'un mur longitudinal. Par la suite, Olbrich a continué de proposer des plans au sol tout à fait comparables.
Moins spectaculaires que le complexe des ateliers et la salle d'exposition, les six villas également construites par Olbrich. Elle constituent en partie une variation sur des formes traditionnelles, ce que viennent habilement cacher de riches décorations. Une disposition et un dessin vivants des fenêtres contribuent

à donner aux maisons une apparence plus originale qu'elles ne le sont en réalité. Ceci vaut en particulier pour la propre maison d'Olbrich (illustrations p. 146, 147) et pour celle du peintre Hans Christiansen. En revanche, la maison destinée au sculpteur Ludwig Habich (illustration p. 150) et la plus petite des deux villas achetées par le fabricant de meubles Glückert (illustration p. 151) font preuve d'une plus grande originalité architecturale et d'un peu moins de fantaisie décorative. La forme fondamentale, cubique dans les deux cas, a soit été ouverte, complétée et couronnée de façon impressionnante, soit renforcée par une élévation en forme de demi-tonneau. La progression des articulations de la première maison, côté pente, démontre une étonnante virtuosité; le toit, totalement plat, est lui aussi très original. On ne découvre jamais de façades principales ou secondaires; l'extérieur semble tour à tour s'ouvrir et se refermer et être entièrement conditionné par l'intérieur. Sur l'extérieur, l'effet est un «désordre» vivant de pans de murs lisses et de multiples formes de fenêtres. Tout contrôle est pratiquement impossible pour le spectateur, mais ce dernier peut ressentir que l'équilibre a tout juste été maintenu. L'architecture est ici un exercice de virtuosité susceptible d'étonner et de séduire. Le caractère méditerranéen de l'ensemble renforce encore ce sentiment.

Joseph Maria Olbrich, la cheminée de la Maison de l'artiste à Darmstadt, 1901

Joseph Maria Olbrich, la Maison Habich à Darmstadt, 1901

Joseph Maria Olbrich, la petite Maison Glückert à Darmstadt, 1901

En règle générale, l'intérieur des villas était aménagé de telle manière qu'une salle sur deux niveaux en constituait le centre (illustration p. 152). La grande taille de ces pièces donna à Olbrich la possibilité de développer abondamment un talent décoratif encore contenu à l'extérieur. Une articulation architecturale généralement peu marquée s'y mêle à une profusion de surfaces recouvrant impitoyablement l'ensemble. On ne peut s'empêcher d'y reconnaître les traits d'une fureur barbare qui ne pouvait que surprendre après une introduction aussi différente. Le tapissier décorateur anéantissait l'architecte, et comme on ne pouvait méconnaître qu'il s'agissait d'une seule et même personne, il en résultait nécessairement un sentiment d'ambiguïté. C'est d'ailleurs à ce point que devait s'en prendre la critique, par exemple lorsque van de Velde, qui prenait facilement la mouche, décida du jour au lendemain de ne plus dessiner d'ornements pendant deux ans – ce qui lui fit d'ailleurs du bien! Le maniérisme qui avait marqué l'extérieur des ateliers, mais qui y avait eu un effet tonique, se faisait ici gratuit et suffisant. Aujourd'hui encore, on ne peut s'empêcher de ressentir qu'Olbrich, pris par le temps, avait succombé à la tentation d'en faire trop. La minceur de la plupart des aménagements intérieurs montre qu'ils ont été conçus à la hâte. Cela devait changer par la suite, bien qu'il allait alors y manquer la belle absence de scrupules qui caractérise l'architecture de l'exposition.

Le joyeux jeu champêtre de l'architecture d'Olbrich connut un contrepoint carrément dramatique avec la villa que Peter Behrens, qui pourtant n'était pas

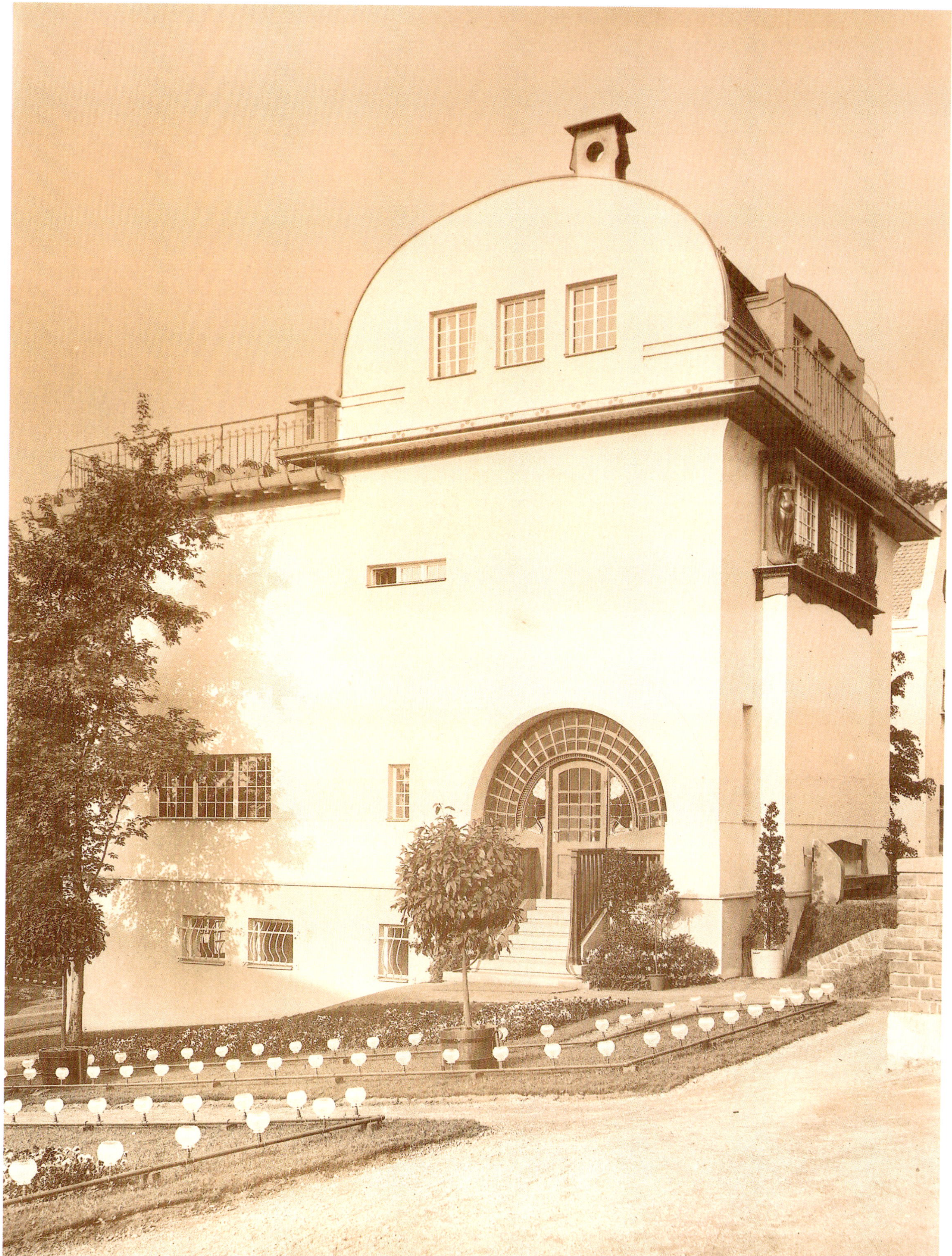

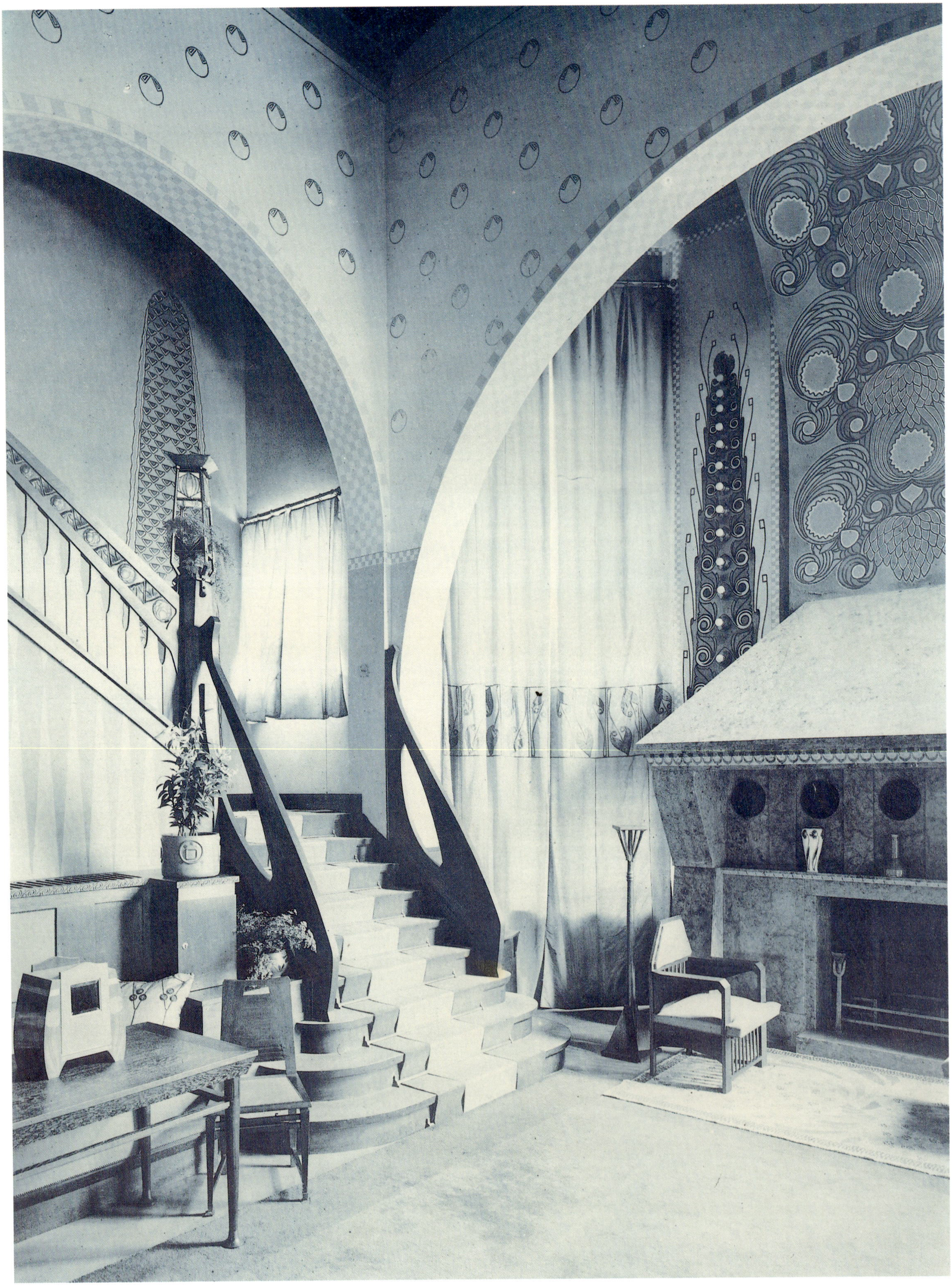

Joseph Maria Olbrich, la salle de la grande Maison Glückert à Darmstadt, 1901

Joseph Maria Olbrich, l'entrée de la grande Maison Glückert à Darmstadt, 1901

architecte, avait été le seul à se construire (illustration p. 155). Là, les choses changeaient soudain du tout au tout. Des formes rigoureuses y remplaçaient la frivolité, la détermination remplaçait l'ambiguïté. D'impressionnantes liernes d'angle de couleur composent la maison et lui donnent des contours nets. Tous les éléments dynamiques – pignons échancrés et bourgeonnements de flammèches – devaient se soumettre à cet ordre. Ils sont cependant suffisamment vigoureux pour pouvoir faire office de contrepoint. Ainsi se manifestait une tension faite de puissance et non d'ambiguïté, comme c'était le cas chez Olbrich. Behrens n'avait jamais su être coquet, il ne le sera pas davantage par la suite!

Le caractère exemplaire de sa maison fut rapidement compris et salué comme il le méritait. L'intelligent critique Karl Scheffler, qui n'était guère enclin à l'exagération, alla même jusqu'à rapprocher la construction de Behrens de la littérature moderne. «C'est pourquoi nous voyons dans la maison de la Mathildenhöhe une construction digne de Solness, un refuge pour l'homme de l'avenir qui, par le travail de ses ancêtres, se verra élevé au-dessus de l'asphyxiante lourdeur d'une lutte existentielle étouffante, par un foyer qui aura su sauver la nouvelle forme de société de la noyade dans les doutes de la foi et la détresse sociale, qui aura su attirer à lui la beauté pour la sauver de la science.» Les visiteurs auront sans doute ressenti quelque chose de semblable; ils n'auront pas été surpris par l'intérieur, où la rigueur extérieure se transformait en solennité. De lourdes formes obscures emplissaient le salon de musique, l'atelier et la chambre pour les dames. Seule la salle à manger, avec ses tonalités de blanc, rouge et argent (illustration p. 154), faisait exception à cette règle. En dépit de leurs divergences, Olbrich et Behrens se retrouvaient sur le plan d'un mobilier nettement germanisant. Par l'intérieur de leurs maisons – tout comme dans le for intérieur de leur âme d'artistes -, les deux hommes montraient qu'ils

Peter Behrens, salle à manger de la maison de l'artiste à Darmstadt, 1901

Peter Behrens, 1868–1940
Originaire de Hambourg, Peter Behrens fait ses études de peinture à Karlsruhe et Düsseldorf pour vivre à Munich après 1890. Co-fondateur de la Sécession munichoise en 1892 et membre fondateur des « Vereinigte Werkstätten für Kunst im Handwerk » en 1897. De 1899 à fin 1903, il travaille dans la colonie d'artistes de Darmstadt. Ensuite, il dirige l'Ecole d'Arts Appliqués de Düsseldorf, et en 1907, Emil Rathenau le convainc de devenir conseiller artistique pour AEG Berlin. A partir de 1922, il dirige comme professeur l'Eco-le d'Architecture de l'Académie de Vienne. En 1936, il reprend l'Atelier d'Architecture de l'Académie des Beaux-Arts de Berlin.
Œuvres principales: sa propre maison à Darmstadt, 1901; la fabrique de turbines de AEG à Berlin, 1908/09; l'ambassade d'Allemagne de St. Petersbourg, 1911/12.

avaient pris au sérieux le titre et le propos de l'exposition « Un Document de l'art allemand ».

Quoi qu'il en soit, la maison de Behrens avait marqué une étape; et avec elle, l'exposition faisait preuve du sérieux nécessaire pour tenir tête au jugement des critiques les plus récalcitrants. Le résultat allait ainsi bien au-delà du propos de l'exposition, celle-ci ayant prouvé qu'il était possible de pratiquer une architecture nouvelle. Elle avait en outre été le résultat d'une compétition amicale. La communauté d'artistes qui, bien qu'idéalisée, avait cependant connu un grand succès, ne subsistera pas longtemps. Si elle ne pût être maintenue dans sa forme première, les éléments manquants furent toujours remplacés. En 1903, Behrens se rendit à une nomination à Düsseldorf, où il aura ensuite l'occasion de donner plus d'une fois libre cours à sa tendance au pathos – que ce soit dans le détail, comme le montre la lampe dessinée pour l'Archiduc (illustration p. 159), ou encore en grand, comme dans la salle de Hambourg à l'exposition de Turin en 1902 (illustration p. 158). Pour lui aussi, comme pour la majorité des artistes de l'époque, la différence entre architecture et arts appliqués était inexistante, et il semble qu'il ait parfois confondu les deux et cherché à transformer tous ses projets en monuments.

Peter Behrens, la maison de l'artiste à Darmstadt, 1901

Peter Behrens, représentation ornementale de la maison de l'artiste à Darmstadt, 1901

Parmi les jeunes artistes célèbres qui commencèrent leur carrière vers 1900, Behrens était sans doute le plus complet. Tout comme van de Velde et Riemerschmid, il avait débuté comme peintre pour suivre ensuite l'évolution d'un concepteur-designer à Munich. Darmstadt lui avait permis de se faire connaître. D'emblée, il s'était affirmé comme un architecte capable de penser avec précision. Cette précision et l'envergure de ses conceptions se reconnaissent dans la salle à manger de sa maison, où des lignes rigoureuses ont été appliquées à tous les éléments de l'aménagement – à commencer par le plafond, jusqu'aux portes et aux dossiers des chaises (illustration p. 154) en passant par les lampes. Sur ce point, il se rapprochait de van de Velde et de l'«œuvre d'art totale»: on sent bien qu'une pièce dont la mise en forme dégage une telle intensité devait également modeler tout ce qui s'y passait.

Il était prévisible qu'un artiste dont le langage était aussi affirmé devait rapidement faire carrière en Allemagne; Darmstadt ne pouvant représenter qu'une étape transitoire. Les domaines d'action qui suivront cette étape seront Düsseldorf, Hagen et Berlin, mais aussi les régions industrielles du Rhin et de la Ruhr. Behrens fut l'un des rares artistes à faire le chemin inverse de ce qui se pratiquait le plus couramment en allant de la périphérie vers le centre. Il ne connaissait

Peter Behrens, porte d'entrée de la maison de l'artiste à Darmstadt, 1901

Peter Behrens, pièces d'un service en porcelaine dessiné pour la salle à manger de sa propre maison, fabrique de porcelaine de Weiden, frères Bauscher, diamètre de la plus grande assiette: 25 cm
Nuremberg, Germanisches Nationalmuseum

apparemment pas les mêmes scrupules que les autres artistes, et sa réussite sera remarquable. En 1909, il devint à Berlin l'architecte en chef de la puissante AEG, dont il dessinera également les produits. Ce fut là une percée décisive, car l'association recherchée entre l'«art» et l'«industrie» se réalisait désormais à grande échelle, un représentant de l'Art nouveau ayant su accéder aux étages de la direction.

Behrens était ainsi devenu un «artiste industriel» dirigeant un empire de la conception. Mais l'abondance des commandes — villas, usines, expositions, ainsi que l'ambassade d'Allemagne de St. Petersbourg — rendit son style de plus en plus routinier. La plupart des choses qui portaient son nom étaient relativement schématiques. Il est probable qu'il eut à peine le temps d'y jeter un regard, car il pouvait s'en remettre à un bureau d'études riche en personnel. Deux des meilleurs représentants de la nouvelle génération d'architectes, Ludwig Mies van der Rohe et Walter Gropius, eurent ainsi l'occasion de travailler pour lui. A tout cela s'ajoutait le fait que Behrens était un artiste spécifiquement alle-

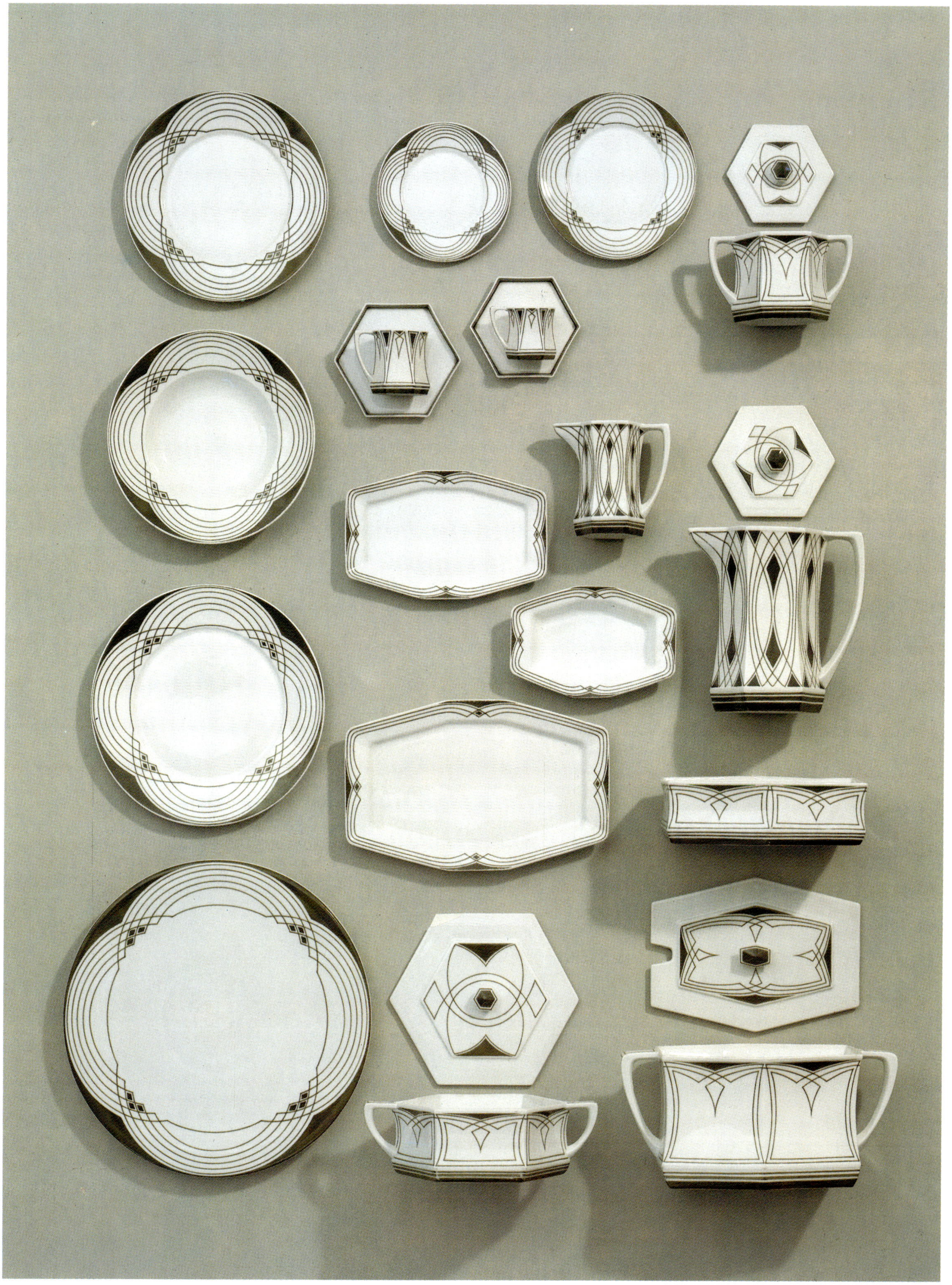

Peter Behrens, la «Hamburger Halle» présentée à la grande exposition d'arts décoratifs modernes de Turin en 1902

mand. Extérieurement, on peut reconnaître ce fait dans le pathos wagnérien auquel il donna libre cours pendant les premières années, mais aussi dans les hymnes correspondants que ses exégètes surent trouver pour le décrire. A propos du «Vestibule de la Maison de la puissance et de la beauté» – c'est-à-dire le grandiloquent complexe de l'exposition de Turin (illustration p. 158) –, Georg Fuchs, que nous avons déjà écouté à propos de Darmstadt, pouvait ainsi écrire: «‹Entre, étranger, ici règne le Reich allemand; regarde d'un cœur réjoui ce dont il est capable!› Une telle sentence devrait être gravée à la porte d'entrée. Car ce qui s'exprime muettement dans cette salle, c'est la puissance de l'empire wilhelminien mûri, armé et décidé, affirmant sa place à égalité de droit, de possession, et d'autorité à côté des puissances mondiales au moment du partage du globe que le destin des peuples a annoncé comme son irrévocable décision.» L'assaut avait été donné et l'avant-garde se voyait récupérée avec une effrayante rapidité. Et pourtant, l'auteur avait certainement senti fort justement que Behrens était un artiste conformiste qui pouvait être gagné à n'importe quelle cause. Une sorte de devoir de l'obéissance semblait l'y contraindre, et comme le modernisme modéré qu'il représenta peu après 1900 était facile à faire comprendre, son succès sera total.

Parmi ses bienfaiteurs, il y avait également eu à Darmstadt l'éditeur Alexander Koch, qui publiait depuis 1890 le magazine «Innendekoration», *Décoration intérieure*, qui fut remplacé quelques année plus tard par «Deutsche Kunst und Dekoration» *Art et décoration allemandes*. Cet homme influent et partisan, qui s'attribuait une bonne part de la réalisation de l'exposition de 1901, joua en fait

Peter Behrens, lampe de bureau, Darmstadt 1902, bronze et verre teinté, hauteur: 70 cm Darmstadt, Großherzogliche Hessische Privatsammlung

la même année un rôle plus important en lançant un concours destiné à réunir des projets pour le «Haus eines Kunstfreundes», la *Maison d'un amateur d'art*. L'un des prix du concours fut gagné par l'Anglais Baillie Scott qui, avant 1900, avait déjà dessiné pour l'Archiduc des pièces dans un style très britannique. Mais le grand triomphateur de cette manifestation spectaculaire avait été l'Ecossais Charles Rennie Mackintosh. Il obtint le second prix sous prétexte que ses documents n'étaient pas complets. Même si ses projets ne furent réalisés à l'époque ni à Darmstadt ni ailleurs – mais seulement en 1990 à Glasgow! –, l'éclair du génie n'en avait pas moins effleuré Darmstadt.

Contrairement à d'autres, qui n'étaient que de passage ou qui ne se déplaçaient même pas pour une ville comme Darmstadt, Olbrich y restera en fait parce que Ernst-Ludwig fut assez intelligent, confiant et audacieux pour savoir le garder. En 1904, 1908 et 1914, d'autres expositions suivirent. Elles étaient semblables à la première par l'accent qu'elles faisaient porter sur l'architecture. De nouvelles maisons furent construites et aménagées de façon exemplaire, mais ce qui force l'admiration, ce sera la sûreté de jugement du prince. En 1904, la réalisation centrale était un «Groupe de trois maisons» (illustration p. 161), avec lequel Olbrich montra qu'il savait également donner à son imagination des traits plus rigoureux. Sans que l'invention en pâtisse, l'ensemble extrêmement diversifié manifeste une puissance certaine, mais aussi une plasticité reposant sur des valeurs proprement architecturales. On a le sentiment qu'Olbrich fut assez intelligent pour accepter la leçon de Behrens. En même temps, on sent qu'avec l'affermissement de son architecture se dessine la montée d'un nouveau classi-

Joseph Maria Olbrich, verre à vin blanc, Darmstadt, vers 1900, G. Bakalowits & Fils, Vienne, hauteur: 25 cm
Munich, collection particulière

Joseph Maria Olbrich, cuiller, Darmstadt, vers 1900, métal argenté, Christofle & Cie., Paris, longueur: 23 cm
Darmstadt, Museum Künstlerkolonie

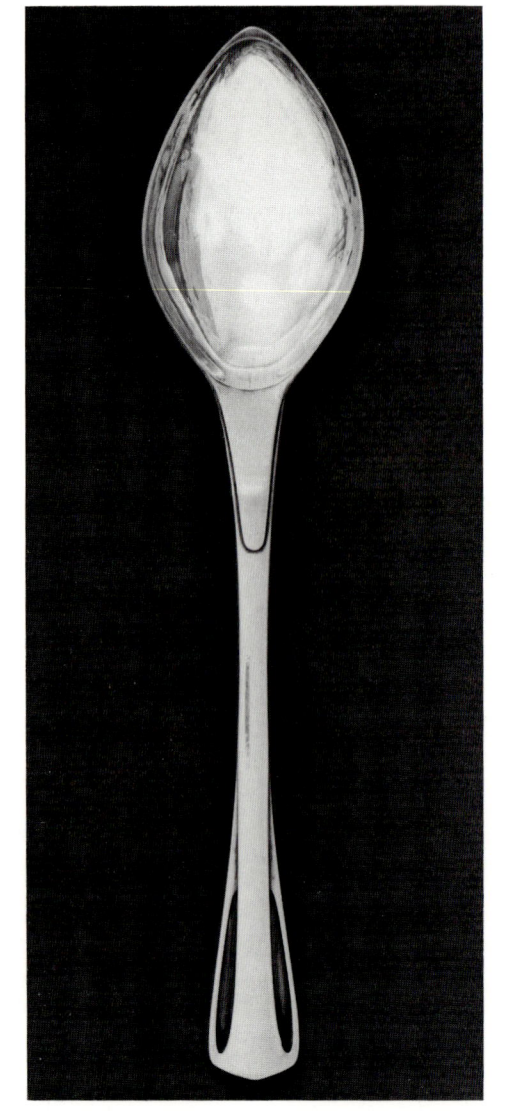

Joseph Maria Olbrich, paire de chandeliers et boîte à thé, Darmstadt, vers 1900, argent et améthystes, P. Bruckmann & Fils, Heilbronn, hauteur des chandeliers: 35 cm
Collection particulière

Joseph Maria Olbrich, la Maison «Predigerhaus», qui faisait partie du groupe de trois maisons construit en 1903/04 pour la seconde exposition de la colonie d'artistes de Darmstadt

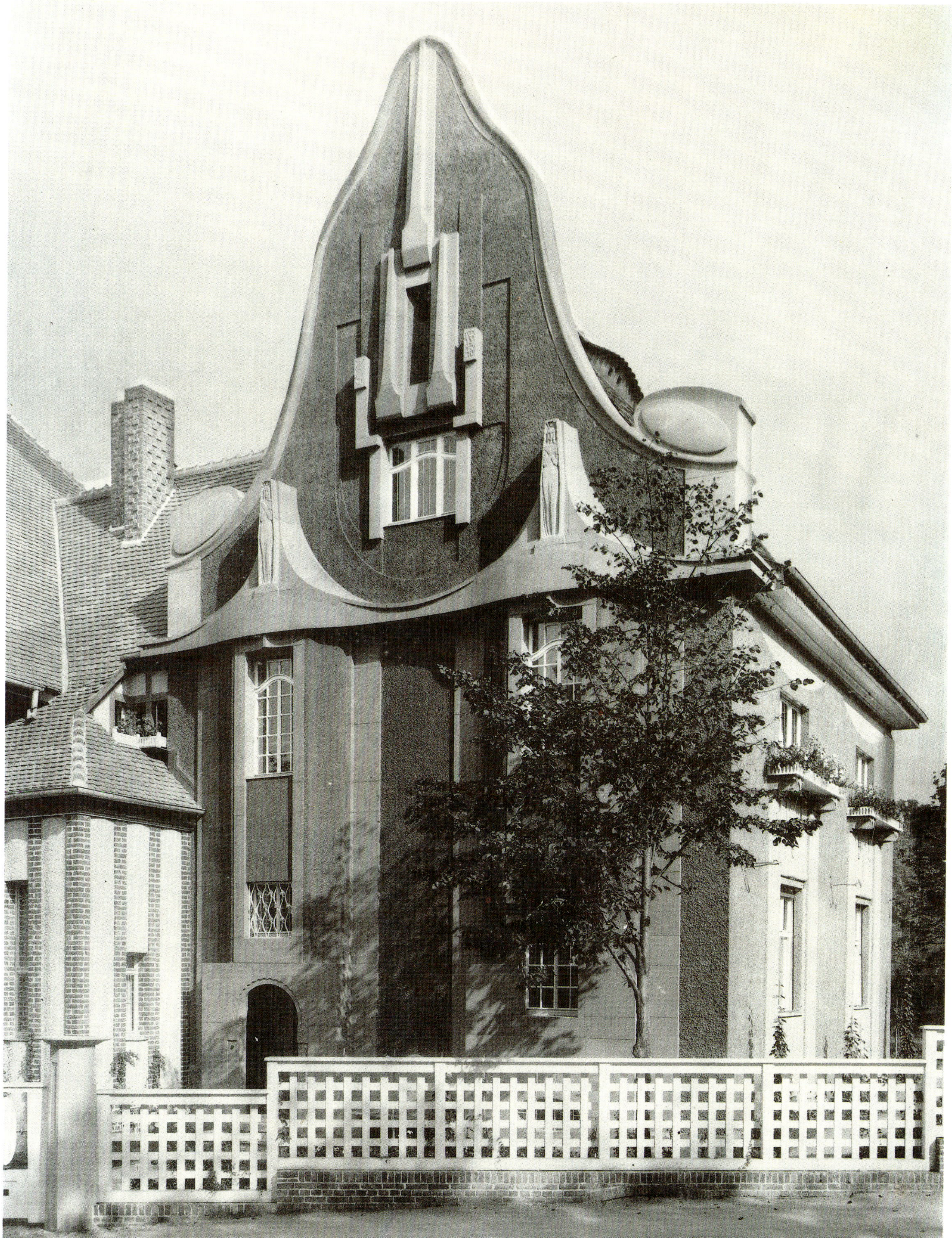

Joseph Maria Olbrich, l'entrée de la «Tour du Mariage» à Darmstadt, 1908

cisme, d'un retour aux axes et aux symétries, que cache d'ailleurs imparfaitement la profusion des inventions. Par la suite, les constructions d'Olbrich affirmeront plus ouvertement ces principes. La portée de la réforme tentée à Darmstadt apparaît le plus clairement avec les projets de maisons d'ouvriers réalisés plusieurs fois par Olbrich (illustration p. 165). Ces projets n'avaient rien de nouveau. A l'Exposition Universelle de Londres en 1851, on avait pu voir une de ces maisons modèles, mais la suite qui y fut donnée n'en surprend pas moins dans le cadre de Darmstadt, que l'on aurait plutôt soupçonné de snobisme. Le premier projet d'une double maison rappelle d'ailleurs les modèles anglais, alors que l'exemple réalisé en 1908 n'est pas dénué d'une amabilité contrainte qui sonne faux (illustration p. 164). Les habitants imaginaires auraient vraiment dû être de très braves gens.

Joseph Maria Olbrich, la façade côté ville du pavillon d'exposition de la Mathildenhöhe à Darmstadt; à gauche, la «Tour du Mariage», offerte par la ville à l'occasion du second mariage de l'Archiduc et construite entre 1905 et 1908

Joseph Maria Olbrich, la face arrière du pavillon d'exposition sur la Mathildenhöhe à Darmstadt. Au premier plan, une pergola en pierre d'aspect sévère

Joseph Maria Olbrich, vue d'ensemble et salon de la maison ouvrière construite sur commande des usines Opel à Darmstadt, 1907/08

Joseph Maria Olbrich, projet de maisons ouvrières, Darmstadt, vers 1900

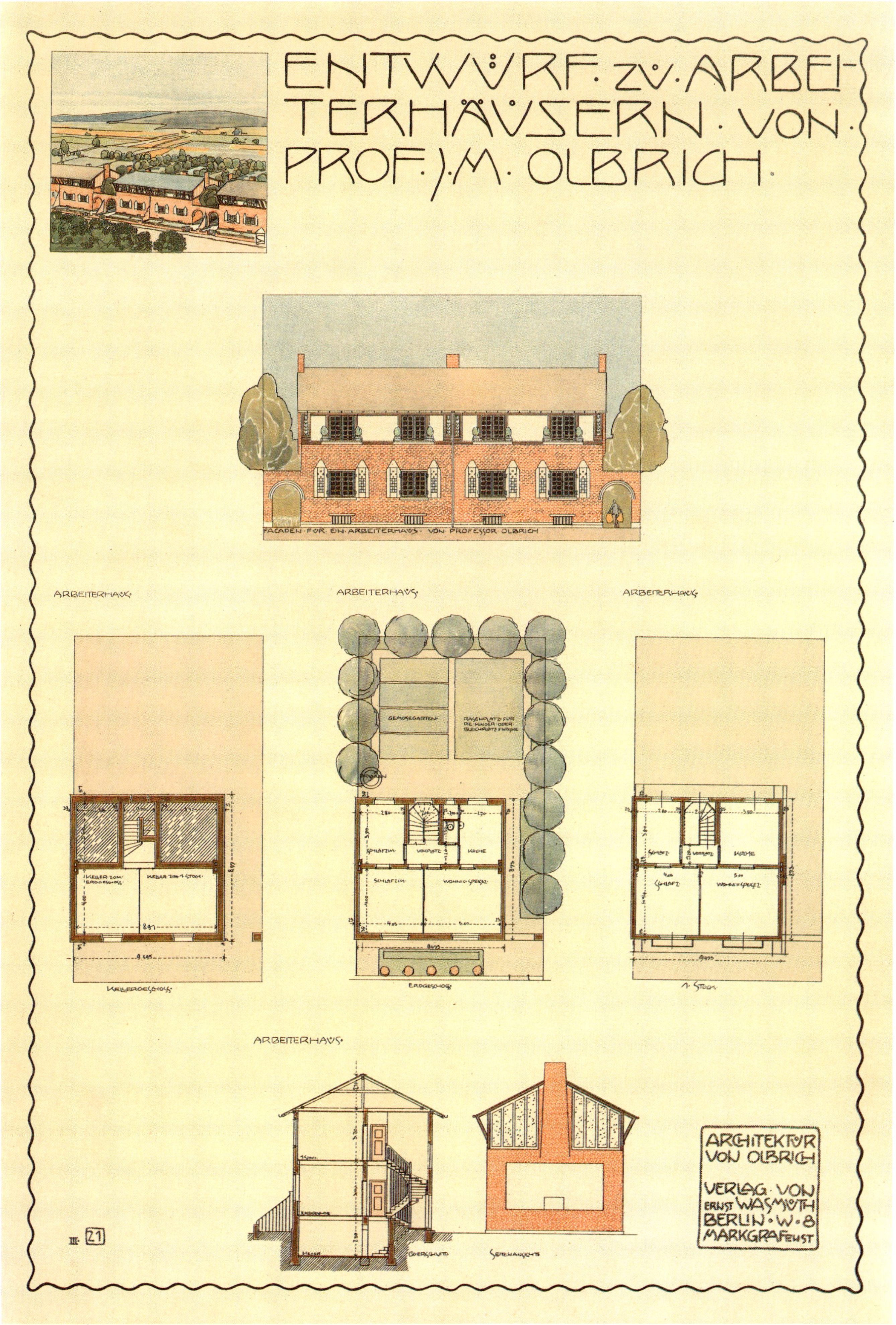

ENTWURF ZU ARBEITERHÄUSERN VON PROF. J. M. OLBRICH

FACADEN FÜR EIN ARBEITERHAUS VON PROFESSOR OLBRICH

ARBEITERHAUS. ARBEITERHAUS. ARBEITERHAUS.

ARBEITERHAUS.

ARCHITEKTUR VON OLBRICH
VERLAG VON ERNST WASMUTH BERLIN W. 8 MARKGRAFENST.

Joseph Maria Olbrich, projet pour la gare de Bâle, 1903

L'hésitant début d'urbanisation de 1901 connut, jusqu'en 1907, un développement notoire lorsqu'on commença à bâtir au sommet de la colline sur le flanc sud de laquelle se trouvait la colonie d'artistes. A cet emplacement, il n'y avait eu jusqu'alors qu'un simple réservoir d'eau, qui servit de fondations pour un grand pavillon auquel venait s'ajouter une tour décalée par rapport à l'axe de symétrie de l'ensemble (illustrations p. 162, 163). Cette tour était le cadeau officiel de la ville pour le remariage de l'Archiduc. Avec cette tour, la Mathildenhöhe devint un symbole. La «Tour du Mariage», que l'on aime aussi comparer à une main prêtant serment, était un phare que l'on ne pouvait ignorer. Il établissait un lien très net avec le noyau urbain. Ce fait fut encore renforcé par un axe de circulation menant directement au pavillon d'exposition en passant à côté d'une petite chapelle orthodoxe, construite en 1899 en raison de la parenté russe de l'Archiduc (illustration p. 143). Sur le plan architectural, le pavillon d'exposition était insignifiant, mais des couleurs lumineuses lui conféraient une puissance impressionnante. Grâce à cette nouvelle orientation, la colonie d'artistes fut certes quelque peu mise à l'écart, mais le complexe des ateliers continuera d'en être le pivot.

En fait, le pavillon d'exposition est un bâtiment symétrique à trois ailes qui encadre une cour, mais les divers compléments de la façade ouest – escaliers, terrasses, une petite annexe et enfin la tour couronnant l'ensemble – n'en tiennent aucun compte, d'où il résulte une composition en quatre parties. Olbrich fit preuve de cette grande maîtrise dont il n'avait jusqu'alors montré que les prémisses. Une fois de plus, la composition de l'ensemble est extrêmement souple, presque ludique, mais savamment équilibrée. A y regarder de plus près,

Friedrich Pützer, face latérale de la gare de Darmstadt, vers 1910

elle ressemble même à celle du complexe d'ateliers, sauf que c'est ici la tour, et non plus un groupe de sculptures, qui régit les quatre parties de la construction. Bien qu'une architecture du même type s'ajoutât à l'architecture précédente, les différences restaient cependant marquées, comme par exemple le respect de la symétrie entre la partie principale et la tour, rompue par les fenêtres d'angle, ou encore la rugosité des briques par rapport aux crépis lisses. On pourrait dire que deux époques étrangères l'une à l'autre se rencontrent ici: le Moyen-Age et le Classicisme, mais cela serait par trop recherché en regard du grand savoir-faire et de la liberté architecturale dont l'ensemble fait preuve. Quoi qu'il en soit, cette construction affiche toute une série de refus du canon architectural, refus qui font une fois encore entrer en jeu le hasard dirigé d'où résulte l'ambiguïté caractéristique des meilleures œuvres de Olbrich.

C'est avec les réalisations de la Mathildenhöhe que cet architecte prendra congé de Darmstadt; il était entre-temps devenu trop célèbre pour cette petite ville. De nouvelles commandes lui étaient venues de Rhénanie, qui amenèrent l'apogée de son architecture peu avant sa mort en 1908, maturation trop précoce comme c'est souvent le cas pour les talents excessifs. Il laissa derrière lui l'événement unique de Darmstadt. Nulle part ailleurs aucun artiste n'avait eu les moyens de se développer avec une telle liberté, et nulle part ailleurs les possibilités et les dangers du nouveau style n'avaient été présentés d'une façon aussi excessive que précisément dans cette ville. Dans un espace réduit, mais avec une grande vitalité, on avait eu l'audace de lancer une entreprise tirant ses forces de l'isolement et du sentiment que la réussite ne pouvait résulter que de l'opposition aux valeurs officielles. Le même phénomène aurait été impensable

Joseph Maria Olbrich, la grand magasin Tietz sur la Königsallee à Düsseldorf, vue extérieure et grand hall, 1907/08

à Berlin. A Darmstadt, action politique et action artistique s'unissaient d'une façon touchante, y gagnant chacune une force qu'elles n'auraient pas eue séparément. Les possibilités spécifiques offertes par l'époque, qui comprenaient le risque du début et de la fin, y avaient été reconnues et exploitées. A côté de villes nettement plus puissantes comme Paris, Bruxelles et Vienne, la ville résidentielle de la Hesse avait ainsi été un haut lieu du nouveau style, le premier en Allemagne. Mais dans le cas de Darmstadt, cela répondait en outre à une attente politique.

Sa mort prématurée empêcha Olbrich de voir l'achèvement de son œuvre majeure. Il mourut en plein travail sur l'aménagement intérieur du grand Magasin Tietz à Düsseldorf. Avec cette construction, l'une des commandes les plus spectaculaires de l'époque lui était revenue, commande qu'il sut réaliser d'une façon très personnelle et souveraine en dépit du modèle berlinois qu'en avait donné Alfred Messel. Au-delà de l'utilité, les pignons ondulants qui surplombent l'entrée et la région du toit confèrent à son architecture à la fois une dignité et une grande légèreté telles que seul Olbrich était en mesure de les mettre en œuvre. Bien que réalisée sur le tard, la symbiose entre une structure fondamentalement technique et le modelé de l'Art nouveau avait réussi. Les deux éléments conservent leur puissance et se complètent au lieu d'entrer en concurrence. La longue phase expérimentale qu'avait été Darmstadt connaissait ainsi une fin convaincante. Une suite n'aurait pu être donnée que par Olbrich lui-même, et c'est ainsi que se referma la perspective qui venait à peine de s'ouvrir.

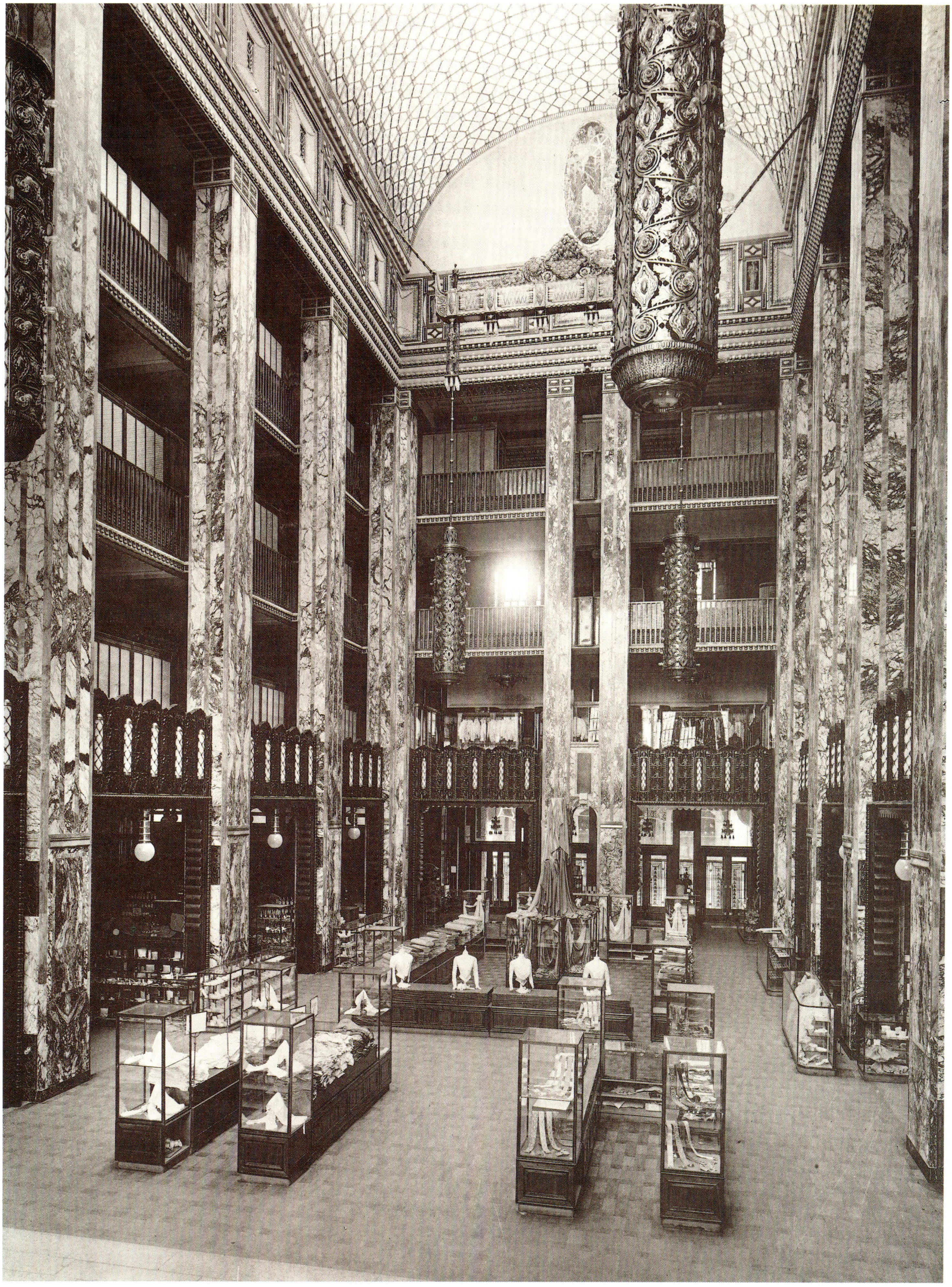

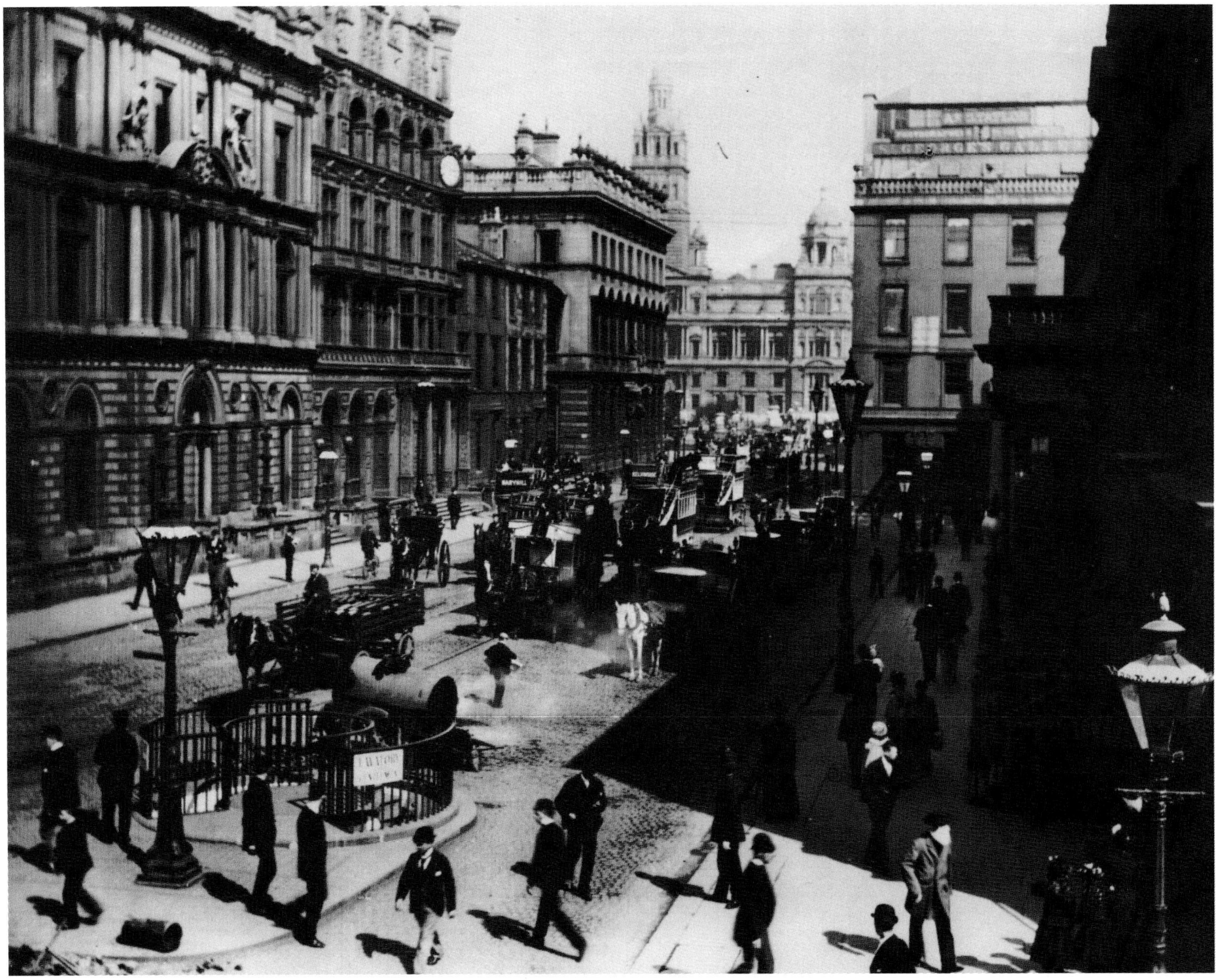

Glasgow

Glasgow est l'exemple type d'une ville que le développement industriel a certes enrichi tout en la rendant ambivalente et douteuse. Relativement peu marquée par l'histoire, cette ville connut au cours du 19ème siècle une croissance importante s'accompagnant d'une revalorisation notoire. Les fondements de cette évolution furent tout d'abord les fabriques de coton, qui faisaient même de Glasgow la concurrente directe de Manchester. A partir de 1860, l'industrie lourde prit de plus en plus d'importance, marquant l'image de la ville avec ses ateliers de constructions mécaniques, ses centres métallurgiques et ses puits à charbon. La production de locomotives et de matériel ferroviaire avait fait de Glasgow la première ville d'Europe dans ce domaine. La construction de bateaux à coque d'acier était en outre devenue une branche industrielle importante pour cette ville portuaire. Vers 1900, Glasgow exportait des bateaux à vapeur jusque dans le Pacifique.

Mais la ville ne disposait pas seulement d'usines; le commerce maritime lui offrait des possibilités énormes. De plus en plus, elle était en rapport étroit non seulement avec les villes anglaises et irlandaises, mais aussi avec celles des Etats-Unis. En 1908, le trafic portuaire de Glasgow, devenue le premier port écossais, avait doublé en un siècle. Trois gares ferroviaires au centre de la ville la reliaient à l'arrière-pays. La population avait augmenté en proportion: entre 1840 et 1914, elle devait quadrupler. Edimbourg, capitale politique de l'Ecosse, était depuis longtemps dépassée. Sur le plan économique, Glasgow venait tout juste après Londres.

Cette évolution quasi galopante influa fortement sur l'orgueil de la ville. Longtemps combattu, le rattachement à l'Angleterre avait été accepté en raison des avantages substantiels qu'il procurait, mais vers le milieu du 19ème siècle, on devait voir réapparaître des tendances autonomistes. L'«Union Nationale pour la défense des droits écossais», fondée en 1853, poursuivait des buts séparatistes, et à partir de 1880, les exigences formulées au cours des réunions se faisaient de plus en plus pressantes.

Pendant le dernier quart du 19ème siècle, en dépit de sa prospérité, Glasgow, considérée comme parvenue et dénuée de tout sens artistique, avait piètre réputation. Elle était considérée comme laide – ceci entre autres à cause de la misère qui était apparue comme conséquence imprévue d'une industrialisation trop rapide. Les «Gorbals», dortoirs de la ville, étaient tout particulièrement décriés. Mais en même temps, ces aspects négatifs étaient considérés cyniquement comme le signe d'une vitalité particulière, au même titre qu'un alcoolisme extrêmement répandu, et cela pas seulement chez les prolétaires, comme le démontre la carrière de Mackintosh, qui donna vers

Page précédente: la place St. Vincent à Glasgow, vers 1900

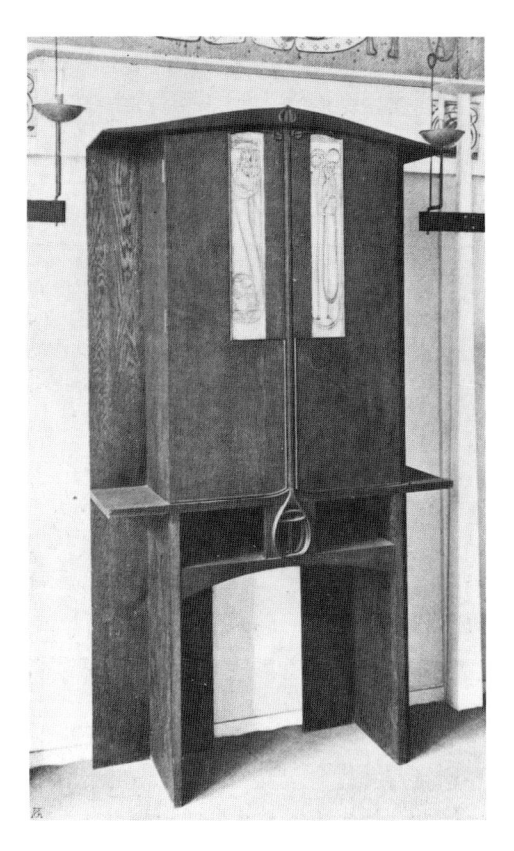

Charles Rennie Mackintosh, armoire de la pièce présentée à la huitième exposition de la Sécession viennoise à Vienne, 1900

Charles Rennie Mackintosh, pièce présentée à la huitième exposition de la Sécession viennoise à Vienne, 1900

Charles Rennie Mackintosh, 1868–1928
Elève à la Alan Glen's High School de 1877 à 1884, puis, cours du soir à la School of Art de Glasgow. Il poursuit sa formation auprès de l'architecte John Hutchinson et devient dessinateur dans l'entreprise John Honeyman & Keppie à partir de 1889, entreprise dont il deviendra l'associé en 1904. En 1900, il épouse Margaret Macdonald, lauréate de la Glasgow School of Art, avec qui il travaillera en étroite collaboration. Après 1923, il se vouera essentiellement à la peinture.
Œuvres principales: les nouveaux bâtiments de l'école d'art de Glasgow, 1897–1909; le Hill House à Helensburg, 1903; quelques salons de thé à Glasgow, 1897–1911.

1900 ses lettres de noblesse artistiques à la ville. Apparemment, cette ville ne laissait partir personne sans dommage une fois qu'on lui avait appartenu. Les salons de thé et les clubs de football avaient été créés avec l'intention déclarée de détourner les gens des méfaits de l'alcool. Mais ces entreprises ne connurent qu'un maigre succès; l'emprise de la ville était plus forte. Bientôt, le déclin économique devait d'ailleurs la repousser dans ses limites après que Glasgow eut connu un dernier apogée avec les préparatifs de la Première Guerre mondiale. L'image négative de Glasgow était encore accentuée par le fait qu'elle ne présentait aucune architecture particulière, ni quoi que ce soit d'autre. C'était tout simplement une ville typiquement victorienne – aussi entreprenante que dénuée de scrupules, aussi vivante que laide.

La vitalité commerciale avait entre autres pour effet que les bateaux rapportaient des articles inhabituels. L'irruption de l'exotisme apporta à Glasgow des couleurs inconnues dans l'image grise et sale de la ville. Le pays clé était le Japon, qui avait établi très tôt des liens avec Glasgow, et avec lequel les contacts se multiplièrent lorsque les nations orientales s'ouvrirent progressivement à l'occident. En 1876, Christopher Dresser, qui devait par la suite dessiner des objets extraordinairement utiles et surprenants de simplicité, accompagna un envoi de produits industriels britanniques destinés au musée impérial de Tokyo et resta toute une année au Japon. Il en revint avec toute une collection de meubles, de bois gravés et d'ustensiles quotidiens. A peine revenu au pays, il encouragea son propre fils à ouvrir un commerce d'art international au Japon. Les liens entre la nature rude de la ville écossaise et la délicatesse de ce monde lointain peuvent sembler grotesques, mais en considérant l'esprit d'entreprise qui caractérisait l'époque, ils avaient aussi leur cohérence dans le contexte du 19ème siècle finissant. Ces liens n'avaient d'ailleurs rien à voir avec la beauté des choses. C'est à Glasgow qu'avaient été construits les croiseurs et les destroyers qui décidèrent de la guerre sino-russe. Ainsi les intérêts se complétaient-ils.

L'Extrême-Orient eut encore une autre influence: il dirigea les regards sur l'Impressionnisme français, qui trouva rapidement l'approbation de l'élite de la ville, et qui recherchait désormais sa sublimation esthétique. Il convient d'ailleurs de mentionner ici le fait qu'après la mort de James McNeill Whistler en 1903, l'ensemble de ses biens revint à Glasgow. Par cette donation, l'artiste exprimait sa gratitude à la ville qui avait été la première à acheter un de ses tableaux japonisants par le biais d'une collection publique.

C'est ainsi que quelques données s'étaient trouvées rassemblées pour préparer le terrain qui devait nourrir l'artiste dont les œuvres allaient réussir à unifier le Japon et l'Ecosse en une symbiose où la dernière devait presque être absorbée par le premier tout en demeurant cependant vivante. Dès lors qu'on aborde la contribution de Glasgow à l'Art nouveau, on ne peut passer sous silence trois autres artistes avec lesquels Charles Rennie Mackintosh travaillait en général régulièrement, mais la vérité historique n'est en rien lésée par le fait que dans un court exposé, on s'intéresse avant tout à son œuvre. Sa femme Margaret Macdonald, la sœur de cette dernière et son mari Herbert MacNair et Mackintosh lui-même constituaient à eux quatre sans nul doute un quadrige aux tendances stylistiques extrêmement proches, raison pour laquelle le directeur de la «Glasgow School of Art», où ils avaient tous étudié, leur conseilla très tôt de s'associer. Francis Newbery sera d'ailleurs par la suite pour les quatre artistes un accompagnateur zélé.

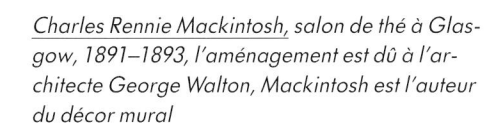

Charles Rennie Mackintosh, salon de thé à Glasgow, 1891–1893, l'aménagement est dû à l'architecte George Walton, Mackintosh est l'auteur du décor mural

Charles Rennie Mackintosh, armoire en bois peint, avec des marqueteries d'émail et de verre teinté, Glasgow, vers 1900

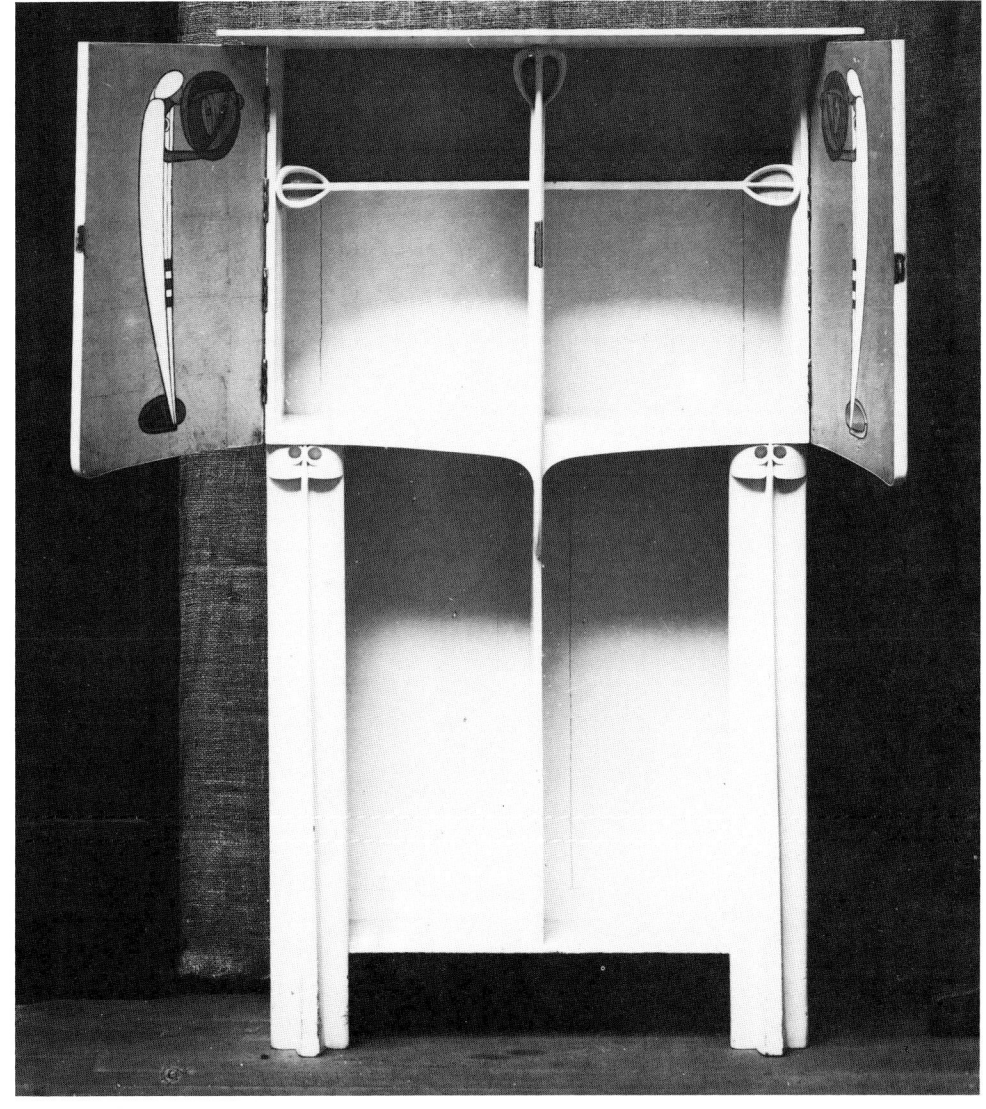

Charles Rennie Mackintosh, salon dans l'appartement de l'artiste, Mains Street à Glasgow, 1900

Il fut pour eux d'une importance toute particulière lorsqu'en 1897, il procura à Mackintosh la commande de son œuvre majeure: la reconstruction précisément de l'école d'art dont Mackintosch et ses collaborateurs avaient été les lauréats (illustration p. 179). Pour simplifier, on peut dire que les deux femmes – considérées comme des sœurs aînées par leur origine, quoique indiscutablement talentueuses – avaient plutôt la responsabilité de la décoration dans l'œuvre commune, tandis que les deux hommes avaient plutôt la charge de l'aspect architectural. Mais cette distinction ne serait pas valide si l'on n'évoquait pas le fait que c'est précisément l'interaction de ces deux domaines qui caractérise le style de Glasgow.

Les personnages fantomatiques hyper-délicats et étirés, à tête minuscule et exsangues que Frances – considérée comme la plus douée des deux femmes – et Margaret Macdonald aimaient à dessiner et à fixer sur toile, sur soie ou dans l'émail, étaient les lointains descendants des êtres fantastiques de l'époque préraphaélite, pour ne pas dire leur parodie; Aubrey Beardsley pouvait d'ailleurs lui aussi se considérer comme pillé de fond en comble! Nous ne nous intéressons pas ici à leur valeur symbolique, l'intérêt décoratif de ces éléments en étant inversement proportionnel. En règle générale, l'aspect décoratif sera de toutes façons prépondérant. Il opère d'habiles transitions vers les formes des meubles et les aménagements intérieurs, les figures venant la plupart du temps s'y intégrer. Les courbes élancées et les cercles lancinants qui se superposaient aux tableaux se poursuivaient ensuite dans les douces courbes des galons, des dossiers et des moulures. Ou encore: les amoncellements de corolles de roses réapparaissaient isolément aux articulations ornementales des chaises ou des armoires. Mais toutes ces inventions étranges seraient restées sans cohérence spatiale, elles auraient été perdues si elles n'avaient pu trouver leur place au sein d'une architecture. Sorties de leur contexte, elles faisaient peu d'effet, alors que dans l'environnement architectural, leur impact était très fort.

De tous les artistes importants du changement de siècle, Mackintosh reste sans doute le plus énigmatique. Savait-il ce qu'il faisait ou n'était-il qu'un jongleur doué d'une immense habileté? La virtuosité de son œuvre force l'admiration, mais elle génère aussi l'incertitude: il est difficile de savoir sur quelle base il créait son œuvre et l'on doit se demander si elle avait une autre référence qu'elle-même. La question de comprendre comment sa chute a pu se produire si tôt se superpose immanquablement à tout jugement, et l'on est tenté de résoudre l'énigme en considérant les choses à

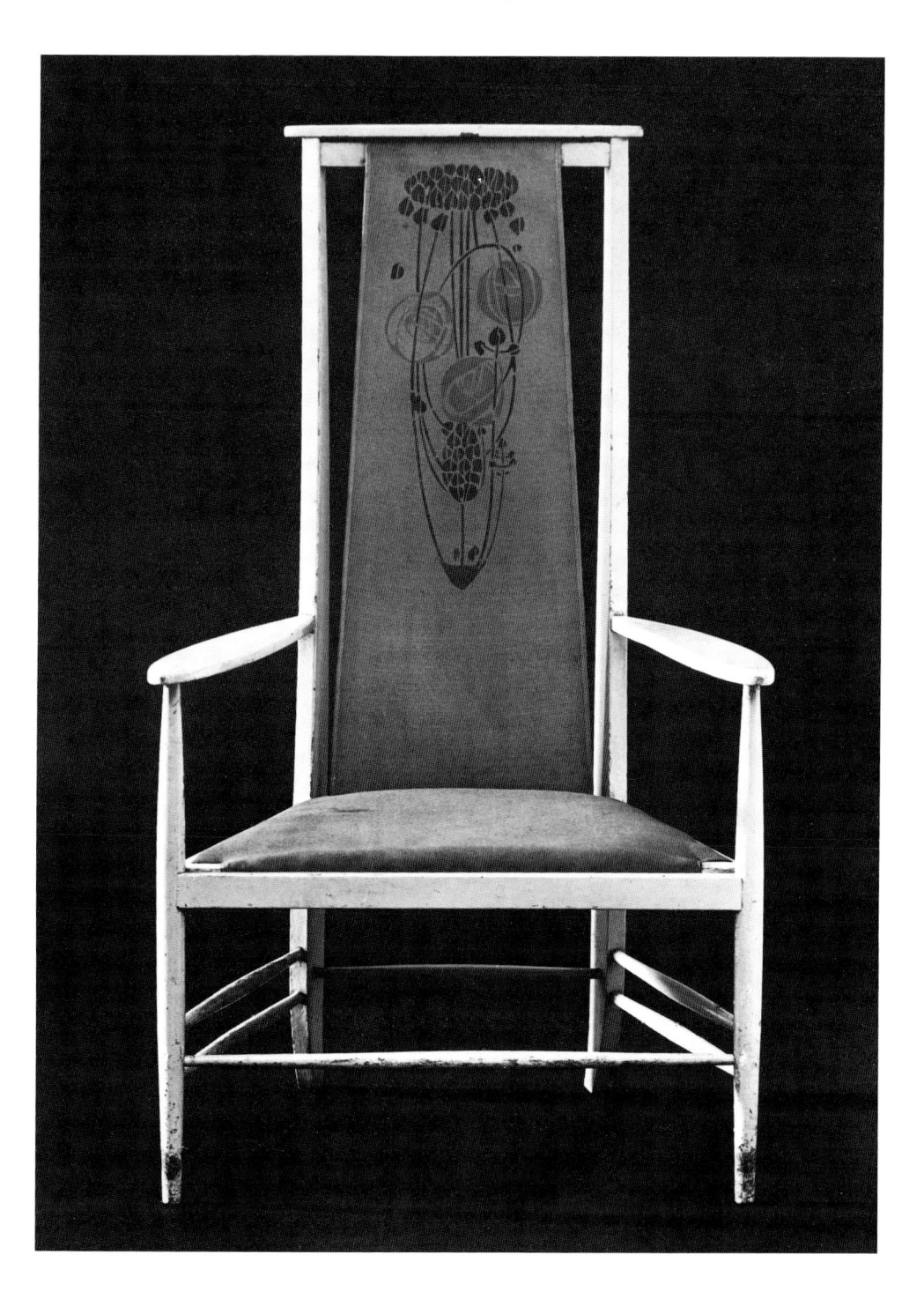

Charles Rennie Mackintosh, fauteuil, Glasgow 1902, bois peint et soie peinte

rebours. Peut-être cela a-t-il été vraiment un manque de chance que Mackintosh ne soit pas mort aussi jeune que Joseph Maria Olbrich – auquel il ressemblait d'ailleurs par bien des aspects, en particulier par la richesse de ses talents, et le fait de l'exploiter sans réserve. Il aurait ainsi échappé au problème d'être progressivement introduit dans le quotidien comme la réponse parfaite et éclatante à une attente de son époque. Une photographie de Mackintosh âgé d'environ trente-cinq ans nous montre le visage moyen de l'artiste un peu bohème; homme bien fait, mais quelque peu léger, douce chemise et plastron déboutonnés, les traits de la moquerie le disputent à ceux de la faiblesse: pas réellement un lutteur. Est-ce là l'explication du fait qu'il est en règle générale présenté comme le membre d'une petite communauté, d'une petite colonie d'artistes? Margaret Macdonald, de quelques années son aînée, a pu avoir sur lui un effet stabilisant. Sur une photo datant de la même époque, elle a pour sa part un air souverain et résolu – dans un sens plutôt sympathique, et ce serait sans nul doute une erreur que de l'assimiler à ses créatures éthérées.

L'amère vérité est qu'après une première série de succès éclatants, Mackintosh se vit bientôt relégué au second plan et qu'il ne travailla plus guère après 1908. On pourrait trouver à cela des raisons extérieures – à la longue, Glasgow

Charles Rennie Mackintosh, reconstitution moderne d'une chaise dessinée en 1897
Cassina, Meda/Milan

Charles Rennie Mackintosh, secrétaire, Glasgow 1904, bois peint, verre et métal
Paris, Musée d'Orsay

Charles Rennie Mackintosh, la cheminée de l'atelier dans l'appartement de l'artiste, Mains Street à Glasgow, 1900

s'avérait une base de travail par trop étroite –, mais aussi des raisons inhérentes à l'œuvre elle-même, Mackintosh n'évoluant plus – et pour finir une raison purement personnelle: la boisson. Dès le début, la notoriété de l'artiste avait été plus importante sur le continent qu'en Angleterre, en dépit des publications de la célèbre revue «The Studio». Mais la particularité de cette revue était que ses articles rencontraient la plus vive admiration sur le continent plutôt qu'en Angleterre.

Avant 1900, tout ce qui venait d'Angleterre était encore fondamentalement considéré comme exemplaire. Cet état de fait ne changea que lorsque l'Art nouveau s'affirma comme la certitude nouvelle. Ce changement d'optique, qui reléguait l'île britannique au second plan, nuira beaucoup aux quelques artistes qui participaient encore à la nouvelle évolution. Personne n'ignorait l'existence du quadrige de Glasgow, mais on se demandait ce qu'ils faisaient dans la lointaine Angleterre. Les centres de l'art s'étaient déplacés, par exemple à Vienne, à Turin, Munich ou Darmstadt, voire à Dresde. Dans toutes ces villes, Mackintosh devait faire son apparition ou laisser quelque trace. Ce sera en particulier le cas de la métropole autrichienne, où l'on avait tendance à lui faire jouer le rôle de sauveur. Mais même si la pièce qu'il y montra en 1900 dans le cadre de la huitième exposition de la Sécession viennoise (illustration p. 172) devait emporter tous les suffrages, le sens artistique viennois était bien trop développé pour qu'il eût encore besoin d'être éveillé. Ce processus montre plutôt l'effet que pouvait produire une apparition adéquate dans la bonne

Charles Rennie Mackintosh, écritoire, Glasgow 1901, érable teinté et poli, panneaux de Margaret Macdonald
Vienne, Österreichisches Museum für Angewandte Kunst

Charles Rennie Mackintosh, première partie Glasgow School of Art, 1898

exposition. De même que van de Velde avait percé en 1897 à Dresde, amorçant ainsi sa carrière allemande, et de même que Olbrich ne parvint à la célébrité qu'à Darmstadt, de même Mackintosh avait-il sa chance à Vienne. Mais à court terme, les conséquences de sa contribution à l'exposition de la Sécession se résumeront à l'aménagement d'un salon de musique pour Fritz Waerndorfer, qui devait devenir quelques temps plus tard un des fondateurs des «Wiener Werkstätten», les *Ateliers viennois*.

Mais d'autres occasions de changer de lieu s'offrirent encore à Mackintosh. S'il est vrai que d'autres artistes que lui gagnèrent le concours «pour l'obtention de projets artistiques extraordinaires destinés à la résidence seigneuriale d'un amateur d'art», que l'éditeur de la revue «Innendekoration» avait ouvert à Darmstadt, le véritable vainqueur en avait été Mackintosh, qui avait présenté un projet élégant et abouti jusque dans les moindres détails (illustration p. 181) – peut-être la meilleure idée qu'il lui ait jamais été donné d'inventer (ce qu'il conviendra de vérifier dans la mesure où la ville de Glasgow vient tout juste d'en décider la réalisation posthume). En apparence, les projets de l'Ecossais ne furent pas couronnés, mais seulement achetés, sous prétexte qu'il y manquait quelques documents. Mais comme il était de notoriété publique que Alexander Koch, l'organisateur du concours, ne partageait pas les opinions de son souverain à propos d'Olbrich, qui travaillait au même moment à la réalisation de la colonie d'artistes de Darmstadt, on peut penser que tout ce qui ressemblait de près ou de loin au style viennois, par conséquent le travail de Mackintosh,

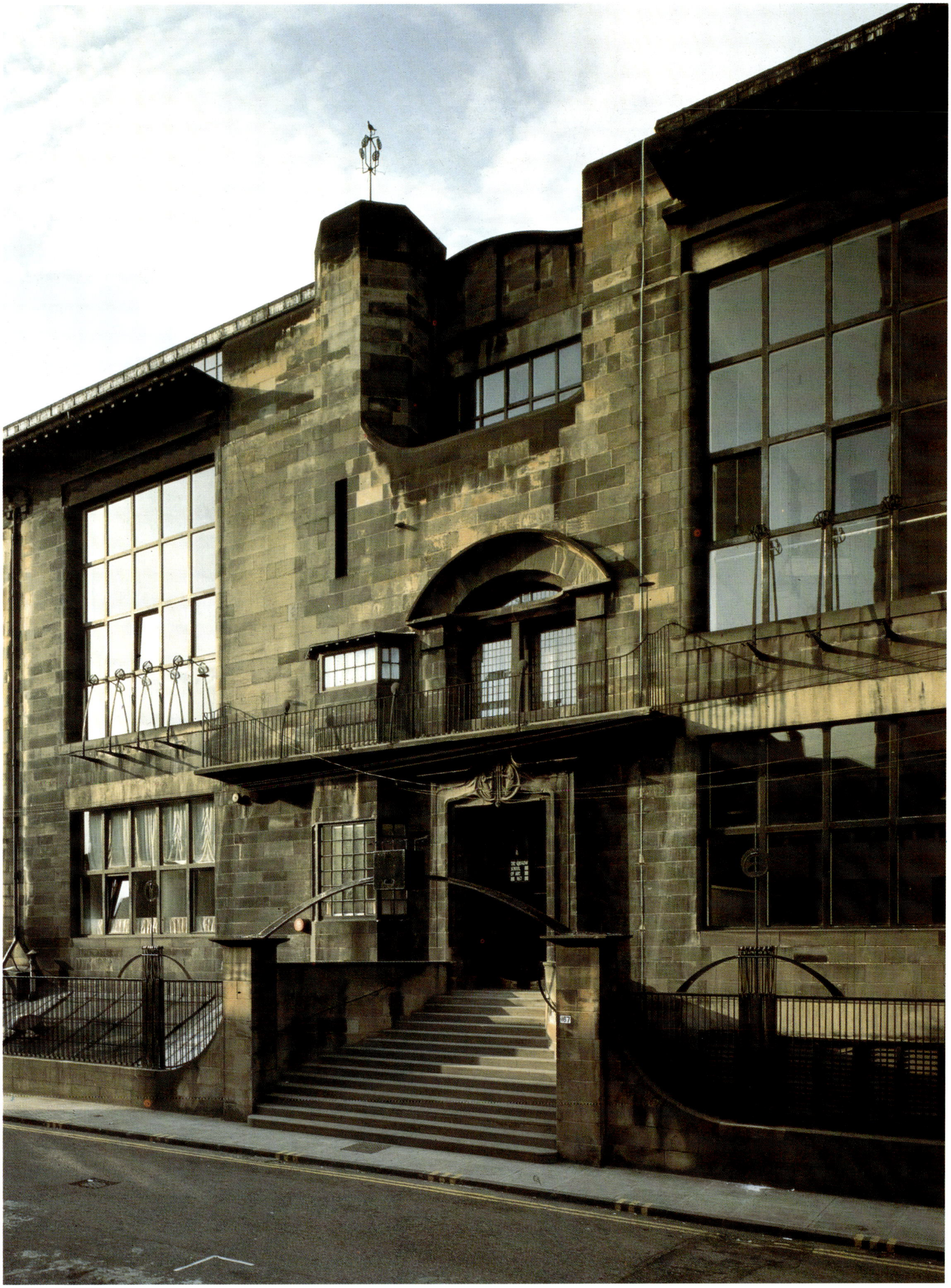

CHARLES
RENNIE
MACKINTOSH
1 9 0 1

CHARLES
RENNIE
MACKINTOSH

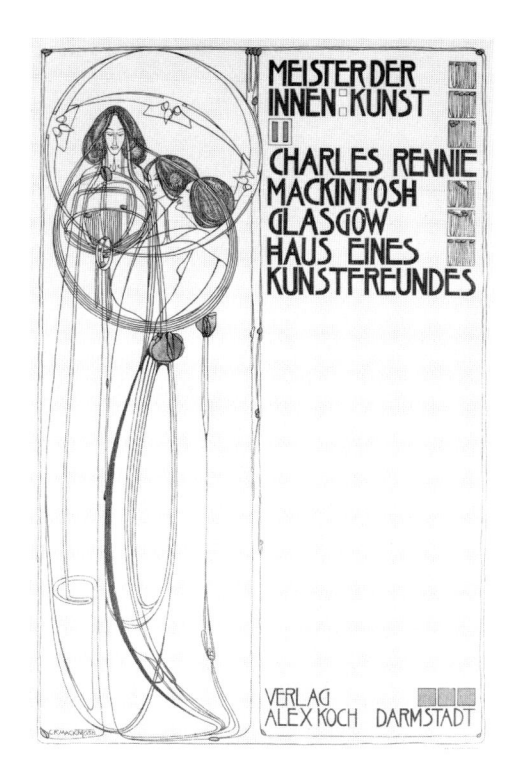

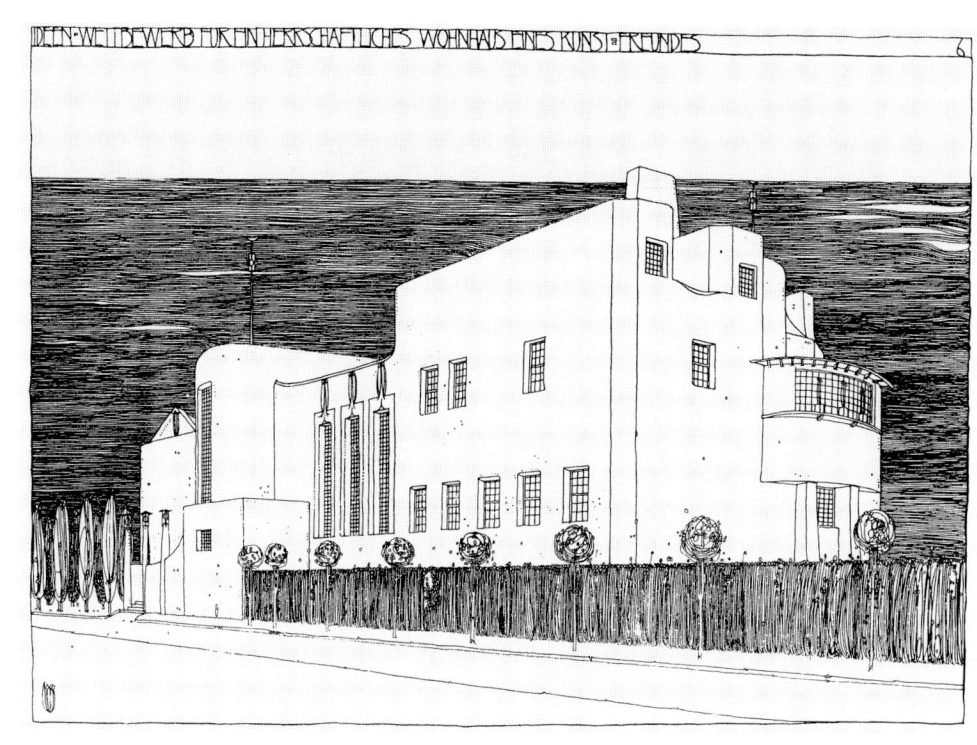

Charles Rennie Mackintosh, trois projets pour la «Maison d'un Amateur d'Art», salle de réception, salle à manger et entrée. Page de titre du portfolio dans lequel ces projets ont été publiés, 1901

n'avait aucune chance de gagner. Il n'en demeure pas moins que ses dessins furent largement publiés, accompagnés des commentaires de l'architecte et fin connaisseur de l'Angleterre Hermann Muthesius. De telles publications avaient alors encore plus de valeur qu'une commande, que n'obtint d'ailleurs aucun des participants.

Une troisième fois encore, Mackintosh devait parvenir à la notoriété internationale par sa contribution à la grande exposition d'art décoratif moderne qui se tint en 1902 à Turin. Cette manifestation marquait déjà la fin de la grande fête qu'était l'Art nouveau, le crépuscule de sa phase classique. Rien ne pouvait l'arrêter, ni les grands déploiements de Behrens (illustration p. 158), ni la gloriole un peu niaise d'un Carlo Bugatti. On y voyait plutôt se dessiner toute l'envergure de la crise à venir. Mackintosh restera fidèle à lui-même – ce qui à ce moment précis était le signe d'une incertitude.

A la même époque, il avait encore du succès dans son propre pays. La première partie de son œuvre majeure, la «Glasgow School of Art», avait été réalisée entre 1897 et 1899 (illustration p. 179). L'édifice dut être bâti sur un terrain en pente orienté au sud. Mais comme on ne pouvait faire autrement que d'orienter les ateliers au nord, et qu'un nombre minimum de quatre étages avait été imposé, il en résultait une façade postérieure extrêmement étirée en hauteur, avec laquelle l'architecte ne sut quoi faire et qui resta impitoyablement inachevée. La partie la plus réussie – du moins dans le premier bâtiment, un second n'ayant pu être réalisé que plus tard – est sans nul doute la face nord, où le rez-de-chaussée fut habilement surbaissé tandis que le dernier étage était placé en retrait, de sorte que le volume de l'ensemble en était optiquement réduit. Des fenêtres d'une taille inhabituelle, réparties avec une grande simplicité, régissent la surface de cette façade. Des parties murales apparentées à des piliers viennent s'insérer entre elles, assurant la stabilité et la cohérence optique nécessaire à l'ensemble du bâtiment. Une corniche termine cette harmonieuse composition de façon tout à fait appropriée. Dans cette «forme de travail» vient alors s'insérer, légèrement asymétrique, la «forme artistique» de l'axe d'entrée, qui contraste volontairement avec le reste de l'édifice: elle est massive et lourde, plastique et sans superficialité, décorée à l'extrême. Un morceau de tradition a ainsi été intégré de façon très convaincante à la fonctionnalité moderne de l'édifice – cet élément pourrait être en effet une paraphrase de l'architecture des châteaux écossais. Mais ce contraste ne gêne en rien la cohésion de l'ensemble, il est au contraire d'un effet nettement conciliant; les deux parties se complètent parfaitement, constituant presque un programme. Le jeu entre les lignes verticales et horizontales et les décalages spatiaux sur l'ensemble du bâtiment est lui aussi magistral. Une nécessité secondaire a ainsi conduit à un résultat original: les passerelles d'acier destinées au laveurs de carreaux se superposent comme une trame souple aux éléments sévères de la façade, réalisant ainsi une poétique de la forme utilitaire.

Le contraste entre des éléments graciles et d'autres, plus massifs, est une des constantes de l'œuvre de Mackintosh: de petites fenêtres dans des murs compacts, de fines moulures couronnant des armoires massives, des dossiers de chaises étirés placés devant des murs nus, des ornements minuscules et presque perdus dans l'immensité des surfaces. Dans le cas des passerelles, ces der-

Charles Rennie Mackintosh, grand salon de la maison de campagne Hill House à Helensburg près de Glasgow, 1903

Charles Rennie Mackintosh, chambre à coucher de la maison de campagne Hill House à Helensburg près de Glasgow, 1903

nières étaient les éléments d'un grand ensemble, ce qui leur conférait de justes proportions. Transposée dans les dimensions limitées d'un espace intérieur, une telle obsession du détail pouvait devenir un jeu quelque peu irritant. Le résultat le plus artistique de cet ordre seront les pièces de l'appartement de Mackintosh lui-même (illustration p. 174); elles sont le reflet de ses partis-pris sous une forme contrainte. Les conséquences de la stylisation méritent en tout cas l'admiration, surtout lorsqu'une analyse plus serrée montre qu'aucun des détails précieux n'était dénué de sens. Quoi qu'il en soit, les chaises promettaient un certain inconfort. En revanche, la conduite ornementale des fils électriques au plafond du salon – dans l'appartement en location, il était apparemment impossible de les cacher –, et la disposition de quelques moulures, étaient bien à leur place. Elles unifient en effet tous les éléments de la pièce, celle-ci étant ainsi parcourue d'une trame qui l'allège et l'enferme à la fois. On a le sentiment d'assister à une mise en scène, où la représentation de l'innocence côtoie l'ensorcellement par un mauvais sort – jeu taquin auquel on aimerait à la fois s'adonner, mais duquel on se défie. En retrouvera-t-on l'issue? Les créateurs semblent avoir eu quelque mal à y parvenir. Les espaces intérieurs qu'ils réaliseront par la suite sont certes un peu plus terrestres et plus joyeux, sans jamais pourtant se défaire totalement de leur caractère cérémonieux. La suite la plus directe aurait pu être donnée par les pièces de la «Maison d'un amateur d'art» (illustration p. 180). Dans la salle à manger, de hautes chaises, «rigides comme des communiants» devaient se regarder en chiens de faïence par delà une longue table – à Chicago, Frank Lloyd Wright ne craignit pas d'en faire

Charles Rennie Mackintosh, seconde partie de la Glasgow School of Art vue du sud-ouest et salle de lecture, 1907–1909

autant quelques années plus tard. Lorsqu'entre 1900 et 1904, Mackintosh eut l'occasion de construire deux maisons de campagne en Ecosse (illustrations p. 182, 183), ses objets présentaient déjà une apparence nettement plus terrestre. Les arcs merveilleusement lascifs et les courbes fatiguées avaient désormais cédé la place à des contours plus sévères. Dans l'ensemble, c'est l'architecte qui reprenait la parole. Par leur forme extérieure, ces maisons faisaient moins d'effet, elles ressemblaient assez aux constructions traditionnelles de la région, mais à l'intérieur, on relève une rigueur et une conscience plus affirmées. Dans cette mesure, la conception de Mackintosh avait sans doute de l'avenir.

Il en donnera la meilleure preuve entre 1907 et 1909, lorsqu'il construira la seconde partie de la «Glasgow School of Art». Son art du relief à strates multiples et des avancées graduelles des surfaces dans l'espace s'exprimait ici de façon énergique et avec une inconditionnalité presque expressive: à l'extérieur par les encorbellements surallongés qui font songer à des tuyaux d'orgue ainsi qu'à l'intérieur, avec une salle de lecture où la trame des éléments structuraux ne se contente pas de suivre les limites de la pièce, mais où elle l'imprègne de part en part comme une jungle. Comme si cette dernière conséquence avait été son but suprême, le concepteur se retira ensuite – à moins qu'il ne pût faire autrement. Quelques œuvres occasionnelles qu'il réalisera par la suite n'ont guère d'importance.

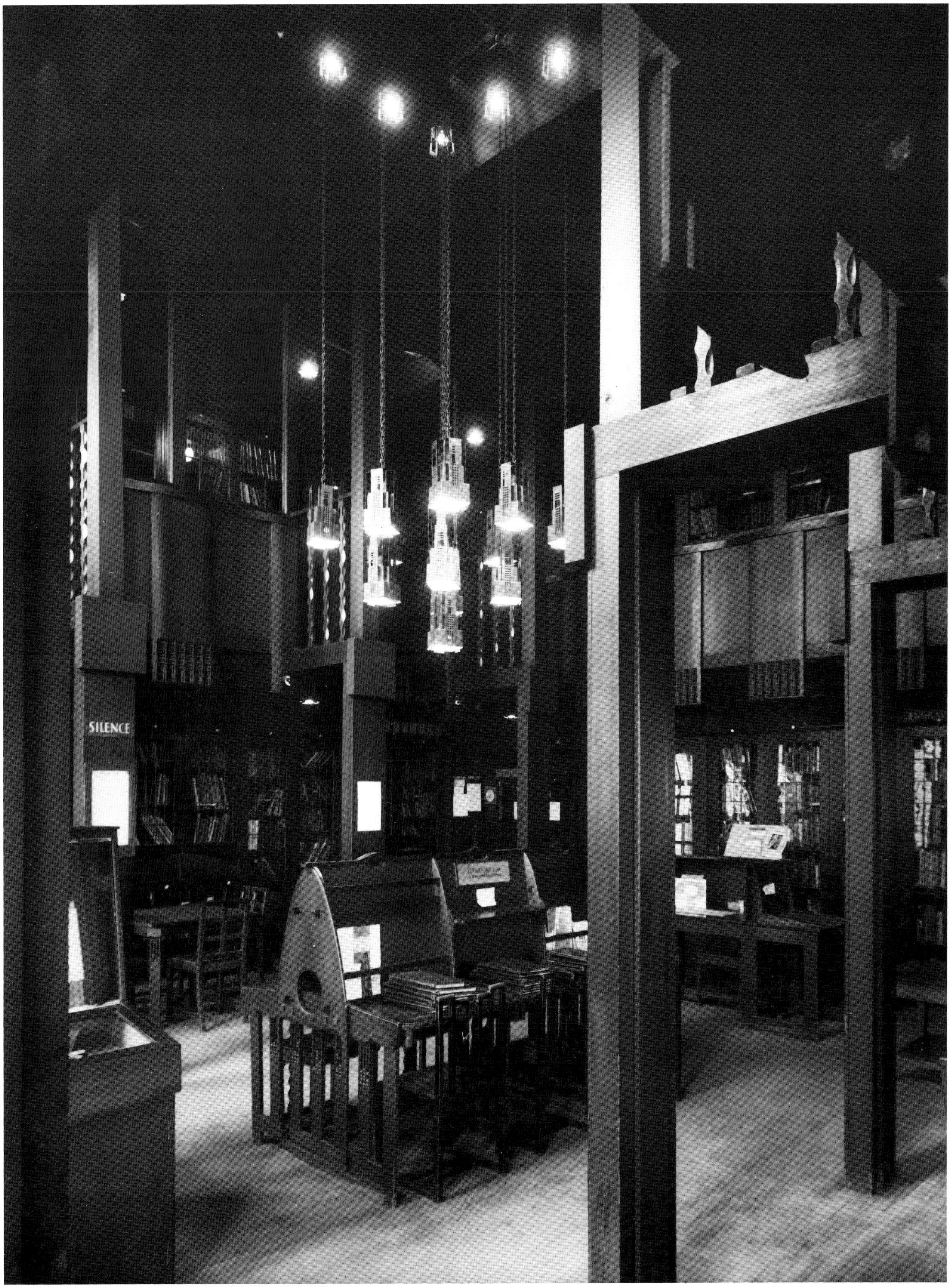
SILENCE

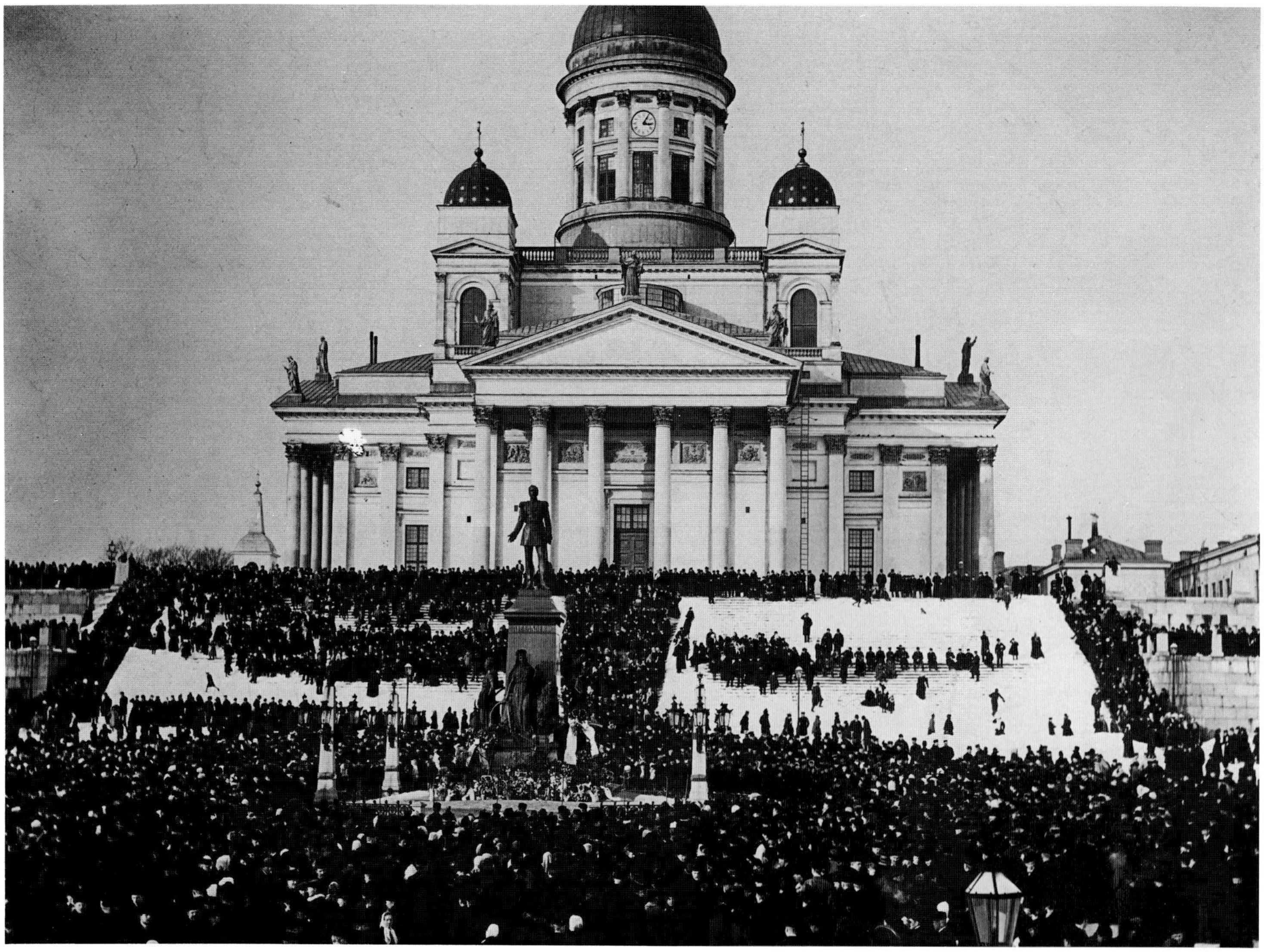

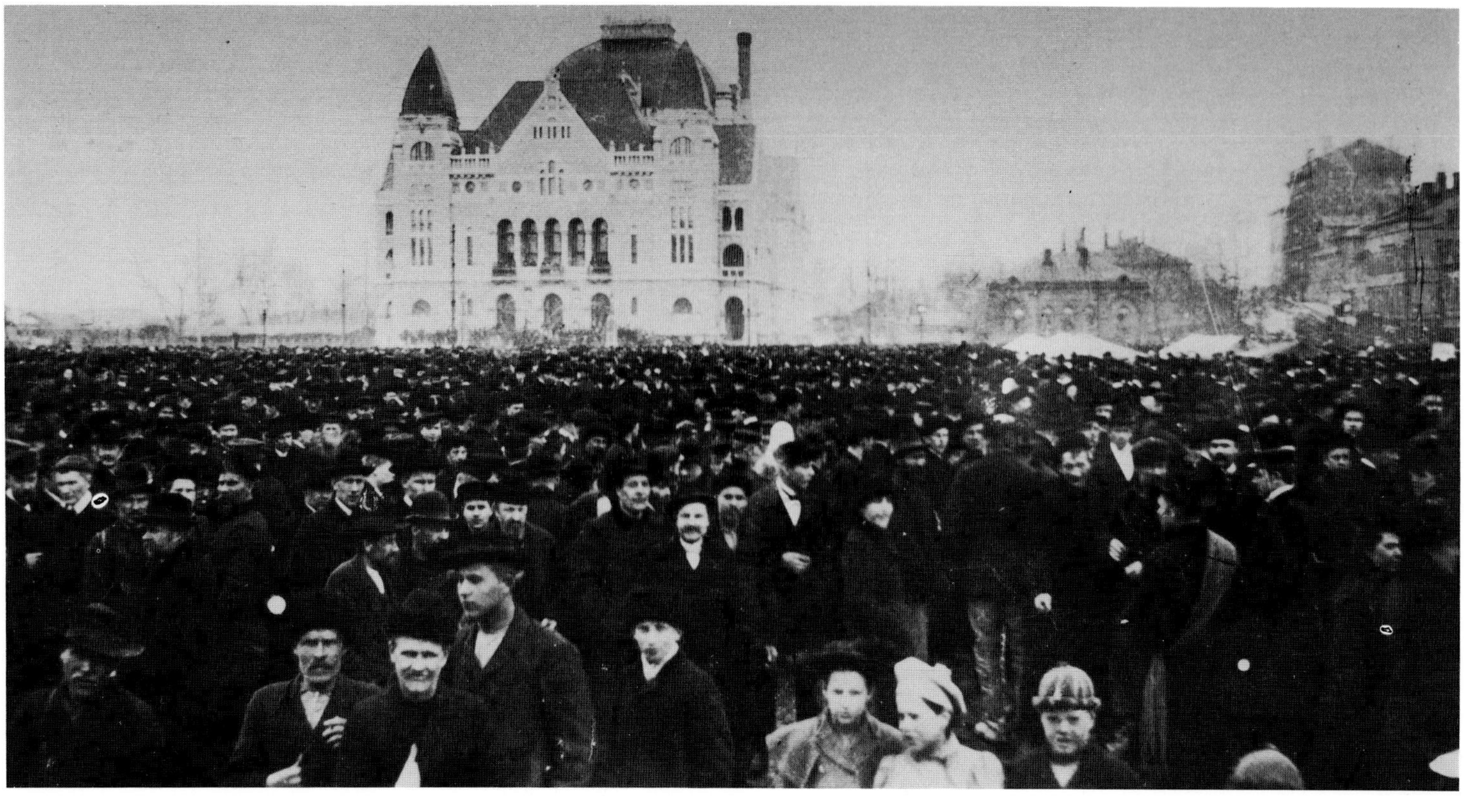

Helsinki

Nulle part ailleurs en Europe la réforme artistique que constitue l'Art nouveau n'a autant été l'expression du sentiment national que dans la province russe qu'était alors la Finlande. Les formes très particulières que le style nouveau y fera naître ne peuvent être comprises qu'en tenant compte de la force populaire qui le porta et lui donna forme. Cela pouvait étonner, car la Finlande était depuis longtemps inexistante sur le plan tant politique que culturel. Quelques événements vinrent brusquement changer cet état de fait.

Pendant des siècles, la Finlande d'aujourd'hui avait été une province placée sous la domination de puissances étrangères, tout d'abord sous la domination de la Suède puis, après la guerre dont elle avait été l'objet en 1809, sous celle de la Russie. La situation de la Finlande avait été supportable dans les deux cas, et elle s'était même améliorée au cours du 19ème siècle. Cela était dû en particulier au tsar Alexandre 1er, qui lui concéda toute une série de droits particuliers. Ce qui la reliait à la Russie se résumait en fait à la seule personne du tsar; en effet, celui-ci était en même temps grand-duc de Finlande, et il avait promis de la gouverner en respectant l'ancienne constitution et en reconnaissant la prédominance de la confession luthérienne. Tout cela avait eu pour conséquence que la Finlande était traitée dans une large mesure comme une nation indépendante et constituait en quelque sorte un Etat dans l'Etat, disposant même de sa propre armée.

Cette autonomie allait si loin qu'il était permis à la Finlande d'accueillir plus ou moins ouvertement ceux qui étaient contraints de fuir la Russie pour des raisons politiques. Maxime Gorki s'y cacha et, au cours de son exil, Lénine séjourna au moins dix fois en Finlande.

Vers la fin du 19ème siècle, l'indépendance du pays fut cependant remise en question par le mouvement panslave qui, avec le slogan «un empire, une langue, une religion», prenait alors de l'importance en Russie. En quelques années seulement, cette attitude impérialiste inattendue conduisit la Finlande à une résistance résolue qui anéantit la relation de confiance qui avait prévalu jusqu'alors. Peu avant 1900, la situation empira et l'apogée du conflit fut atteinte en 1899 lorsque le Tsar Nicolas II qui, en tant que grand-duc de Finlande, s'était engagé à préserver les droits et les lois du pays tout comme son prédécesseur, vint à supprimer ses privilèges. Le «Manifeste de Février» devint un tournant de l'histoire finlandaise. Du point de vue russe, tout cela n'était peut-être qu'un épiphénomène, mais pour la Finlande, ce décret avait valeur de parjure et lésait profondément les intérêts fondamentaux du pays. Le russe fut désormais imposé comme langue officielle et administrative, et l'armée finlandaise se vit soumise au commandement

Page précédente: soulèvements contre l'hégémonie russe en Finlande. En haut: manifestation du 13 mars 1899 devant la Cathédrale Saint Nicolas à Helsinki; en bas: rassemblement devant le tout nouveau Théâtre National d'Helsinki, 1905

Herman Gesellius, Armas Lindgren, Eliel Saarinen, le pavillon finlandais de l'Exposition Universelle de Paris 1900

*Eliel Saarinen, projet pour les bâtiments de la chambre des députés. Ces bâtiments n'ont pas été exécutés sous cette forme.
Helsinki, 1908*

Eliel Saarinen, 1873–1950
Etudes de peinture et d'architecture à Helsinki. 1896–1923: travaille comme architecte indépendant à Helsinki. Jusqu'en 1905, collaboration avec Armas Lindgren et avec Herman Gesellius jusqu'en 1907. 1923: émigre aux Etats-Unis; à partir de 1924, professeur à l'Université du Michigan à Ann Arbor, puis associé à son fils Eero. Œuvres principales: le pavillon finlandais de l'Exposition Universelle de Paris 1900; complexe d'ateliers Hvitträsk à Kirkkonummi près de Helsinki, 1902; gare centrale de Helsinki, 1904, 1909–1914; deuxième prix du concours pour le gratte-ciel du Chicago Tribune, 1922; Cranbrook Academy of Art à Bloomfield Hills, 1926–1943.

russe. Des arrestations sommaires eurent lieu, et des représentants du peuple furent contraints à l'exil. Un sérieux écho ne devait pas tarder à se faire entendre; en 1899, la suppression des droits finlandais eut pour conséquence une protestation européenne signée par plus de mille personnalités, au nombre desquelles on pouvait compter Emile Zola, Anatole France, Rudolf Virchow, Ernst Haeckel, Theodor Mommsen, Otto Harnack et Florence Nightingale. Si cette action n'eut aucune répercussion immédiate, la Finlande se trouva cependant placée sous les feux de la rampe; elle se voyait assurée de la sympathie et de l'intérêt général.

Depuis 1898, le gouverneur russe Bobrikow dirigeait la Finlande de façon passablement autocratique, attitude qui devait encore se renforcer après 1903. Lorsque la résistance passive de la population et l'opposition des fonctionnaires n'eurent aucun effet, de petits groupes passèrent ouvertement à l'attaque. Les attentats se multiplièrent à Helsinki, les explosions de bombes devant les centres de l'autorité russe se firent de plus en plus fréquentes. Le 16 juin 1904, un employé du Sénat, Eugen Schaumann, assassina Bobrikow; et lorsqu'à la suite de la guerre russo-japonaise, l'ensemble de l'empire russe connut de nombreux soulèvements et tentatives de putsch, l'agitation gagna également la Finlande. En 1905, on appela à une grève générale qui permit au pays de récupérer au moins pour un temps ses anciens privilèges et de respirer plus librement. Mais le soulèvement général avait mis à jour les risques de conflits internes. Les différences entre les classes sociales s'étaient accrues, la classe ouvrière commença à exiger ses droits. En 1899 déjà, elle avait créé son propre parti, qui sera rebaptisé en 1903 du nom de social-démocrate. Ce parti avait des positions plus radicales que les organisations apparentées des autres pays scandinaves. Lorsqu'en 1907 on élit le premier parlement finlandais, son importance politique lui permit de gagner quatre-vingt sièges sur deux cents. Au cours de la Première Guerre mondiale, il devait même obtenir la majorité absolue.

L'introduction d'un contexte réellement démocratique (la Finlande sera le premier pays d'Europe et le second au monde à accorder le droit de vote aux femmes) était cependant vouée à l'échec tant que le tsar n'avalisait pas les décisions du Parlement ou qu'il agissait volontairement à son encontre. En 1909, une nouvelle vague d'oppression déferla sur la Finlande: mettant

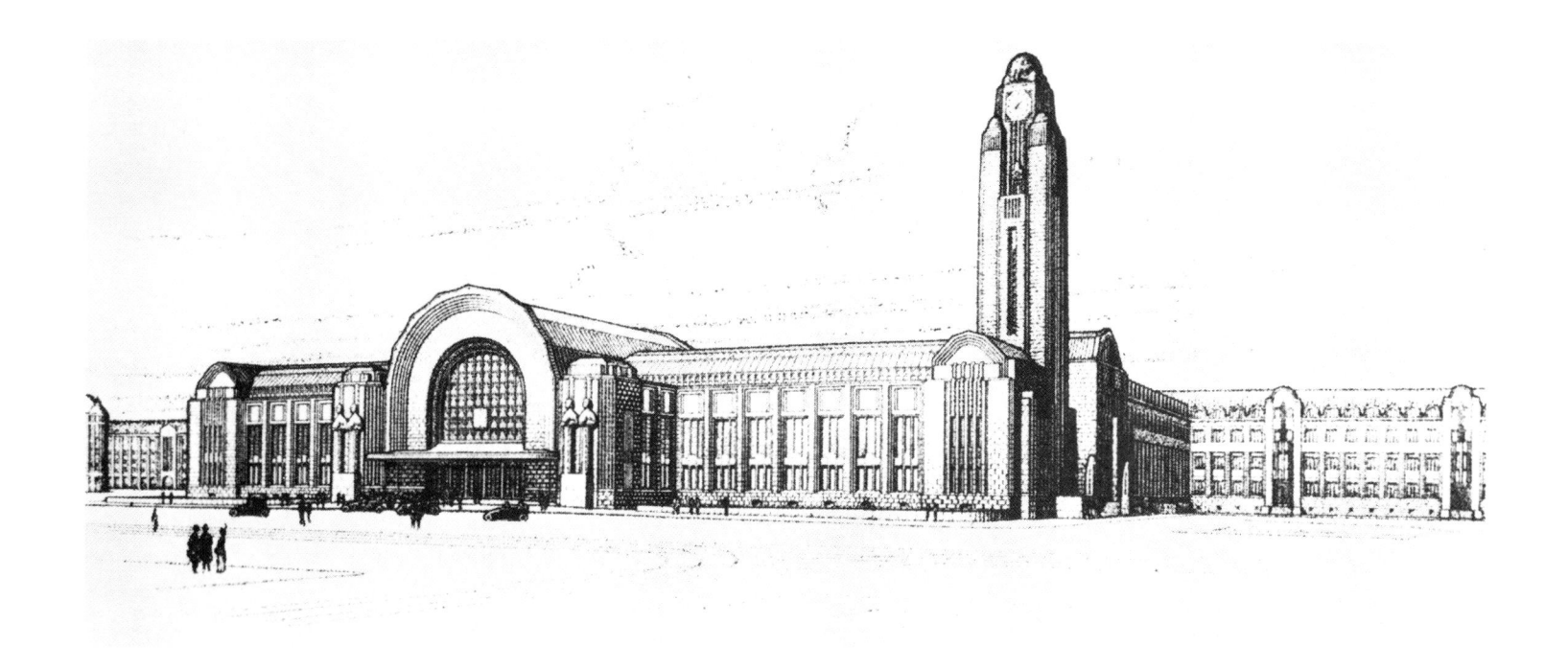

Eliel Saarinen, la gare centrale de Helsinki, premier projet 1904; réalisation 1909–1914

habilement à profit les conflits internes, la Russie s'appropria en partie la direction du pays. En 1914, la Finlande connut une crise généralisée conditionnée par les problèmes de légalité d'une part et d'autre part par les luttes internes pour l'égalité des droits entre la classe ouvrière et une population rurale en partie dénuée de possessions. Tout cela se déroulait sous une pression russe qui ne cédait pas un pouce de terrain. Déjà le slogan «Finis Finlandiae», avec lequel les panslavistes s'étaient fait valoir en 1910, semblait devoir se réaliser. Ce n'est qu'en 1917 que la pression se relâcha et que le pays obtint son indépendance.

Depuis 1812, Helsinki était la capitale du grand-duché de Finlande. C'était un beau site entourant un port naturel, et dont l'architecte allemand Carl Ludwig Engel avait marqué l'image, depuis 1920, avec une série de bâtiments dans le style classique. Aujourd'hui encore, ces bâtiments déterminent l'image de la ville. Au cours du 19ème siècle, Helsinki s'affirmera comme centre administratif, scientifique et universitaire du pays, et en 1900, elle était la principale place commerciale du pays. La Finlande ne s'était ouverte qu'avec hésitation à l'industrialisation, l'accent ayant surtout été mis sur le travail du bois et la fabrication de papier. Avec l'accession au commerce international du bois, les relations extérieures s'intensifièrent, en particulier avec la Suède, l'Angleterre et l'Allemagne. Vers 1900, cette ville soignée dénotait une certaine aisance générale, même si elle demeurait une métropole modeste. Le pays ne comptait alors que 2,7 millions d'habitants, mais ce chiffre devait atteindre 3,5 millions en 1914.

Même après la défaite suédoise de 1809, l'influence de son puissant voisin avait encore longtemps été déterminante; cette influence ne sera d'ailleurs jamais remplacée par une influence équivalente de la culture russe. On s'efforçait donc plutôt de créer un contrepoids tel que tout ce qui était finlandais se voyait consciemment encouragé et soutenu. Un peu comme dans d'autres pays, ceci sera réalisé par une revalorisation de la langue nationale, qui se voyait peu à peu admise dans tous les domaines, où elle remplaçait progressivement le suédois. Mais vers 1900, la moitié des habitants d'Helsinki parlaient encore le suédois, et à l'étranger, la capitale continuait de s'appeler Helsingfors. Si l'on redécouvrait et cultivait donc la langue nationale, cela avait lieu en grande partie sur la base de motivations romantiques nationalisantes qui amenèrent surtout à mettre par écrit les contes et légendes populaires, alors exclusivement transmis par voie orale, et en premier lieu l'épopée Kalevala. Cet enthousiasme croissant aboutit au «Carélianisme», c'est-à-dire que toutes sortes d'artistes parcouraient les régions russes et finlandaises de la Carélie à la recherche d'origines que l'on espérait encore trouver dans la profondeur des bois. Aucun grand esprit de cette époque n'échappait alors à ce mouvement.

L'importance croissante des échanges entre les artistes, la multiplication des contacts entre des tendances apparentées constitueront un second facteur décisif. C'est ainsi qu'à la même époque, une figure de la mythologie finlandaise, le cygne de Tuonela, fut mise en musique par Jean Sibelius, fut peinte par Akseli Gallén-Kallela et constitua le sujet d'une pièce écrite par le poète Eino Leino. Le peintre dont nous venons de citer le nom, très important pour l'art finlandais, était par ailleurs l'instigateur d'un mouvement qui se proposait de créer un environnement selon ses propres critères. La maison qu'il se construisit lui-même en 1894 dans une région retirée de la

Herman Gesellius, Armas Lindgren, Eliel Saarinen, la banque des Actionnaires du Nord à Helsinki, 1903/04

Herman Gesellius, Armas Lindgren, Eliel Saarinen, projet pour une maison de campagne à Kirkkonummi, 1902

moyenne Finlande s'appuyait sur le mode de construction en bois pratiqué dans la région et constituait un manifeste qui se voulait au-delà des modes et des styles, un peu comme la maison Bloemenwerf du Belge van de Velde. Mais cette construction marque aussi le début de cette phase nationale romantique dans laquelle entrera alors l'ensemble de l'art finlandais.

Le pavillon avec lequel la Finlande devait participer à l'Exposition Universelle de Paris en 1900 (illustration p. 188) allait montrer d'une façon particulièrement heureuse ce qui caractérisait ce mouvement. L'emploi particulièrement souple des motifs traditionnels, la puissance des citations et l'étonnante fraîcheur du bâtiment connurent immédiatement un grand succès auprès du public. En cela, il eut un effet semblable à celui que produisit la contribution du groupe munichois, qui travaillait dans le même esprit. Mais ici, l'écho devait être incomparablement plus important. Le pavillon finlandais devint ainsi une démonstration d'indépendance et sera compris comme une réponse à l'attitude répressive de la Russie, qui venait de durcir ses positions un an plus tôt. Dès cet instant, l'architecture devint synonyme d'une volonté de liberté et servira à soutenir les revendications nationalistes. Ce processus eut à son époque un impact nettement plus fort que ne sont à même de le faire sentir les bâtiments isolés communément présentés par l'histoire de l'art: la grande gare d'Helsinki (illustration p. 189), divers édifices officiels et quelques églises isolées n'étaient pas les seuls à poursuivre ce but, il faut également y ajouter les quartiers entiers qui furent construits dans un style spécifiquement finlandais, style qui, outre ses qualités artistiques, avait également un caractère indéniablement revendicatif.

Louis Sparre, chaise et table en acajou, 1902/03, atelier d'ébénisterie de Louis Sparre

Le promeneur attentif peut aujourd'hui encore découvrir sans peine à quel point la ville d'Helsinki est caractérisée par une architecture où la fierté bourgeoise le dispute à un sens précis des formes. Ce style très défini ne peut être compris que comme la manifestation d'une volonté unie. Pour la plupart de ces immeubles, ce sont les maisons construites autour de 1910 par Herman Gesellius, Armas Lindgren et Eliel Saarinen qui ont servi de modèle. En 1898, ces trois architectes avaient déjà gagné le concours ouvert pour la réalisation du pavillon finlandais. A l'étranger, ils seront pratiquement identifiés à l'ensemble de l'architecture finlandaise moderne. Même si elle n'est pas tout à fait dénuée de fondement, cette simplification n'est guère pertinente. Il est certain que ces architectes furent déterminants pour leur époque et qu'ils jouèrent un rôle de premier plan. Leur style invariable, un peu lourd et tendant au pathos est imposant et massif; il frappe par la disposition et dénote une grande simplicité dans l'ornementation. Les intérieurs avaient parfois une certaine ressemblance avec les travaux de Joseph Maria Olbrich, de Peter Behrens et de Hermann Billing. Mais c'est surtout l'aspect extérieur des innombrables immeubles que les trois architectes réalisèrent à une époque mouvementée, mais non pas dénuée de moyens, qui allie une simplicité fortement structurée à une intervention extrêmement ciblée

du décor, décor qui définit, élargit et fait même exploser leur appartenance à l'Art nouveau. Dans l'œuvre d'Eliel Saarinen en particulier, on peut reconnaître les prémisses d'une transition directe vers la modernité de l'après-guerre.
L'édifice finlandais le plus célèbre de cette époque sera la grande gare d'Helsinki, fruit d'un concours de 1904. Pendant sa réalisation, elle connut des modifications remontant à l'influence de courants contraires. Parallèlement à un aspect plutôt introverti, qui voyait son salut dans les racines spécifiquement finlandaises, on vit se développer de plus en plus un aspect opposant les conceptions de la modernité européenne au nationalisme romantique. Cette nouvelle conception se considérait comme plus progressive et mettait davantage l'accent sur les éléments structurels que sur les éléments sentimentaux. Son représentant le plus conséquent sera l'architecte Sigurd Frosterus, qui avait plusieurs fois rendu visite à van de Velde au cours des années 1903 et 1904 et qui avait ainsi pu s'initier à une pensée nouvelle. Même s'il construisit peu en Finlande même, son influence critique sera cependant déterminante. La grande gare, finalement construite dans un style rigoureux, influença nombre de réalisations fort éloignées de Helsinki; l'architecture finlandaise eut ainsi une force suffisante pour faire école dans le monde entier.

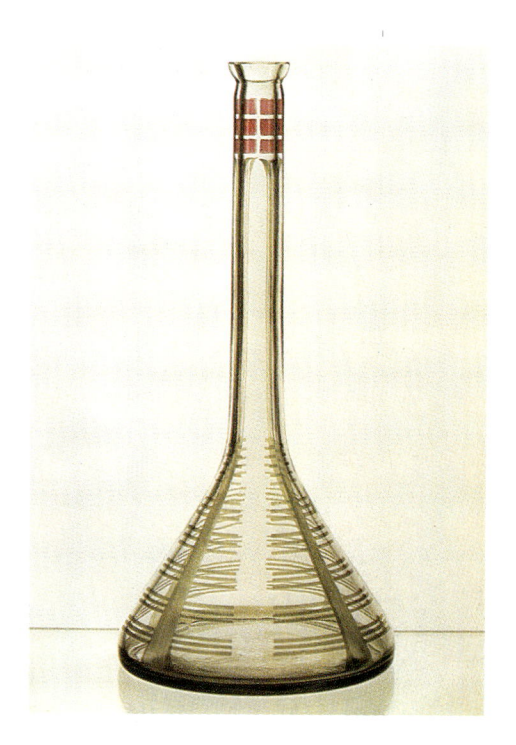

Verrerie Wärtsilä-Nuutajärvi, vase peint à la main, hauteur: 20 cm, vers 1900

Eliel Saarinen, fauteuil, chêne et cuir, 1902
Fondation Gerda et Salomon Wuorio, Hvitträsk

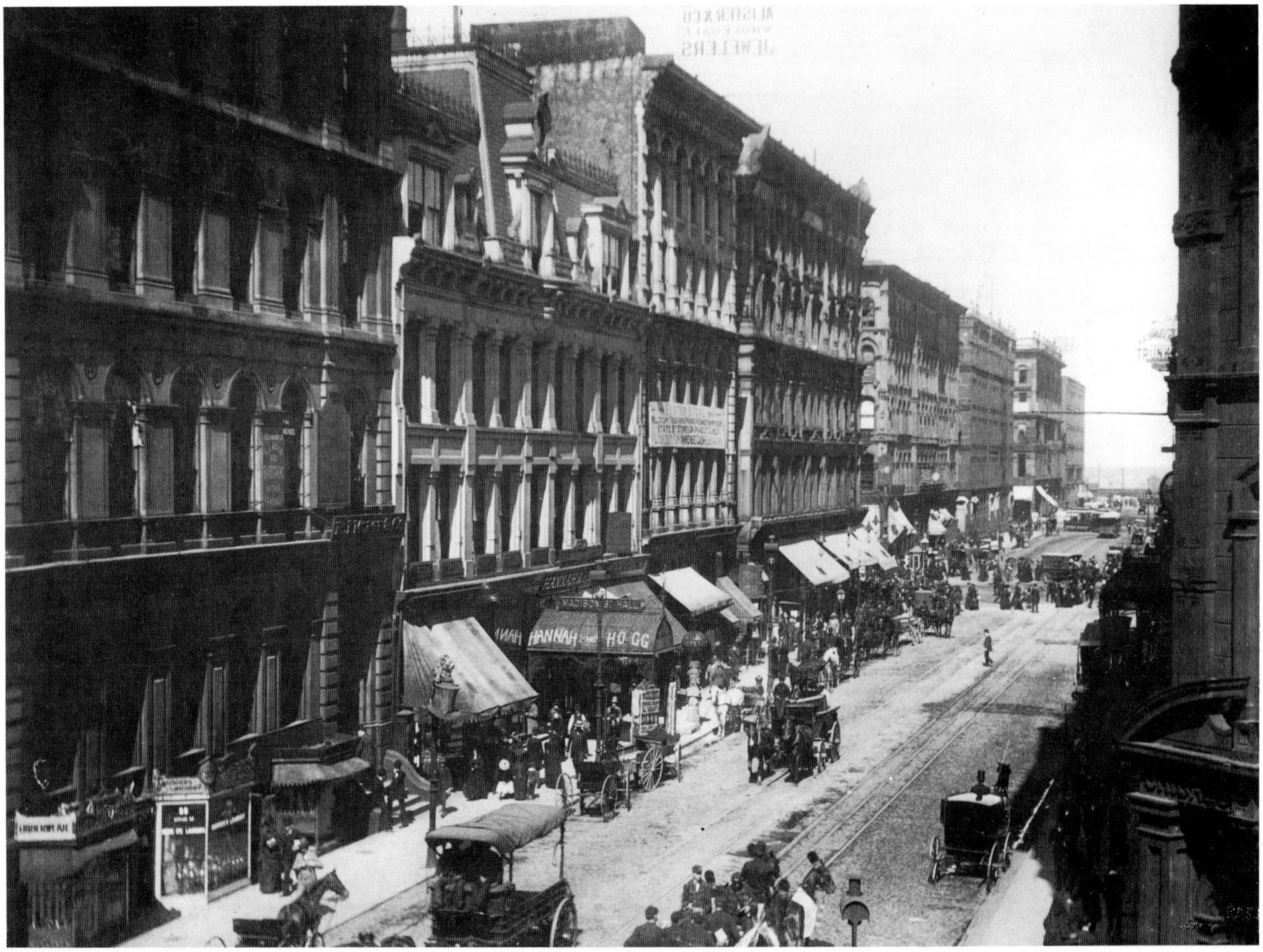

Chicago

Au moment du changement de siècle, Chicago n'avait nullement besoin de s'initier à la modernité, qui y existait déjà – tout au moins et avant tout dans l'art de construire. L'architecture avait en effet marqué l'image de la ville depuis qu'en 1871, elle avait en grande partie été ravagée par le feu et que quelques personnalités intelligentes avaient su saisir la chance qui se présentait suite à cette catastrophe. Le pragmatisme architectural était volontiers ressenti comme l'expression d'une mentalité propre à Chicago.

En 1830, Chicago n'était encore qu'un village de quelques douze maisons et soixante-dix habitants, mais dans le courant du siècle, la ville naissante devait devenir la seconde métropole des Etats-Unis. Jusqu'en 1860, elle sut essentiellement profiter d'un emplacement favorable au bord des grands lacs américains, devenant ainsi la plaque tournante idéale pour les produits de l'immense Middle-West. Mais à la fin de la guerre de Sécession, l'industrie vint s'ajouter à l'intense activité commerciale de la ville, et bien sûr en premier lieu l'industrie de transformation des produits de l'agriculture environnante. Mais de grandes réserves de charbon et de minerai dans l'arrière-pays encouragèrent également l'industrie lourde et la construction de machines. De grandes entreprises comme les wagons Pullman et l'entreprise McCormick, qui fabriquait des moissonneuses, vinrent s'y installer.

Vers 1900, Chicago était ainsi devenue le centre indiscutable du Middle-West. Située au carrefour des quatre Etats fédéraux de l'Illinois, du Michigan, du Minnesota et du Wisconsin, elle proposait les meilleures voies de transport, par eau et par un réseau de chemins de fer aménagé depuis 1850. Bien qu'elle fût perdue au centre du continent, la ville avait quand même des relations directes avec le monde entier – ce qui peut sembler invraisemblable comme beaucoup de choses concernant Chicago. Par le canal de l'Erié, elle ralliait New York et l'ensemble de la côte est; par les Grands Lacs et le Saint-Laurent, elle avait accès à l'Atlantique et à l'Europe. Vers le sud, on empruntait le canal du Michigan pour rejoindre le Mississipi et le Golfe du Mexique, d'où on avait accès au Pacifique et à la côte ouest. Plaque tournante entre l'Ouest américain et l'Atlantique, Chicago avait le quasi-monopole de cette position. En 1880, plus de quarante lignes ferroviaires importantes passaient par Chicago, et en 1905, la ville était devenue le centre d'un sixième de l'ensemble du trafic ferroviaire mondial, dix mille wagons de marchandises passant ainsi quotidiennement par ses gares.

Le secteur économique le plus important restait la transformation des céréales et l'abattage du bétail. On vit apparaître de célèbres abattoirs, lieux stylisés quasi mythiques où étaient tués, dépecés chargés et envoyés environ vingt mille

Page précédente: Chicago vers 1900

porcs, cinq mille vaches et huit mille moutons, et cela quotidiennement. L'industrie de la viande représentait presque un tiers de l'économie de la ville.

Chicago était la ville des superlatifs. Aux Etats-Unis, elle tenait la première position en matière de production de fer et d'acier, de machines agricoles, de meubles, et même d'orgues et de pianos; elle était également le plus grand carrefour ferroviaire et le plus grand port intérieur du pays. Sur le plan mondial, elle était la plus grande plaque tournante céréalière, le plus grand marché de bétail et la plus grande place pour le commerce du bois; elle possédait en outre le plus grand magasin du monde. Parallèlement à l'expansion économique, la ville avait connu une explosion démographique; de 300.000 habitants en 1870, elle était passée à 1.700.000 vers 1900. Les émigrants d'Europe avaient largement contribué à cette explosion, en particulier les Allemands, qui formaient la colonie la plus importante.

La renommée de la ville s'était rapidement répandue, non sans quelque frisson, en particulier dans l'ancien monde. Bismarck lui-même souhaitait s'y rendre, et nombre de personnes purent en effet la visiter à l'occasion de l'Exposition Universelle de 1893, en ressentant le caractère aride et imposant comme quelque chose de typiquement américain. Rudyard Kipling s'était plus tard exprimé dans ce sens, et pour Sarah Bernhardt, l'abattage des porcs avait été une pièce de théâtre horrible et grandiose. Quoi qu'il en soit, l'actrice avait au moins eu le courage de s'y exposer. La différence avec New York, marquée par la culture européenne, devait vraiment être frappante.

Holabird and Roche, le Tacoma Building à Chicago, 1887–1889

Louis H. Sullivan, le grand magasin Carson Pirie Scott & Co., Chicago 1899–1904

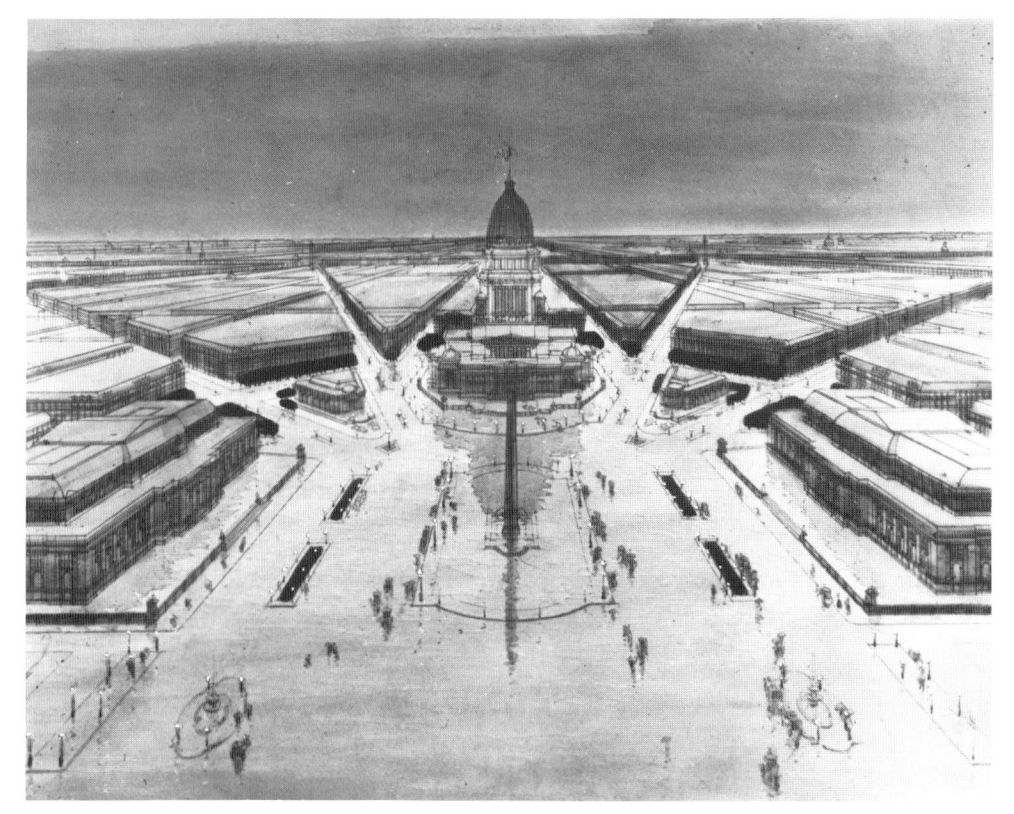

Pour une ville à ce point fixée sur l'expansion et le renouvellement permanent, une catastrophe devait plutôt représenter un stimulant qu'un obstacle. Le gigantesque incendie de 1871 avait détruit un tiers de la ville, mais il avait aussi mis fin à une urbanisation vétuste et chaotique. En considération de ce qui allait suivre, on ne pouvait interpréter les choses qu'en considérant ce coup du sort comme le signal qui allait enfin permettre de procéder de la façon la moins scrupuleuse et la moins sentimentale. Chicago devint le lieu de naissance d'une architecture spécifiquement américaine, largement conditionnée par ce qui en Europe était encore en gestation à la même époque, c'est-à-dire l'esprit ingénieur. Des questions aussi pragmatiques que la résistance d'immeubles comportant un grand nombre d'étages, leur organisation et leur distribution intérieure, l'habillage ignifugé des structures d'acier et autres problèmes du même ordre dictaient une démarche qui conduira à une architecture réellement nouvelle sur le mode expérimental et dénuée de préjugés. Les maisons se construisaient vraiment sur la base de contraintes et non sur celle d'un choix stylistique approprié. Les réminiscences historiques survivaient tout au plus dans la décoration, et encore y connaissaient-elles une utilisation extrêmement souple et originale.

Les immeubles les plus typiques étaient des constructions très simples ou réduites en grande partie à leur squelette, et dont les grandes surfaces vitrées s'efforçaient également de rendre utilisable l'immense espace intérieur. On procédait pour cela de façon exempte de tout dogmatisme – c'est ainsi que le Monadnock Building avait reçu un aspect particulièrement imposant par le fait qu'en dépit de ses seize étages, l'extérieur présentait une maçonnerie traditionnelle, alors que le noyau en était une structure moderne légère. L'affinement des dimensions vers le haut fut mis à profit pour présenter des vagues tendues à la verticale.

Ce qui n'était nullement certain dans un premier temps se produisit cependant à Chicago: en 1893, l'Exposition Universelle rapporta des bénéfices substantiels. Mais le caractère officiel d'un aménagement luxueux eut pour conséquence un retour à l'architecture conventionnelle de la tradition des Beaux-Arts. La grande

Daniel H. Burnham, plan pour l'extension de Chicago, 1909

Daniel H. Burnham et John W. Root, le Monadnock Building à Chicago, 1884–1890

Frank Lloyd Wright, la Maison Robie House à Chicago, 1906–1909

Frank Lloyd Wright, vue de l'entrée de la Maison Heurtley House à Oak Park près de Chicago, 1901

époque de l'«Ecole de Chicago» était ainsi provisoirement terminée, mais elle devait être poursuivie d'une façon quelque peu ambiguë par un architecte dont la contribution à l'Exposition Universelle avait déjà refusé de se plier au nouveau style en vigueur: Louis H. Sullivan. Avec lui se dessinait une nouvelle génération nettement marquée par l'architecture nouvelle qui avait été interrompue peu après son avènement. Sullivan devait en élargir les applications et la développer non sans contradictions. Bien que Sullivan fût un peu plus âgé que les architectes importants pour le renouveau européen après 1900, ses conceptions et son œuvre l'apparentaient néanmoins à l'Art nouveau. Le point de départ purement pragmatique de son travail s'était développé pour se rapprocher de l'œuvre d'art totale en y intégrant des éléments fortement décoratifs. Sullivan tendait au pathos et il était en même temps éloigné de tout purisme exclusif. Il aspirait visiblement à une sublimation sensuelle des solutions fonctionnelles, se rapprochant ainsi conceptuellement de ce qui se passait en Europe tout en restant très libre et original sur le plan formel. L'architecte auquel il s'apparentait le plus était le Viennois Otto Wagner. Le grand magasin qu'il construira à Chicago entre 1899 et 1904 (illustration p. 196) montre bien sa combinaison réussie entre une structure globale rigoureuse et une explosion ornementale dans le détail, explosion qui ne peut s'expliquer seulement par un utilitarisme rationnel, et qu'il faut bien admirer comme le résultat d'une démarche artistique convaincante. Rien ou presque ne permet de justifier les fantasques efflorescences des deux étages inférieurs, qui ne s'expliquent guère mieux par une incitation à l'achat. En fait, Sullivan contredisait toutes ses théories et en dernier ressort, il démontrait l'absurdité de la conception selon laquelle l'ornement pouvait encore être soumis à un ordre défini avec précision. On assistait donc une nouvelle fois à la profession de foi d'un «architecte-artiste», et à une distanciation des «architectes-ingénieurs» qu'avaient été ses prédécesseurs à Chicago. Pour la conception européenne, cela devait apparaître plus tard comme un retour en arrière, mais en réalité, les réponses de Sullivan aux exigences de l'époque 1900 dépassaient largement le cadre de ces conceptions. Il alliait une construction sans défaut, définie de la façon la plus rigoureuse avec les attributs de l'exigence artistique, niant en même temps l'illusion – il était en cela peut-être davantage prophète que les autres architectes –, selon laquelle on pouvait encore faire fusionner ces deux aspects.

La mission artistique de Sullivan pouvait ainsi sembler remplie – même si elle pouvait sembler aboutir dans une impasse tragique, ses œuvres ultérieures n'ayant qu'une valeur marginale. Mais le sol était suffisamment fertile pour générer une évolution très différente. Une fois encore – comme c'est si souvent le cas –, l'évolution architecturale devait se concentrer autour de l'œuvre d'une seule personnalité. Frank Lloyd Wright était pour sa part tout à fait contemporain des Olbrich, Hoffmann, Behrens et Mackintosh en Europe, mais grâce à son apprentissage auprès de Sullivan et de Dankmar Adler, son associé, il était en possession d'une expérience et d'un métier exceptionnels. En 1894, âgé seulement de vingt-cinq ans, il devait déjà se mettre à son compte. Il se construisit une maison-atelier à Oak Park, dans une banlieue de Chicago, et connut d'emblée un grand succès, en particulier grâce à ses projets luxueux. Son entrée dans l'histoire de l'architecture se fit donc immédiatement après l'Exposition Universelle, se produisant donc au même moment que celle, tout à fait comparable, de van de Velde et Horta à Bruxelles. Le côté séduisant de sa nouvelle conception était qu'elle cristallisait une émancipation à la fois architecturale et sociale. Wright n'aurait pu construire ses villas et maisons de campagne luxueuses sans l'apparition d'un mode de vie spécifique chez ses clients. C'était là quelque chose de nouveau, d'américain et de non conventionnel, mais c'était en même temps la preuve de nouvelles attentes concernant l'utilité et la valeur

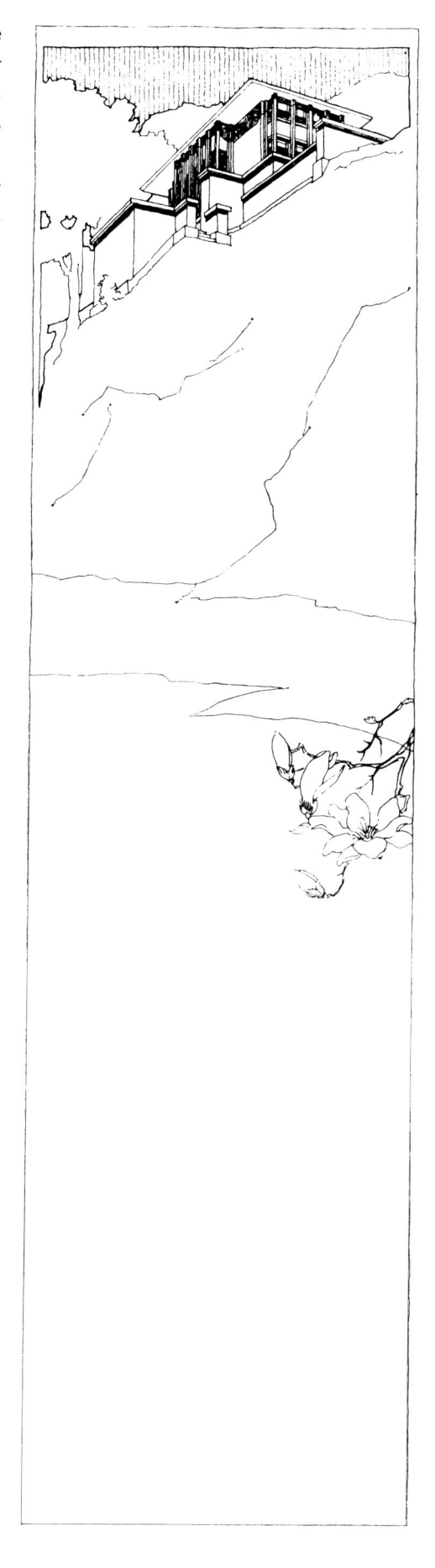

Frank Lloyd Wright, perspective de la maison Hardy-House à Racine, Wisconsin, vers 1900

Frank Lloyd Wright, grand salon dans la maison Coonley House à Riverside, Illinois, 1907/08

Frank Lloyd Wright, 1867–1959
Après deux années d'études à l'école d'ingénieurs de l'Université du Wisconsin à Madison, Wright travaille de 1888 à 1893 dans le bureau d'études de Louis H. Sullivan. A cette époque déjà, il construit indépendamment de nombreuses maisons et réalise un atelier pour ses propres besoins à Oak Park, banlieue chic de Chicago. C'est là qu'il dessinera ensuite ses «Prairie Houses». En 1909, il voyage en Europe, où il devient l'inspirateur d'architectes comme Walter Gropius et Ludwig Mies van der Rohe grâce à une exposition à Berlin et son livre inti-

pratique des choses. On ne saurait méconnaître qu'une fierté naturelle était à la recherche d'un environnement approprié. Il va de soi que dans le cas présent, les idées architecturales de Wright ont contribué à développer cette mentalité, mais lui-même pouvait également être sûr de la rencontrer à Chicago.

La coïncidence entre le mode de vie et l'architecture commençait par une disposition des maisons à même le sol, disposition qui les rapprochait des vastes terrains qui les entouraient. Les terrasses, les bassins et les vasques plates en pierre, si caractéristiques du style de Wright, reliaient insensiblement l'intérieur à l'environnement, tout en évitant la hiérarchisation des niveaux telle qu'on la connaissait dans les villas à l'européenne. Le pays sur lequel on bâtissait était encore neuf, et cela devait se sentir. Ce rapport était décliné par un plan au sol qui n'était pas développé de manière centralisante, mais avec une prédilection pour la forme en croix. Cela impliquait une multiplication des murs extérieurs et donc une augmentation du nombre d'ouvertures. En règle générale, le noyau du complexe était constitué par une forte cheminée qui donnait leur cohésion nécessaire aux autres parties des maisons, construites de façon plus légère – on est tenté de penser que Wright fut inspiré par les photos de la ville de Chicago détruite par l'incendie, et où l'on pouvait encore voir les cheminées des immeubles détruits. Mais il est sans doute plus juste d'y voir l'expression d'une mentalité de pionnier qui commence par disposer l'essentiel – le foyer – pour s'occuper du reste dans un second temps. De la désarticulation des plans au sol découlait la répartition usuelle des parties – habitat au centre, mais cuisine, travail et sommeil dans des ailes séparées.

Le rapport au sol était encore poursuivi verticalement par des étages ramassés – pas plus de deux en règle générale – et des toits presque plats surplombant abondamment les murs. L'importance accordée à tous les éléments horizontaux – corniches, balustrades, gouttières et fenêtres «en ruban» – avait pour conséquence une stratification de l'aspect extérieur qui tendait à diminuer encore optiquement l'élévation déjà peu importante des maisons. A cela venait s'ajouter le fait que les toits en surplomb reléguaient dans l'ombre toute impression de lourdeur, en atténuant donc notablement l'effet.

A l'intérieur aussi, on pouvait ressentir les traces de la jeune histoire d'un pays où l'on pouvait enfin vivre dans la sécurité recherchée. Avec la forme extrêmement étirée de son toit, le salon central de la maison Coonley évoquait une tente. Mais la nouvelle atmosphère de vie s'exprimait avant tout par la fluidité des transitions spatiales, qui permettaient toujours de ressentir le centre de chaque maison comme une grande unité. En règle générale, l'entrée, le salon et la cage d'escalier étaient disposés comme un continuum traversant le noyau sans interruption. La cheminée constituait le point d'ancrage des nombreux axes et lignes d'ouverture, recréant par ailleurs une certaine intimité au sein du jeu spatial.

Une description détaillée est nécessaire pour faire comprendre ce que la conception architecturale de Wright avait d'inhabituel. On pourrait la définir

Frank Lloyd Wright, façade côté jardin du Coonley House à Riverside, Illinois, 1907/08

tulé «Ausgeführte Arbeiten und Entwürfe» (Projets et Travaux Exécutés). Après son retour aux Etats-Unis en 1911, il fonde dans le Wisconsin la communauté de Spring Green; sa maison «Taliesin» est transformée en école d'architecture. Œuvres principales: le Coonley House à Riverside, Illinois, 1907–1911; le Robie House à Chicago, 1907–1909; le Larkin Building à Buffalo, 1904; le grand magasin «Fallingwater» à Bear Run, Pennsylvanie, 1936; l'immeuble administratif S.-C.-Johnson, à Racine, Wisconsin, 1936–1939; le Musée Solomon R. Guggenheim à New York, 1943–1946 et 1956–1959.

Frank Lloyd Wright, le salon du Little House à *Wayzata, Minnesota, 1912–1914*
New York, The Metropolitan Museum of Art

comme extravertie, par opposition à celle pratiquée par ses contemporains. L'architecte américain créait ses maisons comme un «jeu de Lego», les divers éléments étaient assemblés selon les exigences, la cohérence harmonieuse de l'organisme intérieur, une fonctionnalité pure et pratique constituant la base, alors que l'aspect extérieur restait sujet à diverses options. Cette simplification n'est évidemment pas totalement valide; en effet, l'aspect ordonné et soigneusement composé de ses maisons saute aux yeux. Mais dans la mesure où une stratification riche en décalages possédait par elle-même une assise optique suffisante, il était superflu de développer une façade. Cette façon de procéder allait à l'encontre de toutes les conceptions en cours, qui visaient presque toutes à une forme extérieure solide. Même si cette forme était démultipliée par des ruptures, des ajouts et des élargissements, elle n'en menait pas moins à une apparence massive et hermétique. Wright remplaça l'agencement de corps géométriques en tant que fondement architectural par l'interpénétration d'espaces en partie ouverts et en partie fermés: les murs agissaient alors sur l'environnement, les toits créaient des zones ombrées, et les fenêtres disposées en ruban dissolvaient la limitation spatiale de l'intérieur.

Le «style prairie» de l'Américain se développa à un moment où en Europe, même les architectes les plus audacieux étaient encore occupés à habiller leurs maisons d'une façon nouvelle, la forme en restant fondamentalement conventionnelle – d'une façon ornementale et plastique chez Olbrich, dynamique et

Frank Lloyd Wright, projet pour un immeuble de la City National Bank à Mason City, Iowa, 1909

suggestive chez van de Velde ou en quelque sorte taillée aux angles chez Behrens. En 1910, lorsque parut en Allemagne une vaste collection de dessins des travaux les plus importants de Wright, son architecture connut un vif écho; mais à ce moment, l'évolution architecturale s'était depuis longtemps orientée vers une nouvelle forme de classicisme qui était l'exacte antithèse des conceptions de Wright.

Les fronts commencèrent à se déplacer; c'était là une évidence qui n'était pas nouvelle dans l'histoire de l'Art nouveau. Par bien des aspects, il était normal que les meilleures initiatives d'une architecture nouvelle se soient développées aux Etats-Unis à cette époque; et dans cette mesure, il est d'une logique assez équivalente que cela ne se soit pas fait dans une métropole comme New York, qui était par trop influencée par l'Europe, mais dans une ville de province ayant assez de forces, de liberté et d'espace pour encourager la nouveauté sur une longue période – tout d'abord avec une absence totale de scrupules, et plus tard d'une façon plus civilisée.

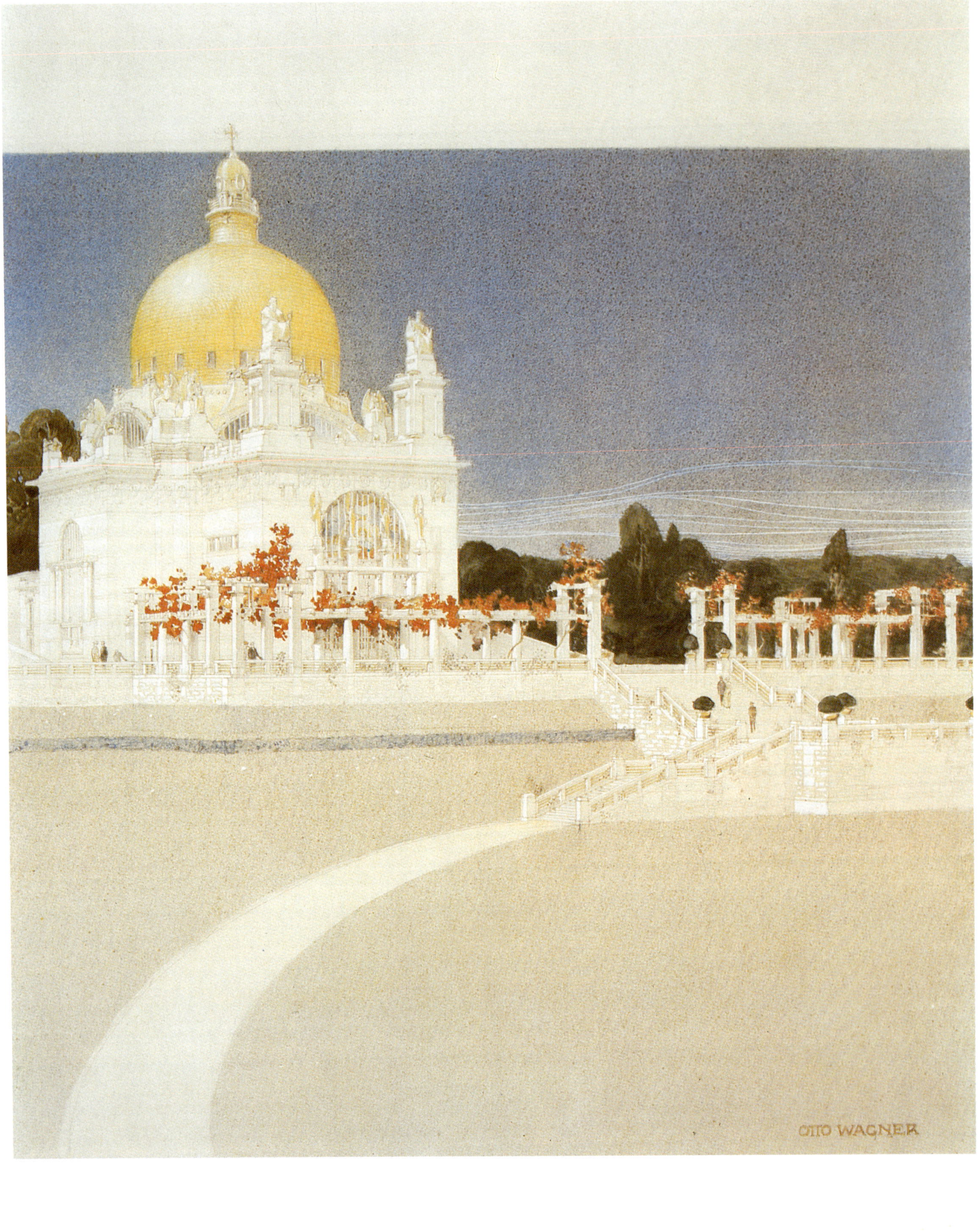
OTTO WAGNER

EQUILIBRE
VIENNE: L'INITIATION A LA MODERNITE

*Page 204: perspective de l'église «am Steinhof»
de Otto Wagner, Vienne 1902, aquarelle
Vienne, Historisches Museum der Stadt Wien*

Après tout ce qui a été dit jusqu'à présent, on serait en droit de se demander si la contribution de Vienne à la modernité aux alentours de 1900 peut être considérée à juste titre comme partie intégrante de l'Art nouveau. La lucide clarté de bon nombre d'objets s'y oppose, tandis que la fraîcheur ornementale, encore presque intacte à Vienne comme ailleurs, parle dans ce sens. Quoi qu'il en soit, la question rhétorique du pour et du contre ne peut avoir de sens que pour souligner le fait que Vienne se distinguait des autres centres de l'Art nouveau en Europe par bien des aspects. A la rupture ludique et dynamique, on sut opposer un style équilibré et mûri – l'élément dionysiaque des fonctionnalistes sensuels devait y trouver le contrepoids apollinien d'une position dont la sensibilité classique de l'harmonie s'exprimait jusque dans la rupture avec le passé. L'un des architectes qui tendait le plus à dévier de cette ligne, Joseph Maria Olbrich, quitta d'ailleurs la ville très tôt pour s'installer à Darmstadt, ce qui était dans la logique des choses. Personne ne pouvait donc plus jouer les trouble-fête. C'est là bien sûr une simplification, mais peut-être est-elle permise en guise d'introduction.

Par ailleurs, il est vrai que personne n'oserait affirmer que Vienne ait été une capitale provinciale aux alentours de 1900. Si l'on fait la somme des réalisations de la ville essentiellement après le changement de siècle, on la voit prendre un rang de très grande métropole, presque à égalité avec le Paris de l'époque, et si l'on tient compte du fait qu'elle n'avait pour cela nullement besoin de personnalités étrangères – russes par exemple –, elle faisait peut-être même preuve d'une cohésion supérieure à la célèbre capitale de la France. Au cours des dernières années, on a su surmonter une certaine paresse de jugement au profit d'une prise en compte de ce fait.

D'un autre côté, on est trompé par l'image qui s'en dégage peu à peu: celle d'une métropole culturelle extrêmement complexe, et qui ne fut pas seulement en mesure de réaliser des performances exceptionnelles sur le plan de l'architecture, des beaux-arts, mais encore dans les domaines littéraire, musical, philosophique et médical – il est aujourd'hui impossible de ne pas mentionner le nom de Sigmund Freud –, et tout cela en dépit d'une situation politique disparate. Un peu comme à Bruxelles, les forces spirituelles semblent y avoir connu une fusion qui se dissolvait déjà sur le plan politique par exemple. C'est ainsi qu'en 1872, Vienne n'était plus le centre unique de l'Empire; elle devait en effet partager cette position avec Budapest. Ceci amena rapidement une reconstruction généreuse de cette ville qui – pour ce qui était de la fierté et de l'allure – assuma dès lors le rôle de la province motrice au sein de la double monarchie. Pour s'affirmer, Budapest se servira elle aussi de l'Art nouveau, mais d'une façon hélas bien moins convaincante. Apparemment, elle ne parvenait pas à s'affirmer face à l'éclat de la véritable métropole.

Le partage du pouvoir, c'est-à-dire la mise en place de la double monarchie austro-hongroise, avait été un des pas les plus spectaculaires pour préserver la cohésion d'un Etat-puzzle qui se composait en 1900 de plusieurs douzaines de nationalités. Quelques défaites militaires, – en particulier face à la Prusse en 1866 –, les crises gouvernementales incessantes auxquelles venaient s'ajouter des problèmes économiques et les conséquences d'une Exposition Universelle de 1873 qui fut un désastre financier, avaient fait du tort à l'image de l'Autriche, menaçant la cohésion interne de l'Empire. Le nationalisme croissant des diverses populations et les jalousies culturelles contraignirent le pouvoir central à d'importantes concessions qui paralysaient peu à peu l'ensemble de l'Etat.

Malgré l'échec de la révolution de 1848, la bourgeoisie libérale participait au pouvoir depuis 1860. Son influence transforma essentiellement Vienne où politiquement, économiquement et culturellement, elle aura été dominante jusque peu avant le changement de siècle. En étaient responsables les couches relativement restreintes, mais aisées, de la moyenne et de la haute bourgeoisie, qui pouvaient choisir le conseil municipal grâce à un droit de vote tributaire de l'imposition. Politiquement, les libéraux recherchaient un affaiblissement tant du pouvoir de l'Etat monarchique que des privilèges de la noblesse et réclamaient des droits constitutionnels et un strict Etat de droit. Pour l'économie, ils exigeaient la libre concurrence sans ingérence de l'Etat et une plus grande liberté syndicale sans être disposés à faire de grandes concessions sociales. Les conceptions cléricales devaient être remplacées par la foi en la valeur des méthodes d'éducation rationnelles et en la science. Un optimisme progressiste linéaire régissait largement les idées et les actes. Une vision relativement

Page précédente:
Otto Wagner, l'immeuble de la Caisse d'Epargne à Vienne, 1903–1912

Adolf Loos, l'immeuble sur la place Michaeler Vienne, 1909–1911

Otto Wagner, perspective de la station de métro
«am Karlsplatz», Vienne 1898, aquarelle
Vienne, Historisches Museum der Stadt Wien

<u>Otto Wagner, 1841–1918</u>
Wagner commença sa formation en 1857 à la Technische Hochschule de Vienne; il étudie ensuite à l'Académie d'Architecture de Berlin, puis, de 1861 à 1863 à l'Académie des Beaux-Arts de Vienne. En 1894, il y devient professeur. De 1899 à 1905, il sera membre de la Sécession viennoise. En 1890, il reçoit la commande pour la replanification de la ville de Vienne et réalise la construction du train périphérique.
Œuvres principales: les immeubles de la «Linke Wienzeile», 1898/99; les stations de métro à Vienne, 1894–1897: l'église «am Steinhof»; la Caisse d'Epargne de Vienne, 1904–1906.

Otto Wagner, détail de la façade de l'immeuble du 38, Linke Wienzeile, Vienne 1898/99

Otto Wagner, l'immeuble «Majolikahaus» sur la Linke Wienzeile, 1898/99, in: Moderne Städtebilder, Neubauten in Wien, Berlin 1900

Josef Hoffmann, projet de façade, vers 1895, in: Dekorative Kunst II, 1898

Josef Hoffmann, 1870–1956
Etudes à la Staatsgewerbeschule de Brünn, puis, de 1892 à 1895 à l'Académie des Beaux-Arts de Vienne chez Karl von Hasenauer et Otto Wagner, dans l'atelier duquel il travaillera ensuite. 1899 à 1936, professeur à la Kunstgewerbeschule de Vienne. En 1897, il est l'un des initiateurs de la Sécession viennoise, qu'il quittera en 1905 avec Gustav Klimt. En 1903, avec Koloman Moser, Hoffmann fonde les «Wiener Werkstätte», les Ateliers viennois, dont il restera le directeur artistique jusqu'en 1932. 1907–1912, président du Werkbund autrichien.
Œuvres principales: les Maisons Moser, Moll, Henneberg et Spitzer sur la «Hohe Warte» à Vienne, vers 1900; le sanatorium de Purkersdorf près de Vienne, 1903; le Palais Stoclet à Bruxelles, 1905–1911; le pavillon d'exposition pour la Biennale de Venise en 1934.

cosmopolite conditionnait le refus des orientations nationalistes ou régionalistes. C'est ainsi que le libéralisme constitua une force stabilisatrice dans le système de la monarchie danubienne qui se dégradait progressivement. Le libéralisme était entre autres encouragé par une forte proportion de juifs aisés. Après plus de trente années de domination, la fin du 19ème siècle verra la chute rapide du mouvement libéral, et la catastrophique défaite des libéraux aux élections municipales de 1895 permit en même temps au parti socio-chrétien fondé en 1889 de faire une percée sous la direction de Karl Lueger qui, après une bataille électorale d'une violence inouïe, fut élu maire de Vienne. Il conserva cette charge jusqu'à sa mort en 1910, et son image auréolée lui survécut longtemps dans l'esprit des Viennois.

Ce bouleversement avait plusieurs causes: d'une part, après toute une série d'échecs, les idées économiques des libéraux étaient progressivement tombées en discrédit et avaient amené bien des incertitudes en particulier dans les cercles de la petite bourgeoisie; d'autre part, les libéraux n'avaient su obtenir la confiance des couches sociales inférieures. Les problèmes sociaux croissants exigeaient apparemment d'être pris en main plus sérieusement que cela n'avait été fait jusqu'alors. Des choses avaient certes été faites pour moderniser la vie de la ville, comme par exemple l'endiguement des inondations entre 1871 et 1875 grâce à la régulation du Danube. 1873 avait vu l'ouverture du premier hôpital municipal laïc. Mais l'action générale du parti libéral demeurait malgré tout dans le vague, et les inquiétudes

Joseph Maria Olbrich, salon pour un yacht présenté en 1900 à l'exposition Universelle de Paris

Alois Ludwig, titre de livre «L'Ecole de Wagner», vers 1900

des couches de la basse bourgeoisie et des artisans, qui se sentaient oppressés par le principe illimité de la concurrence, étaient insuffisamment prises en compte; enfin, aucune initiative communale sérieuse ne s'attaquait à une crise du logement née de l'accroissement continu de la population ouvrière. Par la suite, cet état de fait changera du tout au tout.

Outre quelques exigences qui étaient bonnes et justes, le programme socio-chrétien de Lueger comprenait également toute une série de points nettement anti-libéraux; il réclamait entre autres et surtout un retour à une plus grande influence cléricale dans les écoles et entonnait des hymnes nationalistes et bien pensants à l'encontre du «grand capital international». Cette tendance se reconnaissait aisément et ne fut d'ailleurs pas occultée: la victoire électorale de Lueger reposait essentiellement sur des assertions antisémites visant les tenants du pouvoir économique.

Vers 1900, Vienne venait donc de connaître d'importants bouleversements; elle se voyait en outre contrainte d'être le centre représentatif d'un groupement d'Etats hétéroclites. A cela s'ajoutait sans aucun doute le fait irritant que Berlin prenait peu à peu l'ascendant sur Vienne et avait donc de plus en plus le pouvoir d'y exercer son influence. C'est essentiellement sur le plan culturel que la ville se voyait progressivement détrônée de sa fonction de métropole. Entre 1870 et 1900, le nombre d'habitants avait triplé et s'élevait désormais à 1,6 millions d'habitants. Cela faisait de Vienne la quatrième ville d'Europe. En 1900, le dernier axe assurant encore une certaine cohésion dans une situation de faiblesse difficile à cacher, était la digne et respectable personne de l'Empereur Franz Joseph, qui gouvernait alors depuis cinquante-deux ans et qui avait encore seize ans de règne devant lui. Aux divers jubilés de cette régence endeuillée par plusieurs tragédies humaines, vinrent se joindre des manifestations artistiques modernes spécifiquement autrichiennes, ce qui aurait été impensable par exemple à Berlin. A l'ambiance fin-de-siècle que l'on fêtait aussi à Vienne, venaient se mêler des sonorités légèrement apocalyptiques. Elles entendaient favoriser les sentiments, l'introspection, l'esthétisme et le psychologisme; la peau devenait de plus en plus fine, mettant les nerfs à vif. D'un autre côté, les moments de vertige ou d'effondrement pouvaient être toujours récupérés et interprétés comme les différentes étapes d'un nouveau départ. C'est ce qui devait se produire à Vienne d'une façon à peine concevable aux alentours de 1900. On peut certes interpréter et dégager de façon approximative les conditions dans lesquelles cela eut lieu, mais non pas la puissance que le mouvement gagnera rapidement. Plus que dans d'autres centres déterminants, l'évolution nouvelle sera portée à Vienne par une grande bourgeoisie libérale, particulièrement ouverte et sensible du fait qu'elle avait une tradition plus ancienne et plus équilibrée qu'ailleurs. A Vienne, la compréhension entre les artistes et un public tout aussi restreint s'accomplissait visiblement en dehors de tout sentiment de contrainte. La conséquence en sera l'étonnante assurance mise à jour par les productions du nouveau style.

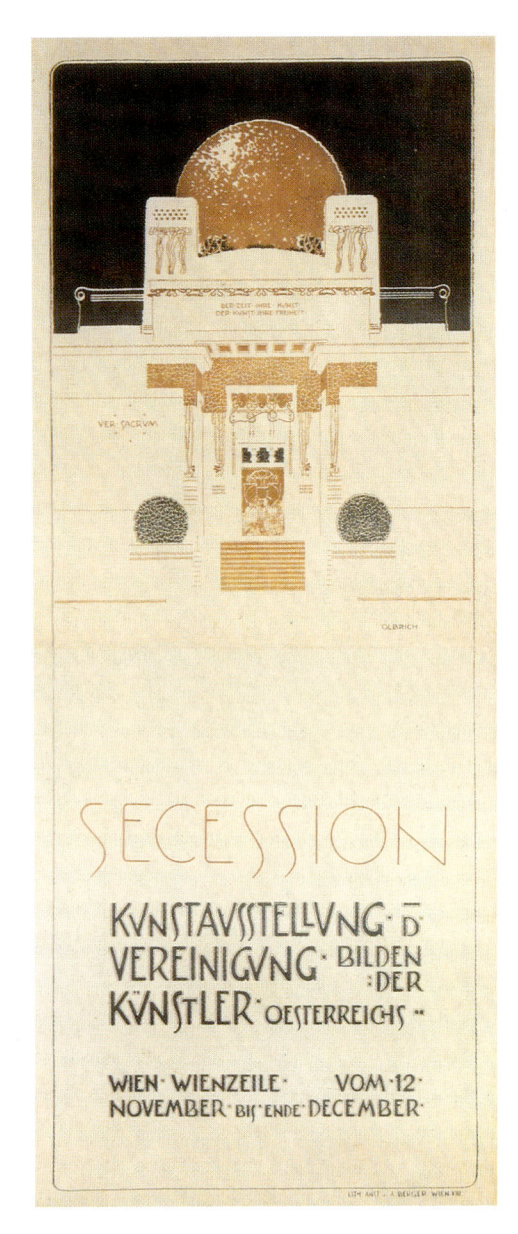

Quatre architectes eurent en particulier une importance décisive vers 1900, et cela pas seulement par leurs constructions: c'est ainsi qu'avec l'immeuble de la Sécession, Joseph Maria Olbrich avait pu créer un lieu de concentration pour toutes les autres forces du renouveau, en particulier celle de jeunes peintres et sculpteurs; quant à Adolf Loos, il intervenait de façon essentiellement polémique dans les débats de l'époque. Les deux autres architectes, Otto Wagner et Josef Hoffmann, étaient pour leur part plus pragmatiques, et ils surent profiter sans hésiter des riches possibilités qui s'offrirent à eux.

Un peu comme à Chicago, Vienne possédait déjà toute une tradition dans la modernité. Celle-ci n'avait donc nullement besoin d'y être inventée. Son initia-

Joseph Maria Olbrich, affiche pour la deuxième et la troisième exposition de la Sécession viennoise, Vienne 1898/99
Collection Mr. and Mrs. Leonard A. Lauder

Joseph Maria Olbrich, la coupole en bronze doré surmontant l'immeuble de la Sécession viennoise à Vienne, 1897/98

teur avait été l'architecte Otto Wagner, dont l'œuvre réalise la transition linéaire d'un historisme cultivé à une modernité sans compromis, sans que cette transition ne révèle la moindre trace d'incertitude. Wagner faisait preuve de modernité en suivant la voie d'une transformation et non pas celle d'une rupture – attitude que Vienne devait ensuite poursuivre grâce au modèle de Wagner. Les coups d'éclat révolutionnaires s'y produisaient plus rarement; en revanche, la nouveauté apparut très tôt sous une forme accomplie.

Des quatre architectes cités, Wagner était de loin le plus âgé et il faisait donc figure de père. Tout comme Sullivan à Chicago, il détenait ainsi une force centralisatrice et unifiante qui – lorsqu'on considère les résultats – était une aide bien plus grande que l'espace de liberté dont on pouvait disposer ailleurs. Parmi la génération suivante, Olbrich et Hoffmann avaient été ses élèves. Le premier avait même été son assistant. Développée très tôt dans son œuvre, l'attitude classique de Wagner avait procédé d'une étude approfondie de Friedrich Schinkel, étude qui devait marquer toute son œuvre. Celle-ci évoluera ainsi vers un classicisme intemporel qui imprègne encore la modernité des derniers projets de Wagner aux alentours de 1910. Vers 1900, son œuvre devait se combiner avec une ornementation plus vivante, sans jamais remettre en cause l'attitude formelle constructive de ses réalisations. C'est ainsi que le décor en céramique de l'immeuble de la Wienzeile (illustration p. 209) avait

Joseph Maria Olbrich, l'immeuble de la Sécession viennoise à Vienne, 1898/99. La statue représentant Marc-Antoine tiré par des lions est l'œuvre d'Arthur Strasser; elle fut présentée dans un premier temps à l'Exposition Universelle de Paris en 1900

Max Klinger, la statue de Beethoven dans l'immeuble de la Sécession viennoise pendant la 14ème exposition, 1902

Adolf Böhm, décoration de la salle principale de l'immeuble de la Sécession viennoise à l'occasion de la 14ème exposition, 1902

Otto Wagner, la grande salle de la Caisse d'Epargne de Vienne, 1906

avant tout pour but d'atténuer par sa légèreté la trop grande rigueur de la façade. Cela devait être réalisé d'une façon souveraine par le biais d'une idée unique et grandiose.

L'esprit d'ingénieur qui se dessine dans les étages inférieurs de ce bâtiment devait définir le complexe qui allait devenir un chef-d'œuvre dans l'abondante production de Wagner: les stations de métro de Vienne. Il est tout à fait caractéristique pour les deux villes de Paris et de Vienne que les architectes chargés de la réalisation de ces aménagements importants qui devaient fortement marquer l'image urbaine n'aient nullement été des traditionalistes. La situation du Karlsplatz (illustration p. 208), à l'ombre de bâtiments historiques de toute sorte, est tout à fait comparable à celle que Guimard avait à traiter à Paris. Wagner optera pour une solution moins ambitieuse, misant davantage sur la conception architecturale. La réalisation de la Caisse d'Epargne de Vienne sera ensuite un exemple du genre. L'intérieur de ce bâtiment est l'une des œuvres-clé de la modernité. Pour la façade (illustration p. 206), elle se rapproche davantage de l'Art nouveau. La construction dénote une attitude impériale que Wagner aimait montrer lorsqu'il avait à réaliser des bâtiments officiels. Wagner se prêtait volontiers à la recherche d'une image en adéquation avec la position de la métropole.

Dans l'œuvre de Wagner, les éléments ornementaux proviennent très probablement de son collaborateur Olbrich, qui put ainsi montrer très tôt la dangereuse richesse de ses talents. Sa prédilection à transformer des éléments secondaires en éléments principaux et à cultiver l'ambiguïté des mesures et des priorités se reconnaît déjà dans sa principale œuvre de jeunesse, le bâtiment destiné à l'union des artistes de la Sécession viennoise (illustrations p. 212, 213). Cette construction donne l'impression d'une combinaison raffinée entre un atelier et un temple, entre un lieu de travail et un monument dont la coupole intègre déjà le motif empire des lauriers, motif dont Vienne semblait avoir du mal à se défaire. Des éléments similaires marquèrent également le très élégant aménagement autrichien à l'Exposition Universelle de Paris (illustration p. 211), qu'on a du mal à reconnaître comme l'œuvre d'un débutant. Par la suite, Olbrich ne devait plus travailler qu'en Allemagne.

L'œuvre d'Adolf Loos peut à juste titre se soustraire à la définition de l'Art nouveau. Lui-même ne cessera jamais de souligner la différence de ses conceptions. Ses premiers aménagements surent en effet créer des formes pragmatiques et bienfaisantes qui, apparentées au style de vie anglais, avaient une simplicité, mais aussi une exigence formelle évidentes. Sans se perdre en

Otto Wagner, reconstitution moderne de la façade du bureau de dépêches du quotidien «Die Zeit», Vienne 1902
Vienne, Historisches Museum der Stadt Wien

Otto Wagner, fauteuil de la salle de réunion de la Caisse d'Epargne de Vienne, 1906, hêtre, tissu et garnitures d'aluminium
Collection particulière

Adolf Loos, la salle principale du «Café Museum» à Vienne, 1898/99

Adolf Loos, 1870–1933
Après sa formation à la Technische Hochschule de Dresde, il se rend en 1893 pour trois ans aux Etats-Unis, où il survit grâce à des travaux occasionnels. Après son séjour aux Etats-Unis, il travaille quelque temps chez Carl Mayreder à Vienne avant de devenir architecte indépendant. En 1923, il s'installe pour quelques années à Paris. A côté de ses réalisations architecturales et aménagements intérieurs, il se fera avant tout connaître comme publiciste.
Œuvres importantes: le «Café Museum», 1899; le «Kärntner Bar», 1908; la Maison Steiner, 1910; la grand magasin du Michaelerplatz, 1911 (toutes ces œuvres se trouvent à Vienne); sa contribution au concours pour la Tribune Tower sous la forme d'une gigantesque colonne dorique, 1922; la maison de Tristan Tzara à Paris, 1926.

détours compliqués, Adolf Loos s'efforçait de faire les choses telles que le réclamait leur usage. Il y est souvent parvenu dans le détail, mais dès lors qu'il eut l'occasion de se vouer à des travaux de plus grande envergure, il se retrouva lui aussi contraint de répondre avec des formes artistiques aux attentes particulières du public. Sa critique acerbe de ses collègues viennois devait se retourner contre lui lorsqu'il orna de colonnes doriques et d'un habillage de marbre un grand magasin construit dans un quartier exposé. Pour sa maison couverte de carreaux, très semblable par la composition, Wagner avait eu une démarche nettement moins académique. Mais d'autres œuvres montrent elles aussi que la simplicité prônée par Loos était plus imposée que réelle. En tant que polémiste, son incorruptibilité n'avait en tout cas d'égale que son acidité, en particulier lorsqu'il s'exprimera comme éditeur d'une «Revue pour l'introduction de la culture occidentale en Autriche», dont l'existence devait évidemment être de courte durée. A propos de van de Velde, il ira même jusqu'à dire que c'était une circonstance aggravante que de lui permettre de décorer la Zelle. De tous les architectes du changement de siècle, il sera celui qui se défendra le plus énergiquement d'être un artiste. Le terme de pionnier aurait en effet été plus approprié pour celui qui avait passé ses années de jeunesse décisives en Amérique.

Ses diatribes les plus violentes allaient à l'adresse d'un collègue né le même jour et la même année que lui, et qui aurait tout à fait pu être son frère d'esprit si leur opposition n'avait pas été publiée de façon aussi définitive. Car Josef Hoffmann faisait lui aussi référence à des modèles anglais, citant nommément William Morris comme son maître. Mais l'éthique alors considérée comme un peu sèche s'était rapidement transformée chez son adepte en une culture formelle de l'élégance. Loos a dû ressentir cette évolution comme une trahison. Quoi qu'il en soit, Hoffmann devait désormais être celui qui sera à même de créer dans sa plus grand pureté la variante viennoise de l'Art nouveau.

Il le fera d'ailleurs d'une façon convaincante et abondante. Très rapidement, Hoffmann devait montrer une grande assurance en tant que concepteur de meubles et d'espaces, mais aussi d'objets de toute sorte – un peu comme van de Velde, peu de choses ont échappé à sa création. Alors que le signe de ce dernier était une conduite linéaire caractéristique, Hoffmann privilégiait les formes géométriques, en particulier le carré. Mais il ne le faisait nullement d'une façon excessive, comme le lui reprochaient volontiers ses détracteurs. Il est vrai que bon nombre de ses réalisations montraient qu'elles avaient été dessinées sur du papier millimétré, ce qui leur donnait un caractère un peu schématique. Mais sa prédilection pour des formes rigoureuses permettait également de discipliner les choses. Ce qui séduit dans les objets de Hoffmann, c'est toujours la combi-

Adolf Loos, fauteuil, Vienne, 1898/99, hêtre, cuir et laiton
Collection particulière

Adolf Loos, pendule, Vienne 1900, verre et laiton, hauteur: 48 cm
Vienne, Kunsthandel Patrik Kovacs

Wilhelm Schmid, projet de concours pour un salon qui obtint le troisième prix, Vienne 1902, in: Innendekoration XIV, 1903

naison entre une élégance et une simplicité aisée et directe, mélange de préciosité et d'aridité.

C'est de cette façon qu'il devint rapidement un modèle, et nombre d'autres concepteurs travaillèrent de la même manière. Celui qui le fera de la façon la plus indépendante sera sans doute Koloman Moser. Avec cet artiste polyvalent, lui aussi issu de la peinture, Hoffmann devait marquer de son empreinte l'image des «Wiener Werkstätte», les *Ateliers Viennois*, à partir de 1903. Avec cette création, l'occasion était une fois encore donnée de réaliser d'une façon exceptionnelle les idées des artistes et de les transmettre à un cercle d'amateurs intéressés. A Vienne, cela devait se faire avec une générosité toute particulière, mais le résultat en sera aussi que cette entreprise très reconnue ne pourra jamais vivre par elle-même. Pendant des années, le mécène Fritz Waerndorfer fut contraint d'en payer les déficits. Plus tard, une autre forme de financement devait être trouvée, mais Hoffmann et Moser s'étaient alors largement retirés de l'entreprise et les productions, dessinées par d'autres artistes, s'en ressentirent. Parmi des tentatives similaires comme celles de Munich, de Dresde et d'ailleurs, les Ateliers Viennois devaient être la plus complète. Outre les meubles et aménagements complets, on y produisait des bijoux, de l'argenterie, de la

Josef Hoffmann (?), salle à manger, vers 1903

Josef Hoffmann, petit bureau, Vienne 1905, chêne, teinté bleu foncé et poli, sérusé Vienne, Österreichisches Museum für Angewandte Kunst

221

Josef Hoffmann, couverts en argent, 1904, Wiener Werkstätte
Londres, Kenneth Barlow Ltd.

céramique, de la verrerie et l'on y travaillait le cuir. Pour finir, on devait même y réaliser des vêtements vendus dans les magasins des Ateliers. Il était en quelque sorte possible d'y acheter tous les accessoires de son ménage, et même une forme spécifique de divertissement avec le cabaret «Fledermaus», la *Chauve-Souris*. Cette entreprise un peu exagérée avait été en partie financée par l'argent que le plus riche des commanditaires des Ateliers, Adolphe Stoclet, avait généreusement avancé pour son palais à Bruxelles.

Le goût exquis de cet homme aux moyens apparemment illimités sera à l'origine de ce que l'on peut considérer comme l'apothéose de l'Art nouveau: le Palais Stoclet (illustrations p. 231–237). Le projet avait déjà ceci de particulier qu'il était décalé tant dans l'espace que dans le temps. Cette villa plus que luxueuse devait être réalisée entre 1905 et 1911, c'est-à-dire à une époque où même à Vienne, l'apogée du mouvement faisait déjà partie du passé. Et l'on devait tout de même sembler s'étonner que le plus riche exemple de l'Art nouveau viennois fût réalisé à Bruxelles, c'est-à-dire dans une ville qui, peu auparavant, avait donné les preuves les plus éclatantes de son propre potentiel et n'avait en fait nul besoin d'une telle importation. Mais Stoclet préférait Hoffmann à van de Velde ou Horta, et il prit soin que le début et la fin du mouvement puissent se rencontrer dans une seule et même ville – bien que cela se fît d'une façon indéniablement contradictoire. Un regard même rapide sur le Palais Stoclet montre à quel point la conception de Hoffmann était éloignée de celle des Belges.

Les conditions dans lesquelles le Palais Stoclet devait voir le jour ressemblent fort à celles que nous avons déjà vues précédemment: la richesse d'un mécène s'unissait au savoir-faire et à l'audace. C'est ainsi qu'Adolphe Stoclet entrait dans le cercle illustre des Karl Ernst Osthaus, Fritz Waerndorfer, Harry Graf Kessler et l'archiduc Ernst-Ludwig. La confiance et la générosité permettaient à l'architecte de déployer ses talents sans le moindre obstacle. Il créa ainsi un édifice qui doit bien être rangé au nombre des plus sublimes performances du début de ce siècle. Pour son créateur aussi, cette entreprise était une apothéose, car la précision des formes y dépasse tout ce que Hoffmann avait réalisé

Josef Hoffmann, pièces d'un service en porcelaine, Vienne, vers 1905

Josef Hoffmann, Samovar et chaufferette, Vienne 1909/10, ivoire et argent, hauteur: 29 cm
Vienne, Österreichisches Museum für Angewandte Kunst

Ferdinand Andri, affiche d'exposition, Vienne 1906
Collection Mr. and Mrs. Leonard A. Lauder

*Bertold Löffler, éventail pour le cabaret «Fledermaus» à
Vienne, 1907, papier imprimé
Vienne, Historisches Museum der Stadt Wien*

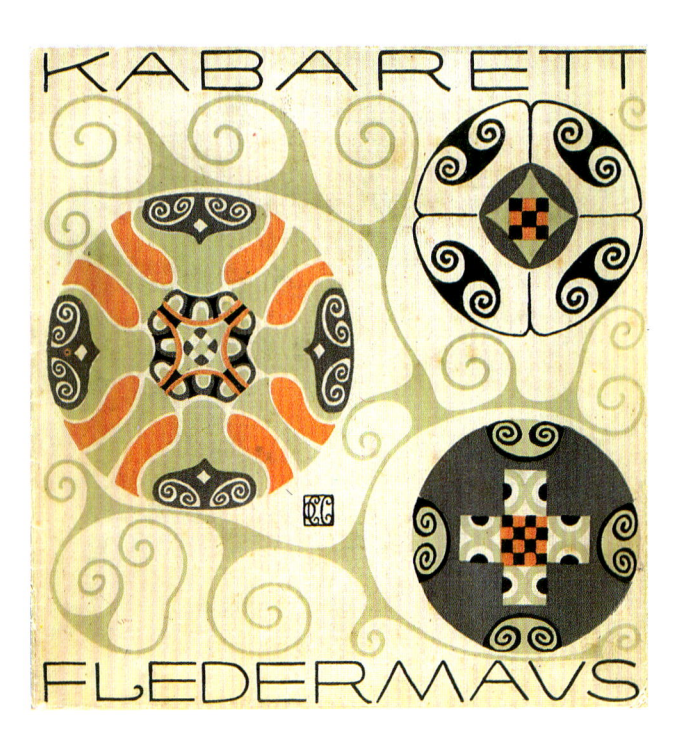

*Otto Czeschka, page de titre du programme du cabaret «Fledermaus» à Vienne, 1907
The Robert Gore Rifkind Center for German
Expressionist Studies,
Los Angeles County Museum of Art, acquis grâce aux Anna
Bing Arnolds Fund,
Museum Acquisition Fund et Deaccession Funds*

*Fritz Zeymer et Otto Czeschka, page du programme du cabaret «Fledermaus» à Vienne, 1907
The Robert Gore Rifkind Center for German
Expressionist Studies,
Los Angeles County Museum of Art, acquis grâce aux Anna
Bing Arnolds Fund,
Museum Acquisition Fund et Deaccession Funds*

Michael Powolny, les chérubins «Automne» et «Printemps»,
Vienne 1908, céramique vitrifiée, hauteur: 38 cm
Munich, collection particulière

Bertold Löffler, affiche d'exposition, Vienne 1908
Collection particulière, avec l'aimable autorisation de la Barry
Friedman Ltd., New York

Otto Prutscher, cinq verres, Vienne, entre 1905 et 1907,
cristal, rehaussé de couleur, poli et taillé,
hauteur de tous les verres: 21 cm
Munich, collection particulière

Koloman Moser, carafe de verre montée en métal argenté,
Vienne 1900/01, hauteur: 24 cm
Munich, collection particulière

Josef Hoffmann, service à thé et à café, Vienne, vers 1905, argent et bois précieux, hauteur : entre 13 et 22 cm
Vienne, Christian Zetter, Galerie bei der Albertina

jusqu'alors. La simplicité trouvait ici la voie d'un raffinement particulier. Quelques indications : le toit, d'une insensible déclivité tout en restant visible, a été placé en retrait au profit d'une forme générale fondamentalement cubiste. C'est dans cette zone que des fenêtres surélevées viennent s'emboîter habilement dans le toit. Dans la mesure où l'on ne voit jamais apparaître le moindre pignon, le bâtiment échappe à toute référence classique, et les contours toujours à angle droit du corps de bâtiment ne sont troublés par aucune pente. Behrens avait certes déjà nettement fait ressortir les angles de sa maison de Darmstadt (illustration p. 155) par des liernes d'angle, mais si celles-ci étaient en mesure d'avoir une action de protection et de cohésion, chez Hoffmann, les marquages de bronze ont plutôt une fonction graphique et visuelle. Sobrement, mais avec élégance, ils viennent encadrer les grandes surfaces murales de marbre gris de Norvège, qui reçoivent ainsi une valeur propre. Cette impression est encore renforcée par le fait que la largeur de la bordure est la même dans les verticales et les horizontales, ce qui confère aux surfaces une absence d'orientation ; elles font ainsi preuve d'une grande légèreté (pendant la Première Guerre mondiale, Osthaus fit peser toute son influence pour éviter que l'armée allemande ne réquisitionne les éléments de bronze du bâtiment pour la fonderie). A la précision de l'aspect extérieur, limité à un petit nombre de corps, correspond à l'intérieur un dessin rigoureusement ordonné. A partir de l'asymétrie de la façade principale, un hall sur deux étages situé au centre de la maison traverse

Josef Hoffmann, le Palais Stoclet côté rue, Bruxelles, 1905–1911

le bâtiment jusqu'à une façade plus uniforme, côté jardin. La résonance extérieure des matériaux se poursuit elle aussi à l'intérieur par l'ample utilisation du marbre, employé ici dans des couleurs volontairement chaudes. L'emploi de la pierre pour les sols, les murs et les piliers fait encore davantage ressortir la découpe déjà exacte des pièces. La salle à manger représente alors l'apogée du mélange de matériaux froids et luxueux, où le marbre doré, l'ébène, les mosaïques multicolores et les couverts d'argent forment une unité subtile. Parmi les pièces célèbres du palais, celle-ci est sans doute celle dont la conception est la plus intellectuelle. Toute émotion est reléguée dans l'ombre au profit de la rigueur du calcul. Ceci vaut en premier lieu pour la relation entre l'architecture, le mobilier et la réalisation artistique. Tous les éléments ont une place précise d'où résulte une unité disciplinée; et en dépit de toute la richesse des détails, les éléments conservent une certaine réserve. Cela vaut entre autres pour les mosaïques de Gustav Klimt qui, bien qu'elles ne soient nullement décoratives, s'intègrent parfaitement à l'ensemble. Dans les dimensions intimes de cette pièce, on sut créer un jeu subtil entre l'architecture et l'art, semblable aux divers aménagements de l'immeuble de la Sécession (illustrations p. 214, 215). Dans l'ensemble de l'évolution, c'était là quelque chose de pratiquement unique dans la mesure où la règle habituelle était que les disciplines artistiques tendaient plutôt à s'exclure les unes les autres. L'architecture revendiquait désormais de pouvoir donner également une forme globale aux domaines suprafonctionnels et artistiques par le biais de l'ornement, grâce à des couleurs et à un aménagement vivants. Les peintures – et même toute œuvre – ne pouvaient alors que gêner ce propos.

Or, c'est précisément la capacité de synthèse qui caractérisait Vienne comme lieu du renouveau. A Vienne s'exprimait un degré de maturité et de souveraineté qui fait apparaître nombre d'autres œuvres comme forcées et contraintes en raison de leur démesure. Le mélange d'aspiration utopique et de sens de la réalité y avait réellement trouvé son équilibre. Et ce fut certainement un signe de grande souveraineté que Josef Hoffmann ait érigé dans les jardins du Palais Stoclet une fine colonne dorique (illustration p. 237) dénuée de toute fonction architecturale et simplement placée dans un bassin. C'est une ironie particulière qu'en 1923, Adolf Loos, son détracteur le plus virulent, ait proposé lui aussi une colonne dorique comme forme d'un immeuble avec un sentiment similaire de souveraineté dans l'emploi des formes traditionnelles, mais probablement sans connaître le précédent de Hoffmann. Cette approche involontaire de son rival devait lui coûter cher; elle ne lui rapporta en effet qu'un étonnement gêné.

Le Palais Stoclet se situe à la fin d'une évolution qui devait être brisée au moment même où elle atteignait son apogée. C'est d'ailleurs un fait que l'on a déjà pu constater plusieurs fois au cours de l'évolution de l'Art nouveau. Sur le plan artistique, le luxe des objets se justifiait par la perfection générale de ce temple de l'Art nouveau. Au delà de cette perfection, le Palais Stoclet devait demeurer une entreprise personnelle coûteuse. C'est ainsi que le bilan de cette maison rejoint tout ce qu'a produit l'Art nouveau: une création du plus haut niveau artistique, mais dont les perspectives d'avenir restaient socialement limitées.

Josef Hoffmann, pergola dans le jardin du Palais Stoclet à Bruxelles, 1905–1911. A l'arrière-plan, une œuvre du sculpteur autrichien Richard Luksch, 1907

Josef Hoffmann, le Palais Stoclet côté jardin, Bruxelles, 1905–1911

Josef Hoffmann, mur de la salle à manger du Palais Stoclet
avec une mosaïque de Gustav Klimt,
vers 1910

Josef Hoffmann, la salle à manger du Palais Stoclet à Bruxelles, 1905–1911

Josef Hoffmann, le Palais Stoclet à Bruxelles,
Relief de Franz Metzner, côté rue,
et une partie du Palais côté jardin, 1905/1911

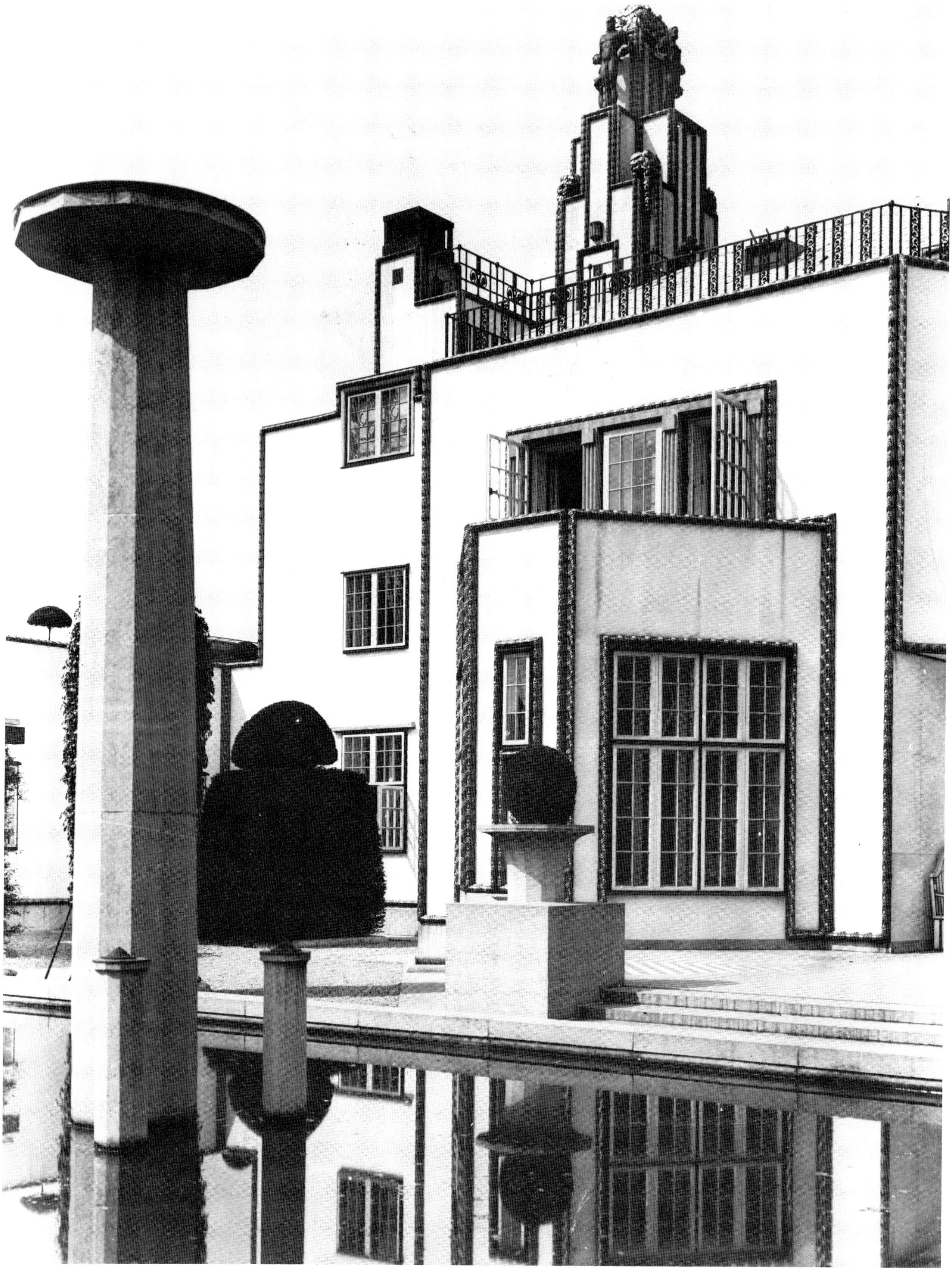

Bibliographie

Livres

Ahlers-Hestermann, Friedrich: Stilwende, Aufbruch der Jugend um 1900, Berlin 1956
Cassou, Jean, Emil Langui et Nikolaus Pevsner: Durchbruch zum 20. Jahrhundert, Kunst und Kultur der Jahrhundertwende, Munich 1962
Fischer, Wend: Bau, Raum, Gerät, Munich 1957
Frecot, Janos, Johannes Geidt und Diethart Kerbs: Fidus, zur ästhetischen Praxis bürgerlicher Fluchtbewegungen, Munich 1972
Garcias, Jean Claude: Charles Rennie Mackintosh, Bâle 1989
Graf, Otto Antonia: Die vergessene Wagnerschule, Vienne 1969
Günther, Sonja: Interieurs um 1900, Bernhard Pankok, Bruno Paul und Richard Riemerschmid als Mitarbeiter der Vereinigten Werkstätten für Kunst im Handwerk, Munich 1971
Hamann, Richard, und Jost Hermand: Stilkunst um 1900, Berlin 1967
Hesse-Frielinghaus, Hertha, August Hoff u. a.: Karl Ernst Osthaus, Leben und Werk, Recklinghausen 1971
Howarth, Thomas: Charles Rennie Mackintosh and the Modern Movement, Glasgow 1954
Hüter, Karl-Heinz: Henry van de Velde, sein Werk bis zum Ende seiner Tätigkeit in Deutschland, Berlin 1967
Just, Johannes: Meissener Jugendstilporzellan, Gütersloh 1983
Kreisel, Heinrich et Georg Himmelheber: Die Kunst des deutschen Möbels, vol. 3, Klassizismus, Historismus, Jugendstil, Munich 1983
Lenning, Henry F.: The Art Nouveau, La Haye 1951
Madsen, Stephan Tschudi: Sources of Art Nouveau, Oslo 1956
Joseph Maria Olbrich: Architektur (réédition complète des volumes originaux de 1901–1914), Tübingen 1985
Pevsner, Nikolaus: Wegbereiter moderner Formgebung von Morris bis Gropius, Cologne 1983
Prinz, Friedrich, und Marita Krauss: München, Musenstadt mit Hinterhöfen, Munich 1988
Russell, Frank (Editeur): Architektur des Jugendstiles, Überwindung des Historismus in Europa und Nordamerika, Stuttgart 1981
Schmutzler, Robert: Jugendstil, Stuttgart 1962
Schorske, Carl E.: Wien, Geist und Gesellschaft im Fin de siècle, Francfort-sur-le-Main 1982
Seling, Helmut (Editeur): Jugendstil, der Weg ins 20. Jahrhundert, Heidelberg 1959
Sembach, Klaus-Jürgen: Henry van de Velde, Stuttgart 1989
Sternberger, Dolf: Über den Jugendstil und andere Essays, Hambourg 1956
Varnedoe, Kirk: Wien 1900, Kunst, Architektur & Design, Cologne 1987
Weisberg, Gabriel P.: Art Nouveau Bing, Paris Style 1900, New York 1986
Ausgeführte Bauten und Entwürfe von Frank Lloyd Wright, Nachdruck der 1910 bei Ernst Wasmuth A. G., Berlin, erschienenen Portfolioausgabe, Tübingen 1986
Zerbst, Rainer: Antoni Gaudí, Cologne 1987

Catalogues

Art Nouveau. Art and Design at the Turn of the Century, The Museum of Modern Art, New York 1959
Art Nouveau. Belgium / France, Catalogue of an exhibition organized by the Institute for the Art, Rice University and the Art Institute of Chicago, Houston 1976
Sammlung Bröhan. Bestandskatalog Jugendstil, Werkbund, Art Deco, vol. II, Berlin 1976
Darmstadt 1901–1976. Ein Dokument deutscher Kunst, 5 vol., Darmstadt 1977
Museum Künstlerkolonie Darmstadt, rédaction: Renate Ulmer, Darmstadt o. J. (1990)
August Endell. Der Architekt des Photoateliers Elvira, Museum Villa Stuck, Munich 1977
Europäische Keramik des Jugendstils, Hetjens Museum, Düsseldorf 1974
Theodor Fischer. Architekt und Städtebauer 1862–1938, catalogue de l'exposition de la Architektursammlung der Technischen Universität München et du Münchner Stadtmuseum, en collaboration avec le Württembergischen Kunstverein; rédaction: Winfried Nerdinger, Berlin 1988
Gallé, Musée du Luxembourg, Paris 1986
Das Glas des Jugendstils, catalogue de la collection Hentrich du Kunstmuseum Düsseldorf, rédaction: Helga Hilschenz, Munich 1973
Das Glas des Jugendstils, collection du Österreichisches Museum für angewandte Kunst, Vienne, rédaction: Waltraud Neuwirth, Munich 1973
Josef Hoffmann. Wien, Museum Bellerive, Zurich 1983
Jugendstil, catalogue raisonné du fonds du Badisches Landesmuseum Karlsruhe, rédaction: Irmela Franzke, 1987
Jugendstil. Kunsthandwerk um 1900, catalogue du Hessisches Landesmuseum Darmstadt, rédaction: Gerhard Bott, 1973
Jugendstil, Palais des Beaux Arts, Bruxelles 1979
Jugendstil, catalogue de la collection de meubles du Stadtmuseum de Munich, rédaction: Hans Ottomeyer, Munich 1988
Die Meister des Münchner Jugendstils, Stadtmuseum de Munich, édité par Kathryn Bloom Hiesinger, Munich 1988
Franz Metzner. Ein Bildhauer der Jahrhundertwende in Berlin, Wien, Prag, Leipzig, Museum Villa Stuck, Munich 1977
Möbel des Jugendstils, collection du Österreichisches Museum für angewandte Kunst, Vienne, rédaction: Vera J. Behal, Munich 1981
München 1869–1958. Aufbruch zur Modernen Kunst, Haus der Kunst, Munich 1958
Objekte des Jugendstils, choix d'objets de la collection du Kunstgewerbemuseum de Zurich, Museum Bellerive, rédaction: Erika Cysling-Billeter, 1975
Hermann Obrist. Wegbereiter der Moderne, Museum Villa Stuck, Munich 1968
Joseph Maria Olbrich 1867–1908, Catalogue de l'exposition de la Mathildenhöhe à Darmstadt, 1983
Bernhard Pankok, 1872–1943. Mobilier, peintures, dessins, architecture, décors de théâtre, exposition du Württembergisches Landesmuseum, Stuttgart 1975
Bernhard Pankok. Peinture, dessins, design du «Jugendstil», Westfälisches Landesmuseum für Kunst und Kulturgeschichte, Münster 1986
Das frühe Plakat in Europa und den USA, vol. 1, Großbritannien und die Vereinigten Staaten von Nordamerika, vol. 2, Frankreich und Belgien, vol. 3, Deutschland, Berlin 1973–1980
Richard Riemerschmid. Vom Jugendstil zum Werkbund, exposition de la Architektursammlung der Technischen Universität München, du Stadtmuseum de Munich et du Germanisches Nationalmuseum de Nuremberg, rédaction: Winfried Nerdinger, Munich 1982
Traum und Wirklichkeit. Wien 1870–1930, Historisches Museum der Stadt Wien, 1985
Werke um 1900, exposition du Kunstgewerbemuseum de Berlin, rédaction: Wolfgang Scheffler, 1966
Wien um 1900, exposition organisée par le Service culturel de la Ville de Vienne, 1964
Die Wiener Werkstätte. Modernes Kunsthandwerk von 1903–1932, Österreichisches Museum für angewandte Kunst, Vienne 1967

Index des noms cités

Les chiffres renvoient aux numéros des pages; les chiffres en italique se rapportent aux illustrations.

Adler, Dankmar 199
Adler, Friedrich *107*
AEG 38, 113, 156
Alexandre I*er* 187
Andri, Ferdinand *224*
Arnold, Galerie in Dresden 132, *136, 137*
Ateliers viennois 19, 220, 222

Baillie Scott, M.H. 159
Bakalowits, G. *160*
Beardsley, Aubrey 174
Behrens, Christian 28
Behrens, Peter *26, 35,* 38, 39, 54, 85, *92,* 109, 113, *114,* 116, 141, 150, 153, *154–159,* 181, 192, 199, 203, 230
Bernhardt, Sarah 196
Billing, Hermann *34,* 192
Bismarck, Otto von 38, 83, 196
Böcklin, Arnold 121
Böhm, Adolf *215*
Bruckmann, P. 89, *160*
Bugatti, Carlos 181
Bürck, Paul *143*
Burnham, Daniel H. *197*
Busoni, Ferruccio 138

Charles-Alexandre, grand-duc 121, 122
Charles-Auguste, duc 121
Christiansen, Hans *148,* 149
Chedanne, Georges *23*
Coonley, Avery, *200, 201*
Craig, Edward Gordon 138
Czeschka, Otto *225*

Daum, Antonin *15, 66*
Daum, Auguste *66*
Daum, Jean 66
Denis, Maurice *124,* 126
Deutscher Künstlerbund 138
Deutscher Werkbund 111, 112
Dresdner Werkstätten für Handwerkskunst *102, 103, 105,* 109–111
Dumont, Louise 138
Duncan, Isadora 43
Dresser, Christopher 172

Eckmann, Otto 54, *111,* 113
Ecole de Nancy 66, 67, 70
Eetvelde van 60, *61*
Endell, August *9, 11, 13,* 86, 88, *94–97,* 98
Engel, Karl Ludwig 189
Engelhardt, Christian Valdemar *16,* 30
Engels, Friedrich 74
Ernst Ludwig, Großherzog 37, 121, 122, 141–143, 159, 222

Fischer, Theodor *82, 84,* 87, 88, *108,* 109
Förster-Nietzsche, Elisabeth 123

France, Anatole 188
Franz Joseph 212
Frosterus, Sigurd 193
Fuchs, Georg 143, 156, 158
Fuller, Loïe *8,* 10, 11

Gaillard, Eugène *18,* 27
Gaillard, Lucien *18*
Gallé, Emile *15, 66–69, 70*
Gallen-Kallela, Akseli 190
Gärtner, Friedrich von 82
Gaudí, Antoni 28, 36, *74–79*
Gesellius, Hermann *188, 190, 191,* 192
Gide, André 138
Glückert 149, *151–153*
Goethe, Johann Wolfgang 121
Goethe-Schiller-Archiv 122
Gogh, Vincent van 53
Goncourt, Edmond de 67
Gorki, Maxim 187
Gradl, Hermann *115*
Grand Bazar Anspach *50,* 52
Gropius, Walter 156
Gruber, Jacques 66, *70*
Güell, Eusebio 75, 76
Guimard, Hector 11, *20–22,* 28, 75, 216
Guillaume II 104
Gulbransson, Olaf *80,* 94

Habich, Ludwig *144,* 149, *150*
Haby, François 56, 57
Haeckel, Ernst 188
Hankar, Paul *44,* 45
Harnack, Otto 188
Hauptmann, Gerhart 109, 138
Hebbel, Friedrich 122
Heine, Thomas Theodor *8, 88,* 91
Held, Louis *123*
Hentschel, Konrad *131,* 132
Hentschel, Rudolf *130*
Herder, Gottfried 121
Heymel, Alfred Walter 86
Hirschwald, Wilhelm 56
Hoffmann, Josef 109, 199, *210,* 212, 213, 219, 220, *221–223, 230–236*
Hofmann, Ludwig van *135*
Hofmannsthal, Hugo von 138
Hoosemanns, Frans *46,* 47
Horta, Victor 11, 27, *30, 31, 43,* 45, *47–51,* 52, 53, 54, 55, *58–63,* 199, 222
Huysmans, Joris K. 126

Ibsen, Henrik 109
Jeanne d'Arc 66
Jugend (revue munichoise) *110, 111,* 114

Kaulbach, Wilhelm von 121
Kessler, Harry Graf *121,* 122–127, 129, 138, 139, 222
Kipling, Rudyard 196
Klenze, Leo von 82
Klimt, Gustav 12, 231, *234*

Klinger, Max *121,* 214
Koch, Alexander 158, 178
Kok, Juriaan *17,* 30
Kovacs, Patrick *219*
Kreis, Wilhelm 38

Lange, Konrad 117
Larche, Raoul François *11*
Lauweriks, J.L.M. 39
Leczinski, Stanislas 65
Leino, Eino 190
Lénine, Vladimir Ilitch 187
Léopold II 42
Leopold de Saxe-Cobourg 41
Liebermann, Max 57, 121
Lindgren, Armas 192
Liszt, Franz 122
Löffler, Bertold *225, 227*
Loos, Adolf *207,* 212, *218, 219,* 232
Louis I*er* 82, 83
Louis II 83
Lueger, Karl 210, 211
Luitpold, Prince-Régent 83
Lumière, Auguste et Louis 10

Macdonald, Margaret 173, 174, 176
Macdonald, Frances 173, 174
Mack, Lajos *17*
Mackintosh, Charles Rennie 28, 159, *172–185,* 199
MacNair, Herbert 173
Magnussen W. *106*
Maillol, Aristide *124,* 126
Majorelle, Louis 66, 67, *71*
Maximilien II 82
Méliès, Georges 8
Mérode, Cléo de *42,* 43
Messel, Alfred 143, 168
Metzner, Franz *28, 29,* 30, *38, 39, 237*
Mies van der Rohe, Ludwig 156
Mommsen, Theodor 188
Monet, Claude 53
Morave, Ferdinand *110*
Morris, William 16, 19, 54, 103, 110, 219
Moser, Koloman 220, *229*
Müller, Theodor 129
Munch, Edvard 12, *120,* 121
Muthesius, Hermann 181

Napoleon III 65
Newbery, Francis 173
Nicolas II *141,* 187
Nietzsche, Friedrich 139
Nietzsche-Archiv *122,* 123, 139
Nightingale, Florence 188

Obrist, Hermann *10,* 11, *12, 90, 93,* 94, 96, 103
Olbrich, Joseph Maria *32,* 37, 111, 141, *142–153,* 159, *160–166,* 167, *168, 169,* 176, 178, 192, 199, 202, 206, *211–213,* 217
Osthaus, Karl Ernst 38, 39, 139, 230

Pankok, Bernhard 54, *85, 86,* 88, *91,* 94, 103, 104, *114,* 116, *117–119*
Paul, Bruno 28, *42, 84, 87, 89,* 90, 91, 94, 103, 106, *112, 113,* 114, 115
Perscheid, Nicola *122*
Philippe V 73
Plumet, Charles *19*
Poelaert, Joseph *40,* 41, 42
Powolny, Michael *226*
Prutscher, Otto *228*
Pützer, Friedrich *167*

Reinhardt, Max 138
Renoir, Auguste 53
Riemerschmid, Richard 11, 28, 39, 54, 81, *86,* 88, *98–106,* 107, 109, 110, 113, 114, 116–118, 155
Riesbroek, Jules van *43*
Rilke, Rainer Maria 138
Rode, Gotfred *27*
Rodin, Auguste 139
Root, John W. *197*
Ruskin, John 16–18

Saarinen, Eliel *188–191,* 192, *193*
Scharvogel, J.J. *106*
Schaumann, Eugen 188
Scheffler, Karl 153
Schiller, Friedrich 121
Schiller, Fondation Schiller *122*
Schinkel, Friedrich 213
Schmid, Wilhelm *220*
Schmitz, Bruno *28*
Schröder, Rudolf Alexander 86
Sécession viennoise *147,* 212–215
Seidl, Gabriel von *83*
Selmersheim, Tony *19*
Serrurier-Bovy, Gustave *44,* 45
Seurat, Georges 53
Shakespeare, Sociéte 122
Sibelius, Jean 190
Simplicissimus 81, *84,* 88–90, 114
Skladanowkski, Max 10
Solvay, 61, *62,* 63
Sparre, Louis *192*
Stoclet, Adolphe 222, 230–233, 235, 236
Strasser, Arthur *213*
Stuck, Franz von *82, 83,* 84, 85, 87, *140,* 141
Sullivan, Louis H. *196,* 199, 213

Toorop, Jan 12
Tiffany, Louis Comfort *14,* 69
Toulouse-Lautrec, Henri de *8,* 12
Troost, Paul Ludwig 86

van de Velde, Henry 8, 11, 19, *24, 25, 27,* 28, *36, 37,* 39, 45, *52–57,* 58, 85, 99, 100, 107, 109, 113, 121, *122–129, 133–139,* 150, 155, 178, 191, 193, 199, 203, 218, 219, 222
Vavaseur, M.E. *9*
Verne, Jules 8

Villeroy & Boch *26, 86*
Virchow, Rudolf 188

Waerndorfer, Fritz 178, 220, 222
Wagner, Otto 199, *206, 208, 209,* 212, 213, *216, 217,* 218
Wagner, Richard 87
Walton, George *173*
Wedekind, Frank 87
Whistler, James McNeill 173
Wieland, Christoph Martin 121
Wilde, Oscar 126
Wilhelm Ernst, Archiduc 121, 122, 139
Wolfers, Philippe *46*
Wolzogen, Ernst von 98
Wright, Frank Lloyd 8, 29, 183, *198–203*

Zeymer, Fritz *225*
Zola, Emile 188
Zsolnay, Vilmos *17*
Zumbusch, Ludwig von *110*

Iconographie

Annan, Glasgow: 173 g. / 173 d. / 174 / 177 / 184 / 185
Architektursammlung der Technischen Universität Munich: 98 / 102 h. / 108 h. / 109
Archives La Cambre, Bruxelles: 122 d. / 126 / 133 / 134 h. / 138
Paul Asenbaum, Vienne: 217 g.
Ch. Bastin & J. Evrard, Bruxelles: 30 / 31 / 46 g. / 58 / 59 / 60
Bayerisches Nationalmuseum, Munich: 14 g. / 14 d. / 97 g.
Bibliothek der Landesgewerbeanstalt, Nuremberg: 180
Bildarchiv Foto Marburg: 10 g. / 13 / 25 h. / 28 d. / 34 / 35 / 36 g. / 36 d. / 37 g. / 37 c. / 37 d. / 40 / 43 g. / 44 h. / 47 / 48 / 49 g. / 50 / 51 / 55 / 56 / 57 d. / 61 / 62 / 85 / 97 d. / 103 / 104 g. / 105 h. / 117 / 119 / 123 g. / 124 h. / 125 / 129 / 135 / 136 / 139 d. / 156 / 158 / 172 d. / 196 g. / 196 d. / 197 g. / 198 b. / 206 / 207 / 221 h. / 223 h. / 231–237
Bildarchiv der Österreichischen Nationalbibliothek, Vienne: 213–216
Bildarchiv Preußischer Kulturbesitz, Berlin: 42 g. / 42 c. / 42 d. / 72 / 194
Bildarchiv Hans Wiesenhofer, Vienne: 209 h.
Chris Burke, New York: 212 h. / 224
Chicago Architectural Photographing Company: 188 h. / 200 / 201
Danz, Halle (Bild und Heimat Reichenbach i. V.): 38 / 39

Decorative Arts, K. Barlow Ltd., Londres: 99 d. / 222
© Direktion der Museen der Stadt Vienne: 225 h.
Retoria Futagawa & Associated Photographers, Tokio: 183
Klaus Frahm, Hambourg: 21 / 22 / 23
Frehn & Baldacchino, Hambourg: 19
Mario Gastinger, Munich: 15 g. / 15 d. / 69 / 88 g. / 88 d. / 99 g. / 219 g. / 226 / 228 / 230
Germanisches Nationalmuseum, Nuremberg: 157
Sophie Renate Gnamm, Munich: 10 d. / 11 g. / 16 / 17 g. / 17 d. / 25 b. / 26 / 27 / 56 g. / 86 g. / 90 / 102 b. / 105 h. / 106 g. / 106 d. / 107 / 110 g. / 110 d. / 111 g. / 111 d. / 113 g. / 113 d. / 114 g. / 128 b. / 130 / 131 / 132 / 133 b. / 137 g. / 160 h. g. / 160 b. / 175 / 229
Louis Held, Weimar: 120 b. / 123 d.
Helsingfors Stadtmuseum: 186 h. / 186 b.
Historisches Museum der Stadt Vienne: 204 / 208 / 217 d.
Hoch Drei, Berlin: 29 / 115
Klaus Kinold, Munich: 108 b.
Roland Koch, Darmstadt: 32
Kunstgewerbemuseum Cologne: 18 g.
Kunstgewerbemuseum Zurich: 54 g. / 128 g. h. / 128 d. h.
Kunsthalle Kiel: 11 d.
Loos-Archiv, Vienne: 218
Foto-Archivo Mas, Barcelone: 78
Metropolitan Museum of Art, New York: 202
Georg Meyer, Vienne: 223
Münchner Stadtmuseum: 12 / 70 / 104 d. / 112
© Museum Associates, Los Angeles County Museum of Art: 225 b. g. / 225 b. d.
Museum für Kunst und Gewerbe, Hambourg: 46 d. / 137 g.
Museum für Kunsthandwerk, Francfort-sur-le-Main: 127 / 139 b.
Rudolf Nagel, Francfort-sur-le-Main: 18 d.
Österreichisches Museum für Angewandte Kunst, Vienne: 68 / 178 / 221 b. / 223 b.
Oslo Kommunes Kunstsamlinger, Munch Museet: 120 h.
Nicola Perscheid: 122 g.
© Photo: R.M.N., Paris: 176
François René Roland: 76 / 77 / 79
Royal Commission of the Ancient and Historical Monuments of Scotland, Edimbourg: 182
Rühl & Bormann, Darmstadt: 140 h. / 142 g. / 143 d. / 159 / 160 d. h.
Collection Glasgow School of Art: 179
© Photo: S.P.A.D.E.M., Paris: 64
Hildegard Steinmetz Archiv im Theatermuseum Munich: 106 / 107 h. / 107 b.
Westfälisches Landesmuseum für Kunst und Kulturgeschichte, Münster: 114 d.
Studio Image, Nancy: 66 / 67
L. Sully-Jaumes, Paris: 20 g.
L. Wittamer de Champs, Bruxelles: 63
Württembergisches Landesmuseum, Stuttgart: 86 d.